DE VIJAND

Van dezelfde schrijver:

Bahama crisis
Duel onder water
Het fort in de bergen
De gouden kiel
Grof wild
Konvooi in gevaar
De man met de twee gezichten
De man zonder verleden
Nachtelijke dwaling
Op dood spoor
Operatie Torpedo
Orkaan Mabel grijpt in
De sneeuwtijger
De uitbrekers
Vlucht in het verleden
De vijand

Desmond Bagley

De vijand

elfde druk

1990 – De Boekerij – Amsterdam

Oorspronkelijke titel: The Enemy
Vertaling: F.M.N. van Everdingen
Omslagontwerp: Pieter van Delft/ADM International
Omslagfoto: ABC Press

CIP-GEGEVENS KONINKLIJKE BIBLIOTHEEK, DEN HAAG

Bagley, Desmond

De vijand / F.M.N. van Everdingen ; [vert. uit het Engels door F.M.N.
van Everdingen]. – Amsterdam : De Boekerij
Vert. van: The enemy. – London : Collins, 1977. – 1e dr. Nederlandse
uitg.: Amsterdam [etc.] : Elsevier, 1977.
ISBN 90-225-1099-9
UDC 82-31 NUGI 331
Trefw.: romans ; vertaald.

© 1977 by Literary Publications
© 1990 voor de Nederlandse taal: De Boekerij bv, Amsterdam

We hebben de vijand ontmoet, en hij is ons.
OLIVER HAZARD PERRY
Amerikaanse Zeeheld

We hebben de vijand ontmoet, en hij is wij.
WALT KELLY
*Revolutionair Sociologisch Spotprent-
tekenaar*

Voor alle schurken
met name
Iwan en Inga
Jan en Anita
Hemming en Annette

1

Ik ontmoette Penelope Ashton op een fuifje bij Tom Packer. Dat
is misschien een beetje misleidend, want het was niet het soort fuif
waar de vonken van afvlogen; geen sterke punch of hasj en geen
partnerruil of wild gevrij in de slaapkamers om twee uur in de
ochtend. Alleen maar een stel mensen dat bijeen was aan een
gezellig etentje met heel wat gelach en verduveld veel gepraat.
Maar het dreigde laat te worden en gezien Toms vrijgevigheid met
whisky's-na-het-eten leek het me beter niet zelf te gaan rijden, dus
toen ik wegging nam ik een taxi.

Penny Ashton kwam met Dinah en Mike Huxham; Dinah was
Toms zuster. Ik ben er nog steeds niet achter of ik was uitgenodigd
omdat er een meisje te veel was, dan wel dat zij erbij was gehaald
als tegenwicht voor mij. Hoe dan ook, toen we aan tafel gingen
waren de seksen gelijk in aantal en zat ik naast haar. Ze was een
lange, donkere vrouw, rustig en beheerst in haar manier van doen
en niet erg toeschietelijk. Ze was geen adembenemende schoon-
heid, maar dat zijn maar weinig vrouwen; Helena van Troje mag
dan duizend schepen te water hebben gebracht maar niemand zou
voor Penny Ashton de boot te water duwen, althans niet bij de
eerste aanblik. Niet dat ze lelijk was of zo iets. Ze had een redelijk
goed figuur en een redelijk goed gezicht en ze was goed gekleed.
Gemiddeld zou, geloof ik, het woord zijn om haar te beschrijven.
Ik schatte haar leeftijd op ongeveer vijfentwintig en ik zat er niet
ver naast. Ze was achtentwintig.

Zoals gebruikelijk met Toms vrienden, was de conversatie veelzij-
dig en gevarieerd; Tom was een opkomende ster in de hogere
regionen van de medische wereld en hij was eclectisch in zijn keus
van tafelgenoten en dus was de conversatie goed. Penny deed
eraan mee maar neigde meer tot luisteren dan praten en haar
opmerkingen waren schaars. Geleidelijk werd ik me ervan bewust
dat als ze iets zei haar woorden hout sneden, en dat er iets cynisch
in haar ogen blonk als ze naar iets luisterde waarmee ze het niet
eens was. Ik vond haar scherpe geest erg aantrekkelijk.

Na tafel werd het gesprek bij koffie en cognac in de zitkamer voortgezet. Ik prefereerde whisky omdat ik niet goed tegen cognac kan, een omstandigheid die Tom welbekend was want hij schonk me een maat in die groot genoeg was om een olifant buiten westen te brengen, en liet de kan ijswater gerieflijk binnen mijn bereik. Zoals meestal bij deze gelegenheden splitste het gezelschap, hoewel tijdens de maaltijd het gesprek algemeen was geweest en iedereen eraan meedeed, zich na tafel in kleine groepjes die elk op hun geestverwante argumenten doorborduurden en hun stokpaardjes de vrije teugel lieten. Tot mijn lichte verrassing betrapte ik me erop dat ik een groepje van twee verkoos – mezelf en Penny Ashton. Ik schat dat we met ons twaalven waren, maar ik nestelde me in een hoekje en monopoliseerde Penny Ashton. Of monopoliseerde zij mij? Het kon zes van het een en een half dozijn van het ander zijn geweest; dat is het meestal in zulke gevallen.

Ik weet niet meer waarover we aanvankelijk praatten, maar langzaamaan werd ons gesprek persoonlijker. Ik ontdekte dat ze biologe was, met genetica als specialiteit, en dat ze samenwerkte met professor Lumsden aan het Londense University College. Erfelijkheidsleer is het actueelste en controversioneelste onderwerp in de moderne wetenschap en Lumsden stond vooraan in de strijd. Iedereen die met hem samenwerkte moest wel erg briljant zijn en ik was gepast geïmponeerd. Er viel nog veel meer aan Penny Ashton te ontdekken dan oppervlakkig te zien was.

Op een bepaald moment gedurende de avond vroeg ze: 'En wat doe jij?'

'O, ik ben in zaken,' zei ik luchtig.

Ze kreeg die cynische blik in haar ogen en zei verwijtend: 'Satire past niet bij jou.'

'Maar 't is waar!' protesteerde ik. 'Iemand moet het raderwerk van de handel op gang houden.' Ze ging niet op het onderwerp door. Onvermijdelijk keek iemand op zijn horloge en ontdekte met schrik hoe laat het was, en het gezelschap begon op te breken. Hoe gezelliger de avond hoe later het doorgaans wordt, en het was aardig laat. Penny zei: 'Mijn God – m'n trein!'

'Welk station?'

'Victoria.'

'Ik breng je er even langs,' zei ik en stond op, enigszins zwaaiend toen ik Toms whisky voelde. 'Met een taxi.'

Ik vroeg of ik even gebruik van de telefoon mocht maken en belde een taxi en toen stonden we druk afscheid te nemen en wat te draaien tot de taxi kwam. Terwijl we door de helverlichte Londense straten reden, overdacht ik dat het een fijne avond was geweest; ik had me in lang niet zo prettig gevoeld. En dat kwam niet in het minst door de kwaliteit van Toms drank.

Ik draaide me om naar Penny. 'Ken je de Packers al lang?'

'Een paar jaar. Ik zat met Dinah Huxham op Cambridge – Dinah Packers heette ze toen nog.'

'Aardige mensen. Het is een fijne avond geweest.'

'Ik heb genoten.'

Ik vroeg: 'Wat zou je ervan zeggen om 't nog eens te herhalen – met ons tweeën alleen? Een schouwburgje, bijvoorbeeld, en daarna een hapje eten.'

Ze zweeg even, zei toen: 'Goed.' Dus maakten we een afspraak voor de volgende woensdag en ik voelde me nog prettiger.

Ze wilde niet dat ik met haar meeging het station in, dus ik hield de taxi en liet me naar mijn flat rijden. Pas toen realiseerde ik me dat ik niet wist of ze getrouwd was of niet en ik probeerde me de vingers van haar linkerhand te herinneren. Toen bedacht ik dat ik een vervloekte idioot was; ik kende de vrouw nauwelijks, dus wat deed het ertoe of ze getrouwd was of niet? Ik was niet van plan zelf met haar te trouwen, wel?

Op de afgesproken woensdag haalde ik haar om kwart over zeven 's avonds af van University College. We dronken een borrel in een kroegje vlak bij de schouwburg – ik hou niet van die stampvolle schouwburgbars; te bekend. 'Werk je altijd zo laat?' vroeg ik.

Ze schudde haar hoofd. 'Dat wisselt. Het is geen baan-van-negen-tot-vijf, weet je. Als we met iets groots bezig zijn, werken we soms de hele avond door, maar dat gebeurt niet vaak. Ik werkte vanavond omdat ik toch in de stad bleef.' Ze glimlachte. 'Het gaf me de gelegenheid wat achterstallige paperassen af te doen.'

'Ah, de papierwinkel achtervolgt ons altijd.'

'Zou jij moeten weten; jouw werk is een en al paperasserij, niet?'

Ik grinnikte. 'Ja, almaar gerommel met tientjes.'

We gingen dus naar de schouwburg en ik nam haar mee uit eten in Soho en bracht haar toen naar Victoria Station. En maakte een nieuwe afspraak voor de zaterdag.

En van het een kwam het ander, zoals dat heet, en al gauw was ik regelmatig in haar gezelschap. We bezochten meer theaters, gingen naar een opera, een paar balletuitvoeringen, een speciale tentoonstelling in de National Gallery, de dierentuin in Regent's Park, het Natural History Museum, en we maakten een boottochtje naar Greenwich. We hadden een paar Amerikaanse toeristen kunnen zijn.

Na zo'n week of zes geloof ik dat we allebei vonden dat het allemaal aardig serieus begon te worden. Ik, tenminste, vond het serieus genoeg om naar Cambridge te gaan voor een gesprek met mijn vader. Hij glimlachte toen ik hem over Penny vertelde, en hij zei: 'Weet je, Malcolm, ik maakte me al zorgen over jou. Het wordt tijd dat er wat vastigheid in je leven komt. Weet je iets over de ouders van het meisje?'

'Niet veel,' erkende ik. 'Als ik 't goed begrijp is haar vader zo iets als een kleine industrieel. Ik heb 'm nog niet ontmoet.'

'Niet dat 't er iets toe doet,' zei mijn vader. 'Ik hoop dat we over dat soort snobisme heen zijn. Ben je al met haar naar bed geweest?'

'Nee,' zei ik bedachtzaam. 'Maar we zijn vrij intiem met elkaar geworden.'

'Hm!' gromde hij duister, en begon zijn pijp te stoppen. 'Naar mijn ervaring hier op de universiteit is de opkomende generatie niet zo swingend en ongeremd als ze graag denkt te zijn. Ze duiken niet zomaar bij de eerste de beste gelegenheid bloot met elkaar in bed – niet als ze elkaar au sérieux nemen en respect voor elkaar hebben. Is 't zo iets bij jullie?'

Ik knikte. 'Ik heb vroeger m'n wilde momenten gehad, maar op de een of andere manier is 't met Penny anders. Trouwens, ik ken haar pas een paar weken.'

'Je herinnert je Joe Patterson?'

'Ja.' Patterson was hoofd van een van de faculteiten voor psychologie.

'Hij gelooft dat de meeste mannen niet goed weten welke eigenschappen ze het liefst in een levensgezellin zouden zien. Hij vertelde me eens dat de ideale bruid van de gemiddelde man een maagd is in de eindstadia van nymfomanie. Een grapje, maar met een grond van waarheid erin.'

'Joe is een cynicus.'

'Dat zijn de meeste wijze mannen. Hoe dan ook, ik zou Penny

graag eens willen ontmoeten zodra jij je moed bijeen kunt rapen. Je moeder zou gelukkig zijn geweest jou getrouwd te zien; da's jammer.'
'Hoe red je 't, vader?'
'O, dat gaat wel. Het grootste gevaar is een excentrieke professor te worden; ik probeer dat te vermijden.'
We praatten nog een poosje over familiezaken en toen ging ik terug naar Londen.

Het was in die dagen dat Penny een constructieve stap deed. We zaten in mijn flat te praten bij koffie en likeur; ze had me een complimentje gemaakt over het Chinese etentje en ik had bescheiden geantwoord dat ik de gerechten zelf had laten brengen. Toen nodigde ze me uit het weekend bij haar thuis te komen. Om met de familie kennis te maken.

2

Ze woonde met haar vader en zuster in een landhuis bij Marlow in Buckinghamshire, een uurtje rijden van Londen via de M4. George Ashton was een weduwnaar van midden vijftig, die met zijn dochters een van baksteen opgetrokken Queen Anne-huis bewoonde van het type dat je groot geadverteerd ziet in *Country Life*. Het had zo ongeveer alles. Er waren twee tennisbanen en een zwembad; er was een stalgebouw waarvan garages waren gemaakt met dure dingen op wielen erin en er was een stalgebouw dat nog steeds stalgebouw was met dure dingen op benen erin – aan weerskanten van het huis. Het was een laten-we-op-het-gazon-theedrinken soort huis, een meneer-zal-u-in-de-bibliotheek-ontvangen soort huis. Het goede, rijke betere stand leven.

George Ashton was ruim één meter tachtig lang en had een dikke kop staalgrijs haar. Hij was in puike conditie, zoals ik op de tennisbaan kon constateren. Hij speelde een agressief aanvallend partijtje tennis en ik had moeite het tegen hem vol te houden, ondanks zijn handicap van zo'n jaar of vijfentwintig. Hij klopte me met 5-7, 7-5, 6-3, waaruit blijkt dat zijn uithoudingsvermogen beter was dan het mijne. Ik kwam buiten adem van de baan, maar Ashton draafde naar het zwembad, dook er gekleed als hij was in, en zwom een baantje voordat hij het huis inging om zich te verkleden.

Ik plofte naast Penny in een ligstoel. 'Is hij altijd zo?'

'Altijd,' verzekerde ze me.

Ik kreunde. 'Ik word al bekaf door naar hem te kijken.'

Penny's zuster, Gillian, was de volkomen tegenpool van Penny. Ze was het huishoudelijke type en beheerde de huishouding. Ik bedoel niet dat ze als vrouw des huizes optrad en alleen maar de orders gaf. Ze *beheerde* alles. De Ashtons hadden niet veel personeel; er waren een paar tuinlieden en een stalmeisje, een huisknecht-chauffeur die Benson heette, een dienstmeisje voor dag-en-nacht en een dagelijkse hulp die iedere ochtend een paar uur kwam. Niet veel personeel voor een zo groot huis.

Gillian was een paar jaar jonger dan Penny en er was een Martha-en-Mariaverhouding tussen hen die me een beetje vreemd voorkwam. Penny deed voor zover ik zien kon weinig aan het huis, afgezien van haar eigen kamer op orde houden, haar eigen wagen wassen en haar eigen paard verzorgen. Gillian was de Martha die al het sloofwerk deed, maar ze scheen het niet erg te vinden en leek zo te zien heel tevreden. Nu was het natuurlijk een weekend en misschien was het door de week heel anders. Niettemin dacht ik dat Ashton een beroerte zou krijgen als Gillian ging trouwen en een eigen gezin zou stichten.

Het was een genoeglijk weekend, ofschoon ik me aanvankelijk een beetje onbeholpen voelde, me ervan bewust getoond te worden; maar ik werd in die vlotte huishouding gauw op mijn gemak gesteld. Het diner die avond, door Gillian verzorgd, was eenvoudig en goed geserveerd en na tafel speelden we bridge. Ik was Penny's partner en Ashton die van Gillian, en ik merkte al gauw dat Gillian en ik de slechte spelers waren. Penny speelde een sterke, exacte en zorgvuldig berekende partij, terwijl Ashton bridge speelde zoals hij tenniste, agressief en soms veel wagend. Ik merkte dat de risico's die hij nam vaker wel dan niet succes opleverden, maar Penny en ik kwamen ten slotte iets vóór, al was het op het nippertje.

We praatten nog een tijdje tot de meisjes besloten naar bed te gaan; toen stelde Ashton nog een slaapmutsje voor. Zijn hand van whisky schenken viel niet in dezelfde klasse als die van Tom Packer maar veel scheelde het niet. We gingen zitten voor een gesprek. Zoals kon worden verwacht wilde hij iets meer over me weten en was bereid informatie uit te wisselen, dus ik hoorde onder meer hoe hij zijn geld verdiende. Hij dreef een paar fabrieken die iets duisters op chemisch gebied produceerden en een paar andere die zich specialiseerden in bepaalde plasticstoffen. Hij had ongeveer duizend man in dienst en was alleen-eigenaar, wat me imponeerde. Er zijn niet zoveel van dat soort bedrijven meer die nog in handen van één man zijn.

Toen informeerde hij, heel beleefd, wat ik voor de kost deed, en ik zei: 'Ik ben analyst.'

Hij glimlachte vaag. 'Psycho?'

Ik grinnikte. 'Nee – economisch. Ik ben jongste firmant bij McCulloch & Ross; we zijn economische consulenten.'

'Ah ja, ik heb van jullie gehoord. Wat doe je precies?'

'Allerlei adviserend werk – marktonderzoek, mogelijkheden voor nieuwe produkten signaleren, of nieuwe afzetgebieden voor bestaande produkten, enzovoort. Ook algemeen economisch en financieel advies. We doen het algemene speurwerk voor firma's die niet groot genoeg zijn om er een eigen researchgroep op na te houden. ICI zou ons niet nodig hebben, maar iemand als u misschien wel.'

Dat scheen hem te interesseren. 'Ik heb erover gedacht om aandelen uit te geven,' zei hij. 'Zo oud ben ik nog niet, maar je weet nooit wat er kan gebeuren. Ik zou alles graag netjes op orde voor de meisjes achterlaten.'

'Het zou voor u persoonlijk erg voordelig kunnen zijn,' zei ik. 'En, zoals u zegt, het zou in geval van uw dood de nalatenschap vereenvoudigen – de successierechten minder ingewikkeld maken.'

Ik dacht er even over na. 'Maar ik weet niet of dit wel het moment is voor een nieuwe emissie. U zou er beter aan doen een opleving in de economie af te wachten.'

'Ik heb nog geen definitief besluit genomen,' zei hij. 'Maar als ik ertoe wil overgaan, zou jij me misschien kunnen adviseren.'

'Natuurlijk. Dat is helemaal ons werk.'

Hij ging er niet verder op door en ons gesprek dwaalde af naar andere onderwerpen. Kort daarna gingen we naar bed.

De volgende ochtend na het ontbijt – verzorgd door Gillian – sloeg ik Penny's uitnodiging af om met haar te gaan paardrijden, aangezien het paard nu eenmaal een dier is dat ik verfoei en wantrouw. Dus in plaats daarvan volgden we te voet de weg die ze te paard had willen gaan, over een breed ruiterpad een beboste heuvel op en aan de andere kant omlaag tot in een beschutte vallei waar we in een kroegje een lunch van brood met kaas en bier verorberden, en waar Penny liet zien hoe vaardig ze het tegen de stamgasten kon opnemen in de kunst van het pijltjeswerpen. Toen terug naar het huis waar we de rest van de zonnige dag op het gazon verluierden.

Ik vertrok die avond gewapend met een uitnodiging om het volgende weekend terug te komen, niet van Penny maar van Ashton. 'Speel je croquet?' vroeg hij.

'Nee, helaas niet.'

Hij glimlachte. 'Kom volgende week terug, dan zal ik 't je leren. Ik zal Benson de poortjes laten uitzetten.'

Ik heb de gebeurtenissen van dat eerste weekend enigszins uitvoerig beschreven om iets weer te geven van de atmosfeer van het huis en de familie. Ashton, de kleine industrieel, rijker dan anderen van zijn type doordat hij helemaal eigen baas was; Gillian, zijn jongste dochter, tevreden met haar huishoudelijke plichten en haar rol als gastvrouw en plaatsvervangend echtgenote zonder de seksaspecten en Penny, de briljante oudste dochter bezig een wetenschappelijke carrière op te bouwen. En ze *was* briljant; ik hoorde dat weekend slechts heel terloops dat ze afgestudeerd was in medicijnen zonder evenwel praktijk uit te oefenen.

En dan was er het geld. De Rolls, de Jensen en de Aston Martin in de garages, de slanke paarden, de geschoren gazons, de inrichting van dat prachtige huis – dit alles riekte naar geld en het goede leven. Niet dat ik Ashton benijdde – ik heb zelf een beetje geld zij het niet in dezelfde klasse. Ik noem het feit alleen maar omdat het er was.

De enige discrepantie in het geheel was Benson, de duvelstoejager in het huis, die in niets leek op iemands voorstelling van een bediende in een rijk gezin. Hij leek eerder op een ex-bokser en dan nog een mislukte bovendien. Zijn neus was naar mijn oordeel meermalen gebroken en zijn oren gezwollen en gehavend. Ook had hij een litteken op zijn rechterwang. Hij zou een pracht van een zwaargewicht in een gangsterfilm zijn geweest. Zijn stem contrasteerde verrassend met zijn uiterlijk: hij praatte zacht en met een beschaafd accent dat beter was dan dat van Ashton zelf. Ik wist waarachtig niet wat ik van hem moest denken.

Penny scheen die week belangrijk werk te doen te hebben en ze belde op om me te vertellen dat ze de hele vrijdagnacht in het laboratorium zou zijn en of ik haar zaterdagochtend wilde komen ophalen om haar naar huis te brengen. Toen ze voor het universiteitsgebouw in mijn wagen stapte, zag ze er erg moe uit, met donkere kringen onder haar ogen. 'Het spijt me, Malcolm,' zei ze, 'maar je zult dit weekend niet veel aan me hebben. Zo gauw ik thuis ben ga ik naar bed.'

Het speet mij ook, omdat ik van plan was haar dit weekend te vragen met me te trouwen. Dit was echter blijkbaar niet het goede moment, dus ik grinnikte en zei: 'Ik kom deze keer niet voor jou – ik kom voor het croquetspel.' Niet dat ik er veel vanaf wist –

15

behalve een vage associatie met dominees en oude vrijsters.

Penny glimlachte en zei: 'Ik zou het je misschien niet moeten vertellen, maar Paps zegt dat hij een man kan beoordelen naar de manier waarop hij croquet speelt.'

Ik vroeg: 'Wat heb je de hele nacht gedaan?'

'Hard gewerkt.'

'Waaraan? Of is dat een staatsgeheim?'

'Geen geheim. We hebben genetische materie van een virus overgebracht op een bacterie.'

'Klinkt geleerd,' merkte ik op. 'Met succes, hoop ik?'

'Dat weten we pas na onderzoek van de resulterende kweek. Als 't goed is moeten we over een paar weken meer weten; zo'n kweek gaat snel. In de goeie richting, hopen we.'

Wat ik van erfelijkheidsleer afwist zou met een oogdruppelaar gemeten kunnen worden. Ik vroeg nieuwsgierig: 'Wat is 't nut van dit alles?'

'Kankeronderzoek,' zei ze kortaf, en legde haar hoofd achterover, ogen gesloten.

Toen we bij haar thuiskwamen ging ze meteen naar bed. Afgezien daarvan was het weekend vrijwel gelijk aan het vorige. Dat wil zeggen, tot het bijna om was – toen werd het heel wat beroerder. Ik speelde een partij tennis met Ashton, trok toen een baantje in het zwembad, waarna we in de schaduw van een kastanjeboom op het gazon lunchten, alleen wij drieën, Ashton, Gillian en ik. Penny sliep nog steeds.

Na de lunch werd ik ingewijd in de geheimen van wedstrijdcroquet en, waarachtig, er *was* een dominee! Croquet, ontdekte ik, is geen spel voor wankelmoedigen en de manier waarop dominee Hawthorne speelde deed Machiavelli op een padvinder lijken. Gelukkig was hij mijn partner, maar al zijn slinkse intriges haalden tegen Gillian en Ashton niets uit. Gillian speelde een verrassend venijnig partijtje. Tegen het einde, toen ik erachter kwam dat het geen spel voor cavaliers was, kreeg ik er echt plezier in.

Penny kwam voor de middagthee beneden, verkwikt en opgewekter dan ze geweest was, en van toen af kreeg het weekend het normale verloop. Zo nuchter op papier gezet, zoals ik hier gedaan heb, kan zo'n leventje misschien als zinloos en vervelend worden beschouwd, maar dat was het in feite toch niet; het was een verademing na de inspanningen van de werkweek.

Klaarblijkelijk bleef Ashton zelfs die verademing onthouden, want na de thee trok hij zich terug in zijn werkkamer met het excuus dat hij nog wat paperassenwerk moest afdoen. Ik merkte op dat Penny over hetzelfde probleem had geklaagd en hij was het met me eens dat het op papier zetten van onnodige woorden de algemene zonde van de twintigste eeuw was. Terwijl hij wegliep, overpeinsde ik dat Ashton nooit kon zijn gekomen waar hij was door zijn tijd te verdoen met tennis en croquet spelen.

En zo gleed het weekend voorbij tot het bijna tijd voor me was om weg te gaan. Het was een heerlijke zomerse zondagavond. Gillian was naar de kerk gegaan maar werd ieder ogenblik terug verwacht; zij was het godsdienstige lid van de familie – noch Ashton noch Penny toonde enige belangstelling voor religie. Ashton, Penny en ik zaten in tuinstoelen te praten over een bijzonder lastig punt in de wetenschappelijke ethiek dat naar voren was gekomen uit een artikel in de ochtendkrant. Eigenlijk waren het eerder Penny en haar vader die het debat voerden; ik zat erover te peinzen hoe ik haar even alleen te spreken zou kunnen krijgen om haar mijn aanzoek te doen. Op de een of andere manier waren we dat weekend geen moment alleen geweest.

Penny begon zich net een beetje op te winden, toen we een doordringende gil hoorden en toen nog een. We verstarden alle drie, Penny midden in een zin, en Ashton vroeg scherp: 'Wat was dat, verdomme?'

Er kwam een derde gil. Deze keer dichterbij en zo te horen van de andere kant van het huis. We waren inmiddels opgesprongen en al op weg in de richting van het geluid, maar toen kwam Gillian in zicht, wankelend om de hoek van het huis heen, haar handen aan haar gezicht. Ze gilde opnieuw, een gorgelende, woordloze kreet, en zakte op het gazon ineen.

Ashton was als eerste bij haar. Hij boog zich over haar heen en probeerde haar handen van haar gezicht te trekken, maar Gillian verzette zich met al haar kracht tegen hem. 'Wat is er?' riep hij, maar het enige antwoord dat hij kreeg was een sidderend gekreun. Penny zei vlug: 'Laat mij even', en trok hem met zachte hand weg. Ze boog zich over Gillian heen die nu in foetushouding op haar zij lag, haar handen nog steeds tegen haar gezicht geklemd, de vingers als klauwen gespreid. Het gegil was verstomd en vervangen door een aanhoudend gekreun, en toen klaagde ze: 'M'n ogen! Ooh!'

17

Penny bracht haar hand naar Gillians gezicht en raakte het met haar wijsvinger aan, voorzichtig wrijvend. Ze fronste en rook aan haar vingertop, veegde die toen haastig aan het gras af. Ze draaide zich naar haar vader om. 'Breng haar gauw het huis in – naar de keuken.'

Ze stond op en draaide zich in één beweging naar mij om. 'Bel een ambulance. Zeg ze dat 't om een geval van verbranding door zuur gaat.'

Ashton had Gillian al in zijn armen opgetild terwijl ik het huis inrende, Benson opzij duwend toen ik de vestibule binnenholde. Ik pakte de telefoon op en draaide 999, zag toen Ashton zijn dochter naar binnen dragen door een deur die ik nooit had gebruikt, met Penny op zijn hielen.

Een stem zei in mijn oor: 'Afdeling spoedgevallen.'

'Ambulance.'

Ik hoorde een klik en toen onmiddellijk een andere stem: 'Ambulancedienst.' Ik gaf hem het adres en telefoonnummer. 'En uw naam, meneer?'

'Malcolm Jaggard. Het gaat om een ernstige zuurverbranding in het gezicht.'

'Goed, meneer. We komen zo gauw mogelijk.'

Terwijl ik de hoorn neerlegde, merkte ik dat Benson me met een ontsteld gezicht stond aan te staren. Hij draaide zich abrupt om en liep het huis uit. Ik opende de keukendeur en zag Gillian uitgestrekt op een tafel liggen terwijl Penny bezig was het gezicht van haar zuster met iets te betten. Gillians benen trappelden krampachtig en ze kreunde nog steeds. Ashton stond naast haar en ik heb nog nooit op iemands gezicht zo'n uitdrukking van hulpeloze woede gezien. Ik kon daar niet veel doen en ik zou alleen maar in de weg lopen, dus deed ik de deur zachtjes weer dicht.

Door het grote raam aan het einde van de vestibule kijkend, zag ik Benson over de oprit lopen. Hij bleef staan en bukte zich, keek naar iets, niet op het pad maar op de brede grasrand. Ik liep het huis uit en naar hem toe, en zag wat zijn aandacht had getrokken: er was daar een auto gekeerd, over het gras heen, en kennelijk met grote snelheid want het onberispelijke gazon was omgewoeld en de wielen hadden zich in de aarde gevreten.

Benson zei met zijn verrassend zachte stem: 'Zoals ik 't zie, meneer, kwam de wagen het terrein op en werd daar ergens stilgezet, tegenover het huis. Toen juffrouw Gillian kwam aanwandelen, gooide iemand zuur in haar gezicht en wel hier.' Hij wees op een plek waar een paar grassprietjes al bruin werden. 'Toen keerde de wagen over het gras en stoof weg.'

'Maar je hebt dat niet gezien.'

'Nee, meneer.'

Ik bukte me en keek naar de wielsporen. 'Ik geloof dat dit ongerept moet blijven tot de politie hier is.'

Benson dacht even na. 'De tuinman heeft een paar horden voor de nieuwe springwei gemaakt. Ik zal ze halen.'

'Da's prima,' zei ik.

Ik hielp hem de horden aandragen en we plaatsten ze rondom de wielsporen. Ik richtte me op toen ik in de verte het sirenegeloei van een ambulance hoorde dat gaandeweg luider werd. Dat was vlug – in minder dan zes minuten. Ik liep naar het huis terug en draaide opnieuw 999.

'Afdeling spoedgevallen.'

'De politie, alstublieft.'

Klik. 'Politie hier.'

'Ik wil een geval van mishandeling aangeven.'

19

3

Ze droegen Gillian heel gauw de ambulance binnen. Penny maakte gebruik van haar gezag als arts en stapte bij haar in de ambulance, terwijl Ashton in zijn eigen wagen volgde. Ik achtte hem niet in staat om te rijden en was blij Benson achter het stuur te zien toen ze wegreden.

Voor hij ging, nam ik hem even apart. 'Ik vind dat u moet weten dat ik de politie gewaarschuwd heb.'

Hij draaide een geteisterd gezicht naar me toe en knipperde wezenloos met zijn ogen. 'Wat zeg je?' Hij scheen in een kwartier tien jaar ouder te zijn geworden.

Ik herhaalde wat ik gezegd had en voegde eraan toe: 'Ze zullen waarschijnlijk wel hier komen terwijl u nog in 't ziekenhuis bent. Ik zal ze vertellen wat ze moeten weten. Zit er niet over in. Ik blijf hier tot jullie terug zijn.'

'Dank je, Malcolm.'

Ik keek ze na bij hun vertrek en toen was ik alleen in het huis. Het inwonende dienstmeisje had zondags vrij en nu ook Benson weg was bleef ik als enige in huis achter. Ik liep naar de zitkamer, schonk een borrel voor me in, stak een sigaret op en ging zitten om erover na te denken wat er in godsnaam gebeurd was.

Ik snapte er niets van. Gillian Ashton was een eenvoudige, gewone vrouw die een rustig en onbewogen leven leidde. Ze was een huismus die op een dag misschien met een al even rustige man zou trouwen die op zijn huiselijk gemak gesteld was. Zuurgooien paste niet dat beeld; zo iets zou misschien in Soho of in de duistere buurten van East End kunnen gebeuren – hier buiten in Buckinghamshire was het volkomen ongerijmd.

Ik dacht er heel lang over na, maar kwam er niet uit. Na een poosje hoorde ik een auto stoppen en vijf minuten later praatte ik met een paar politiemannen in uniform. Ik kon ze niet veel vertellen; ik wist weinig over Gillian en niet veel meer over Ashton, en ofschoon de agenten heel beleefd waren, bespeurde ik toch een toenemende ontevredenheid. Ik liet hun de bandensporen zien en een van hen bleef die bewaken terwijl de ander de mobilofoon in zijn auto gebruikte. Toen ik een paar minuten later uit het raam keek, zag ik dat hij de politiewagen zo verplaatst had dat hij de achterkant van het huis in het oog kon houden.

Twintig minuten later arriveerde er zwaarder politiegeschut in de persoon van een rechercheur in burger. Hij praatte even met de agent in de wagen, liep toen naar het huis toe, belde aan, en ik deed open. 'Inspecteur-rechercheur Honnister,' zei hij kortaf. 'Meneer Jaggard?'

'Inderdaad. Wilt u niet binnenkomen?'

Hij stapte de vestibule in en bleef staan om rond te kijken. Terwijl ik de deur dichtdeed, draaide hij zich naar me om. 'Bent u alleen in huis?'

De agent was heel vormelijk geweest met meneer voor en meneer na, maar daar deed Honnister niet aan. Ik zei: 'Inspecteur, ik zal u iets laten zien dat ik u niet zou moeten laten zien maar dat u, billijkheidshalve, zien moet, vind ik. Ik ben me er heel goed van bewust dat mijn antwoorden uw mannen niet hebben bevredigd. Ik ben alleen in Ashtons huis, erken nauwelijks iets van de Ashtons te weten, en zij geloven dat ik er wel eens met de vorken en lepels vandoor zou kunnen gaan.'

Er kwamen rimpeltjes rond Honnisters ogen. 'Zo te zien is er hier heel wat meer om mee vandoor te gaan dan alleen vorken en lepels. Wat wilt u me laten zien?'

'Dit.' Ik viste de kaart uit het speciale zakje dat mijn kleermaker in al mijn colberts aanbrengt, en gaf hem die.

Honnisters wenkbrauwen gingen omhoog toen hij ernaar keek. 'Die krijgen we niet vaak te zien,' merkte hij op. 'Dit is pas de derde die ik onder ogen krijg.' Hij knipte met de nagel van zijn duim tegen het plastic terwijl hij me met de foto vergeleek. 'U realiseert zich dat ik me van de echtheid hiervan zal moeten overtuigen?'

'Natuurlijk. Ik laat u de kaart alleen maar zien om te voorkomen dat u tijd aan mij verknoeit. U kunt deze telefoon gebruiken of het toestel in Ashtons kamer.'

'Krijg ik op zondag iemand aan de lijn?'

Ik glimlachte. 'Wij zijn net als de politie, inspecteur; we sluiten nooit.'

Ik liet hem in Ashtons kamer en hij had niet lang werk. Binnen vijf minuten kwam hij er weer uit en gaf me de kaart terug. 'Tja,

meneer Jaggard – enig idee over deze zaak?'
Ik schudde mijn hoofd. 'Ik snap er niets van. Ik ben hier niet uit hoofde van mijn functie, als u dat soms bedoelt.' Aan zijn sluwe blik zag ik dat hij me niet geloofde, en dus vertelde ik hem over mijn relatie met de Ashtons en alles wat ik van de aanval op Gillian wist, en dat was niet veel.
Hij zei wrang: 'Dan zullen we van voren af aan moeten beginnen – dus met die wielsporen. Bedankt voor uw medewerking, meneer Jaggard. Ik kan nu maar beter aan de slag gaan.'
Ik liep met hem naar de deur. 'Eén ding, inspecteur: u hebt die kaart nooit gezien.'
Hij knikte kortaf en ging weg.

Ashton en Penny kwamen ruim twee uur later terug. Penny zag er net zo moe uit als de vorige ochtend, maar Ashton had iets van zijn kleur en veerkracht teruggekregen. 'Aardig van je om hier te blijven, Malcolm,' zei hij. 'Blijf nog wat langer – ik wil met je praten. Niet nu, maar straks.' Zijn stem was bruusk, gebiedend; dit was geen verzoek geweest maar een bevel. Hij beende de vestibule door en ging zijn werkkamer in. De deur sloeg achter hem dicht.
Ik draaide me om naar Penny. 'Hoe is 't met Gillian?'
'Niet zo best,' zei ze somber. 'Het was sterk zwavelzuur, onverdund. Wie doet nou zo iets barbaars?'
'Dat wil de politie ook graag weten.' Ik vertelde haar iets over mijn gesprek met Honnister. 'Hij denkt dat je vader hier misschien iets meer van weet. Heeft hij vijanden?'
'Paps!' Ze fronste. 'Nou ja, hij is erg resoluut en doelbewust en zulke mensen gaan niet door 't leven zonder op een paar tenen te trappen. Maar ik kan me niet voorstellen dat hij zich het soort vijand op de hals haalt dat zwavelzuur in 't gezicht van z'n dochter gooit.'
Op de een of andere manier kon ik me dat ook niet voorstellen. God weet dat zich soms in de economische en industriële jungle rare dingen afspelen, maar die omvatten zelden daden van nodeloos geweld. Ik draaide me om toen Benson uit de keuken kwam met een dienblad waarop een karaf water, een ongeopende fles whisky en twee glazen stonde.:. Ik zag hem de werkkamer binnengaan, en vroeg toen: 'En Gillian?'
Penny staarde me aan. 'Gillian!' Ze schudde vol ongeloof haar

22

hoofd. 'Je wilt toch niet beweren dat Gillian dat soort vijanden zou kunnen hebben? Belachelijk!'

Het was inderdaad onwaarschijnlijk maar toch niet zo onmogelijk als Penny dacht. Er zijn meer stille huismussen geweest die heimelijk een hoogst exotisch leven leidden en ik vroeg me af of Gillian op haar boodschappentochtjes naar Marlow nog iets anders zou hebben gedaan dan alleen maar thee of koffie inslaan. Maar ik zei tactvol: 'Ja, onwaarschijnlijk is 't zeker.'

Terwijl ik Penny hielp in de gauwigheid een maaltijd bijeen te flansen, zei ze: 'Ik heb geprobeerd 't zuur met een sodaoplossing te neutraliseren, en in de ambulance hadden ze daar beter spul voor. Maar ze ligt nu op de intensive care-afdeling van het ziekenhuis.'

Het werd een nogal onbehaaglijk etentje alleen voor ons tweeën want Ashton wilde niet uit zijn werkkamer komen omdat hij geen honger had, zoals hij liet weten. Een uur later, toen ik me begon af te vragen of hij mijn aanwezigheid vergeten was, kwam Benson binnen. 'Meneer Ashton zou u graag willen spreken, meneer.'

'Dank je.' Ik excuseerde me bij Penny en ging de werkkamer in. Ashton zat achter een groot schrijfbureau maar stond op toen ik binnenkwam. Ik zei: 'Ik kan u niet zeggen hoe ik 't betreur dat dit verschrikkelijke gebeurd is.'

Hij knikte. 'Ik weet het, Malcolm.' Zijn hand greep de whiskyfles die, zag ik, nu nog maar halfvol was. Hij keek naar het blad en zei: 'Ach, wees zo goed zelf even een schoon glas te gaan halen.'

'Ik wil vanavond liever niet meer drinken. Ik moet nog rijden straks.'

Hij zette de fles voorzichtig neer en kwam vanachter het bureau vandaan. 'Ga zitten,' zei hij en zo begon een van de vreemdste gesprekken van mijn leven. Hij zweeg even. 'Hoe staat 't tussen jou en Penny?'

Ik keek hem nadenkend aan. 'Vraagt u of mijn bedoelingen eerbaar zijn?'

'Min of meer. Ben je al met haar naar bed geweest?'

Dat was tenminste direct. 'Nee.' Ik grinnikte. 'U hebt haar te goed opgevoed.'

Hij gromde. 'Nou, wat zijn je bedoelingen – voor zover aanwezig?'

'Het leek me misschien wel 'n goed idee haar te vragen met me te trouwen.'

Dit scheen hem niet te mishagen. 'En heb je dat al gedaan?'

'Nog niet.'

Hij wreef peinzend over een wang. 'Die baan van je – wat voor inkomen haal je daar uit?'

Dat was een redelijke vraag als ik van plan was met zijn dochter te trouwen. 'Vorig jaar was 't iets meer dan £ 8000; dit jaar wordt 't wat beter.' Me ervan bewust dat een man als Ashton dat als een hongerloontje zou beschouwen, voegde ik eraan toe: 'En ik heb een privé-kapitaaltje dat me nog eens £ 11 000 opbrengt.'

Hij trok zijn wenkbrauwen op. 'Je hebt privé-kapitaal en je werkt?'

'Die £ 11 000 is *bruto* – er moet dus nog belasting af,' zei ik zuur, en trok mijn schouders op. 'En een vent moet iets doen in z'n leven.'

'Hoe oud ben je?'

'Vierendertig.'

Hij ging weer in zijn stoel zitten en leunde achterover. Peinzend zei hij: '£ 8000 per jaar is niet slecht – voorlopig. Nog vooruitzichten op promotie in de zaak?'

'Ik knok ervoor.'

Daarop stelde hij me een paar vragen die verdomd veel persoonlijker waren dan dat gegraaf naar mijn financiën maar, nogmaals, gezien de omstandigheden waren ze billijk en mijn antwoorden schenen hem te voldoen.

Hij zweeg een paar ogenblikken, en zei toen: 'Je zou meer kunnen verdienen door van baan te veranderen. Ik heb 'n vacature die ideaal is voor iemand als jij. Je zou eerst minstens een jaar in Australië moeten doorbrengen om de zaak van de grond te krijgen, maar dat zou geen kwaad kunnen voor een jong stel als jij en Penny. De enige moeilijkheid is dat 't nu moet gebeuren – zeg maar onmiddellijk.'

Hij liep mij te hard van stapel. 'Wacht nu 's even,' protesteerde ik. 'Ik weet nog niet eens of ze wel met me *wil* trouwen.'

'Dat wil ze,' zei hij beslist. 'Ik ken m'n dochter.'

Hij kende haar blijkbaar beter dan ik want ik was er lang niet zo zeker van. 'Maar dan nog moeten we rekening houden met Penny,' zei ik. 'Haar werk is belangrijk voor haar. Ik zie haar dat niet zo maar overboord gooien om een jaar naar Australië te gaan. En dat is allemaal nog afgezien van mijn opvatting over de raadzaamheid van zo'n overstap.'

'Ze zou studieverlof kunnen nemen. Wetenschapsmensen doen dat vaak.'

24

'Misschien. Eerlijk gezegd moet ik er heel wat meer over weten voor ik een besluit kan nemen.'

Voor het eerst toonde Ashton ergernis. Hij zag kans die te bedwingen en zelfs te verdoezelen, maar er was geprikkeldheid. Hij dacht even na en zei toen op verzoenende toon: 'Nou ja, zo'n beslissing zou wel een maand kunnen wachten. Ik geloof dat je maar beter gauw met je aanzoek op de proppen moest komen, Malcolm. Ik kan 'n versnelde huwelijksvoltrekking zonder ondertrouw arrangeren, zodat jullie tegen 't eind van deze week getrouwd kunnen zijn.' Hij probeerde joviaal te glimlachen, maar het lachje bleef ver weg van zijn ogen die nog steeds een gekwetste blik hadden. 'Ik geef jullie als bruidsschat een huis – ergens in de South Midlands, ten noorden van Londen.'

Het was tijd om orde op zaken te stellen. 'Ik geloof dat u wat te hard van stapel loopt. Ik zie de noodzaak van een versnelde huwelijksvoltrekking niet in. Ik heb zelfs zo'n idee dat Penny daar niet van zou willen horen, ook al stemt ze ermee in om met me te trouwen. Ik geloof eerder dat ze graag zou willen dat Gillian bij het huwelijk aanwezig kon zijn.'

Ashtons gezicht leek ineen te schrompelen en hij scheen op het punt het beetje zelfbeheersing dat hij nog had te verliezen. Ik zei kalm: 'Het is altijd m'n voornemen geweest om een huis te kopen als ik ooit trouwde. Uw aanbod van een huis is erg royaal, maar ik geloof dat het type van het huis – en waar het zou moeten staan – dingen zijn waar Penny en ik samen over moeten beslissen.'

Hij stond op, schonk whisky in zijn glas en zei onduidelijk, met zijn rug naar me toe: 'Je hebt natuurlijk gelijk. Ik zou me er niet mee moeten bemoeien. Maar ga je haar vragen met je te trouwen – nu?'

'Nu! Vanavond?'

'Ja.'

Ik stond op. 'Onder de gegeven omstandigheden vind ik dat in hoge mate ongepast en ik zal het dan ook niet doen. En als u me nu wilt excuseren, ik moet nog terug naar de stad.'

Hij draaide zich niet om en gaf geen antwoord. Ik liet hem daar staan en deed de deur van de werkkamer zacht achter me dicht. Ik begreep niets van zijn bezeten aandrang dat Penny en ik gauw moesten trouwen. Dat, en die aanbieding van de baan in Australië, verontrustte me. Als dit zijn manier was waarop hij zijn personeel aannam, om over het kiezen van een schoonzoon maar te zwijgen, verbaasde het me dat hij het desondanks zo ver had kunnen schoppen.

Penny stond te telefoneren toen ik in de vestibule kwam. Ze legde de hoorn op de haak en zei: 'Ik heb net 't ziekenhuis gebeld; ze zeggen dat ze wat rustiger is, nu.'

'Mooi! Ik kom morgenavond terug en dan gaan we haar opzoeken. Misschien voelt ze zich wat beter als er belangstellend bezoek komt, al is 't maar een betrekkelijke onbekende zoals ik.'

'Ik weet niet of dat wel zo verstandig is,' zei Penny twijfelend. 'Ze zou zich misschien. . . nou ja, doodgeneren over haar uiterlijk.'

'Ik kom in ieder geval en dan kunnen we altijd nog zien wat we doen. Ik moet nu weg – het is al laat.' Ze liep met me mee naar mijn wagen en ik kuste haar en reed weg, me afvragend wat Ashton bezielde.

4

De volgende ochtend, toen ik de kantoorkamer binnenkwam die ik deelde met Larry Godwin, keek hij op van het Tsjechische financieel-economische tijdschrift dat hij zat te lezen en zei: 'Harrison wil je spreken.' Harrison was onze directe chef.

'Prima.' Ik liep meteen weer de deur uit en stapte Harrisons kamer binnen, ging in de stoel voor het bureau zitten en zei: 'Goeiemorgen, Joe. Larry zei dat je me wou spreken.'

Harrison was een beetje een blaaskaak, erg gesteld op formaliteiten, protocol en gezag. Hij hield er niet van dat ik hem Joe noemde, en dus deed ik dat altijd – gewoon om hem te pesten. Hij zei stijfjes: 'Bij het controleren van de weekeind-telefoonlijst merkte ik dat jij je tegenover een inspecteur van politie hebt blootgegeven. Waarom?'

'Ik was ergens gedurende het weekeinde te gast. Er deed zich een akelig incident voor – iemand gooide een van de dochters des huizes bijtend zuur in 't gezicht. Ze werd naar het ziekenhuis gebracht, en toen de politie kwam, was ik alleen in dat huis en ze begonnen van een verkeerde gedachte uit te gaan. Ik wilde niet dat ze tijd aan mij gingen verknoeien, en dus heb ik me bij de inspecteur die de leiding had geïdentificeerd.'

Hij schudde afkeurend zijn hoofd en probeerde me te biologeren met wat hij voor een adelaarsblik versleet. 'Hoe heet hij?'

'Inspecteur-rechercheur Honnister. Je kunt 'm vinden in het politiebureau van Marlow.' Harrison krabbelde iets in zijn bureauagenda, en ik boog me naar voren. 'Wat is er aan de hand, Joe? We worden *geacht* met de politie samen te werken.'

Hij keek niet op. 'Jij wordt niet geacht je aan jan en alleman bloot te geven.'

'Hij was niet jan en alleman. Hij was een smeris met een redelijke rang die z'n werk deed en de zaak verkeerd dreigde aan te pakken.'

Harrison hief zijn hoofd op. 'Je had het niet hoeven doen. Er was geen enkele noodzaak voor. Hij zou jou nooit serieus van iets hebben verdacht.'

Ik keek hem grijnzend aan. 'Wat jij samenwerking noemt, is éénrichtingsverkeer, Joe. De smerissen werken met ons samen als wij ze nodig hebben, maar wij werken niet met hen samen als er alleen maar iets recht gezet hoeft te worden.'

'Het zal in je staat van dienst worden genoteerd,' zei hij koel.

'M'n staat van dienst kan barsten,' zei ik en stond op. 'En als je me nou wilt excuseren, ik heb werk te doen.' Ik wachtte niet op zijn toestemming om me te verwijderen en ging terug naar mijn kamer. Larry was overgestapt op iets in het Pools. 'Fijn weekend gehad?'

'Een beetje gespannen. Wie heeft onze *Wie is Wie* gejat?'

Hij grijnsde. 'Wat heb je? Wou ze niet wat jij wou?' Hij viste *Wie is Wie* onder de stapels boeken vandaan waarmee zijn bureau bezaaid was en gooide me het boek toe. Ons werk vergde dat er veel gelezen moest worden; als ik ermee ophield zou ik recht hebben op invaliditeitsuitkering wegens door plichtsvervulling achteruitgegaan gezichtsvermogen.

Ik ging aan mijn bureau zitten en vond Ashton niet onder sectie A geregistreerd. Er zijn niet veel mannen die aan het hoofd staan van drie of meer fabrieken met meer dan duizend werknemers, die niet in *Wie is Wie* vermeld staan. Het leek nogal vreemd. Bij ingeving pakte ik het telefoonboek en keek dat na en ook daar stond hij niet in. Waarom zou Ashton een geheim nummer moeten hebben?

Ik vroeg: 'Weet jij iets van geharde kunststoffen af, Larry?'

'Wat wil je weten?'

'Ik ben op zoek naar 'n vent Ashton die een fabriek in Slough heeft waar dat spul gemaakt wordt. Ik zou graag wat meer over hem willen weten.'

'Nooit van gehoord. Hoe heet die fabriek?'

'Weet ik niet.'

'Je weet niet veel, hè? Er is misschien een bedrijfsgroep.'

'Goed idee.' Ik ging naar onze bibliotheek en wist een uurtje later dat er meer bedrijfsgroepen van kunststoffabrikanten waren dan ik ooit had vermoed – er was er zelfs een die gewijd was aan geharde kunststoffen – maar ze hadden geen van alle van ene George Ashton gehoord. Het leek onnatuurlijk.

Somber ging ik naar mijn kamer terug. Het is een harde wereld waar een man niet eens iets meer te weten kan komen over zijn aanstaande schoonvader. Ashton wist op dit moment verrekt veel meer over mij dan ik over hem. Larry zag mijn gezicht en vroeg:

'Niets gevonden?'

'Er is verdomme niks over de man bekend.'

Hij lachte en wuifde met een hand naar de andere kant van de kamer. 'Je zou 't Nellie kunnen vragen.'

Ik keek naar Nellie en grinnikte. 'Waarom niet?' vroeg ik luchtig en ging voor het apparaat zitten.

Je hoeft geen computer voor je te hebben om het ding een paar vragen te stellen - het enige dat je nodig hebt is een informaat en om redenen die ik nooit heb kunnen doorgronden noemden we de onze Nellie. Als je een overmaatse schrijfmachine kruiste met een televisietoestel zou je iets dergelijks als Nellie krijgen, en wie naar Heathrow gaat ziet tientallen van die dingen in de stationshal.

Niemand had ooit de moeite genomen me te vertellen waar zich de eigenlijke computer bevond. De organisatie waar ik voor werkte kennende, en iets wetend van wat het monster in z'n binnenste herbergde, zou ik zeggen dat het door witgejaste misdienaren vertroeteld werd in een kalksteengrot in Derbyshire of onder in een Mendip-mijnschacht; ergens waar het redelijk veilig was voor een atoomontploffing. Maar, zoals ik zeg, zeker wist ik het niet. Mijn groep werkte strikt volgens het principe dat we niet meer hoefden te weten dan nodig was.

Ik wipte een paar schakelaars om, drukte op een knop, en werd beloond met een klein groen vraagteken op het scherm. Een druk op een andere knop bracht de vraag te voorschijn:

IDENTIFICATIE?

Ik identificeerde me – een nogal ingewikkelde gang van zaken – en Nellie vroeg:

CODE?

Ik antwoordde:

GROEN

Nellie dacht daar ongeveer een miljoenste seconde over na, beval toen:

INPUT GROENE CODE

Dat vergde ongeveer twee minuten. We waren streng op het stuk van veiligheid en ik moest me niet alleen identificeren maar ik moest ook de vereiste code kennen voor het soort informatie waarnaar ik vroeg.

Nellie informeerde:

GEWENSTE INLICHTING?

Ik antwoordde met:

IDENTITEIT ENGELSMAN

De woorden floepten uit toen Nellie terugkwam met:

NAAM?

Ik typte:

ASHTON, GEORGE

Het scheen Nellie niet veel uit te maken hoe je een naam toevoerde. Ik had een beetje geëxperimenteerd en of je nu Percy Bysshe Shelley typte – Shelley, Percy Bysshe – of zelfs Percy Shelley, Bysshe – scheen er niet toe te doen. Nellie kwam toch wel met het juiste antwoord voor den dag, altijd in de veronderstelling dat onze adelaarsblik op Bysshe Shelley, Percy gericht was. Maar ik zette altijd de achternaam voorop omdat ik meende dat dit makkelijker zou zijn voor Nellies overwerkte hersentjes.

Ditmaal kwam ze op de proppen met:

ASHTON, GEORGE – 3 BEKEND
HUIDIGE ADRES – INDIEN BEKEND?

Er konden tweehonderd George Ashtons in het land zijn of misschien wel tweeduizend. Het is een algemene naam en dus was het niet verrassend dat er bij ons drie te boek stonden. Terwijl ik het adres intypte, bedacht ik dat ik me toch wel een beetje dwaas aanstelde. Ik drukte de antwoordtoets in en tot mijn verbazing aarzelde Nellie nogal lang. Toen kreeg ik een schok, want het scherm spelde twee regels uit:

DEZE INFORMATIE NIET BESCHIKBAAR OP CODE GROEN
PROBEER CODE GEEL

Ik keek peinzend naar het scherm en typte:

VRAAG BLIJFT

In het elektronische binnenste van een computer danste een hele massa informatie over een zekere George Ashton, mijn toekomstige schoonvader. En het was geheime informatie want alles zat in Code Geel. Ik was op een grapje van Larry Godwin ingegaan en het had als een boemerang gewerkt; ik had geen moment verwacht dat Nellie hem zou vinden – er was geen enkele reden om te veronderstellen dat de dienst belangstelling voor hem had. Maar als hij gevonden was zou ik hebben verwacht dat hij onder Code Groen te boek stond, een niet zo heel erg geheime collectie gegevens. Praktisch alles onder Code Groen zou je aan de weet kunnen zijn gekomen door onverdroten uitpluizen van de wereldpers. Code Geel was heel iets anders.

Ik groef diep in de spelonken van mijn geheugen naar de codering voor geel, mompelde toen tegen Nellie: 'Goed, kreng; probeer 't nog maar 's!' Ik voerde de codering toe, hetgeen vier minuten vergde, typte toen:

HEF GEHEIMHOUDING OP

Nellies scherm flakkerde even en de letters rijden zich aaneen:

DEZE INFORMATIE NIET BESCHIKBAAR OP CODE GEEL
PROBEER CODE ROOD

Ik haalde diep adem, liet Nellie weten dat de vraag bleef, ging er toen eens rustig voor zitten om erover na te denken. Ik was gemachtigd voor Code Rood en ik wist dat de daarin vervatte gegevens veel weg hadden van de codekleur – roodgloeiend! Wie was die Ashton verdomme en waar kwam ik in terecht? Ik stond op en zei tegen Larry: 'Ik ben zo terug. Blijf van Nellie af.'

Ik nam een lift die me diep omlaag in de ingewanden van het gebouw bracht, waar een holbewonersras leefde, de kluisbewakers. Ik toonde de man achter het hardstalen traliewerk mijn kaart en zei: 'Ik zou de computercodering voor rood even willen nakijken. Ik ben de toverformule vergeten.'

De stugge man achter de tralies glimlachte niet. Hij pakte alleen maar de kaart aan en gooide die in een gleuf. Een machine kauwde er even op, proefde het ding elektronisch en vond het wel lekker, maar spuwde het desondanks uit. Ik weet niet wat er gebeurd zou zijn als de kaart het apparaat niet goed gesmaakt had; vermoedelijk zou ik door een bliksemschicht geveld zijn. Vreemd hoe de werkelijke wereld steeds meer op die van James Bond begint te lijken.

De bewaker keek op een schermpje. 'Ja, u bent gemachtigd voor rood, meneer Jaggard,' zei hij, met de machine instemmend. Het traliehek zwaaide open en ik stapte naar binnen, hoorde het hek achter me dichtslaan en op slot klikken. 'De codering wordt u gebracht in Kamer Drie.'

Een halfuur later kwam ik in mijn eigen kamer terug, vurig hopend dat ik het allemaal zou kunnen onthouden. Larry zat naar Nellie te staren. 'Heb jij machtiging voor rood?' vroeg ik.

Hij schudde zijn hoofd. 'Ik kom niet hoger dan geel.'

'Smeer 'm dan even. Ga naar de bibliotheek en verdiep je in *Playboy* of zo iets verheffends. Ik bel je wel zodra ik klaar ben.'

Hij protesteerde niet; hij knikte alleen maar en liep de kamer uit. Ik ging voor Nellie zitten en voerde haar Code Rood; ik had er bijna tien minuten voor nodig om de juiste dingen in de juiste volgorde te doen. Het was niet helemaal een grapje van me geweest toen ik het een toverformule noemde. Als ik tegenover Nellie zat moest ik altijd aan de middeleeuwse tovenaars denken die geesten probeerden op te roepen; alles moest in de juiste volgorde gedaan en uitgesproken worden, anders zou de geest niet verschijnen. We hebben sindsdien niet veel vooruitgang gemaakt, althans niet al te veel. Maar onze toverformules schijnen tenminste resultaat te hebben en we krijgen antwoorden uit de onpeilbare diepte, maar of die al dan niet iets waard zijn weet ik niet.

Nellie accepteerde Code Rood, of verslikte zich er althans niet in. Ik typte:

HEF GEHEIMHOUDING OP

en wachtte met grote belangstelling op wat eruit zou komen. Het scherm flakkerde opnieuw en Nellie zei:

DEZE INFORMATIE NIET BESCHIKBAAR OP CODE ROOD
PROBEER CODE PAARS

Paars! De kleur van vorstelijke personen en, waarschijnlijk, van mijn gezicht op dat moment. Nu kon ik niet verder – ik had geen machtiging voor Code Paars. Ik wist van het bestaan ervan af maar dat was ongeveer alles. En boven paars kon er nog een hele regenboog van zichtbare en onzichtbare kleuren zijn geweest, van infrarood tot ultraviolet. We werkten, zoals ik al zei, volgens het principe dat niemand meer hoefde te weten dan strikt noodzakelijk was.

Ik pakte de telefoon op en belde Larry. 'Je kunt nu wel terugkomen; het is afgelopen met de geheimhouderij.' Toen wiste ik Nellies scherm schoon en ging zitten om erover na te denken wat ik verder moest doen.

5

Een paar uur later had ik een goedmoedige woordenwisseling met Larry. Hij was geen kwaaie kerel maar zijn idealen hadden de neiging in botsing te komen met zijn werk. Zijn kijk op de wereld klopte niet helemaal met de werkelijke gang van zaken, wat een beetje hinderlijk kan zijn omdat je op die manier fouten kunt maken. Een poosje buitenwerk zou hem goed hebben gedaan maar hij had nooit de kans gekregen.

Mijn telefoon ging en ik nam op. 'Met Jaggard.'

Het was Harrison. Zijn stem drong mijn oor binnen als een vlaag poollucht. 'Kom onmiddellijk naar mijn kamer.'

Ik legde de hoorn neer. 'Joe is in een van z'n killere buien. Ik snap niet hoe z'n vrouw het bij hem uithoudt.' Ik ging horen wat hij op zijn lever had.

Harrison was iets meer dan kil – je had hem kunnen gebruiken om helium vloeibaar te maken. Hij vroeg bijtend scherp: 'Wat heb jij verdomme met de computer uitgevoerd?'

'Niets bijzonders. Is er een zekering gesprongen?'

'Wat is dit allemaal over een man die Ashton heet?'

Ik was ontsteld. 'O Jezus!' zei ik. 'Nellie *is* 'n klikspaan, niet? Roddelt veel te veel.'

'Wat zeg je?'

'Niets. Ik praatte alleen maar wat in mezelf.'

'Nou, dan kan je nou tegen Ogilvie praten. Hij wil ons allebei spreken.'

Ik denk dat mijn mond even openviel. Ik was zes jaar bij de dienst en ik had Ogilvie precies dat aantal keren gezien; dat wil zeggen, serieus met hem gepraat. Soms zag ik hem wel eens in de lift en dan was hij heel vriendelijk en hoffelijk en vroeg me altijd zijn groeten aan mijn vader over te brengen. Mijn gehannes met Nellie moest een zo gevoelige zenuw hebben geraakt dat de hele firma ervan ineenkromp.

'Nou, sta daar niet te lummelen,' bitste Harrison. 'Hij wacht op ons.'

33

Ogilvie wachtte in gezelschap van een kleine, gezette man met twinkelende oogjes, rossige wangen en een zonnige glimlach. Ogilvie stelde hem niet voor. Hij wuifde Harrison en mij naar fauteuils en viel met de deur in huis. 'Vertel op, Malcolm, vanwaar jouw belangstelling voor Ashton?'

Ik zei: 'Ik ga met zijn dochter trouwen.'

Als ik verkondigd had dat ik met de Prins van Wales naar bed ging zou ik geen ontsteldere reactie hebben kunnen krijgen. Wolken trokken over het gezicht van meneer Naamloos; zijn glimlach verdween en zijn ogen werden hard als diamant. Ogilvie rolde even met zijn ogen en blafte toen: *'Wat zeg je?'*

'Ik ga met zijn dochter trouwen,' herhaalde ik. 'Wat is er? Is dat onwettig?'

'Nee, onwettig is het niet,' zei Ogilvie met een gesmoorde stem. Hij keek even snel naar meneer Naamloos alsof hij niet goed wist wat hij nu verder moest doen. Meneer Naamloos vroeg: 'Wat had u voor reden om te geloven dat we een dossier over Ashton zouden hebben?'

'Geen enkele reden. Iemand suggereerde voor de grap dat ik 't Nellie maar eens moest vragen, en dat heb ik gedaan. Niemand was meer verrast dan ik toen Ashton opdook.'

Ik zweer dat Ogilvie geloofde dat ik getikt was. 'Nellie!' mompelde hij.

'Neem me niet kwalijk, de computer.'

'Hield deze informatie verband met je werk?' vroeg hij.

'Nee,' zei ik. 'Het was zuiver persoonlijk en privé. Het spijt me en ik vraag er excuus voor. Maar er zijn in de loop van het weekend een paar vreemde dingen rond Ashton gebeurd en ik wou wat meer van hem weten.'

'Wat voor dingen?'

'Iemand gooide z'n dochter zwavelzuur in 't gezicht. . .'

Meneer Naamloos interrumpeerde: 'Het meisje dat u van plan bent te trouwen?'

'Nee – haar jongere zuster, Gillian. Later gedroeg Ashton zich een beetje vreemd.'

'Verbaast me niets,' zei Ogilvie. 'Wanneer is dit gebeurd?'

'Gisteravond.' Ik wachtte even. 'Ik moest me tegenover een smeris legitimeren, dus kwam mijn naam op de weekend-telefoonlijst. Joe en ik hebben er vanmorgen over gepraat.'

Ogilvie draaide zich met een ruk naar Harrison om. 'Je *wist* hiervan?'

'Alleen van dat zuur. Ashton werd niet genoemd.'

'Je vroeg me er niet naar,' zei ik. 'En ik wist niet dat Ashton zo verdomd belangrijk was, tot Nellie 't me later vertelde.'

Ogilvie zei: 'Laat ik de zaak nou even heel scherp stellen.' Hij staarde Harrison aan. 'Een van jouw mensen bij deze dienst heeft je gemeld dat hij betrokken was geweest bij een politieonderzoek naar een mishandelingsgeval waarbij met zwavelzuur was gegooid, en jij hebt niet eens gevraagd wie er aangevallen was. Komt het daarop neer?'

Harrison schuifelde zenuwachtig in zijn stoel. Meneer Naamloos onderbrak zijn voorbereidingen om een sigaret aan te steken en zei achteloos: 'Dit lijkt me irrelevant. Laten we ons bij de hoofdzaken houden.'

Ogilvie doorstak Harrison met een blik die hem vertelde dat hij er later wel meer van zou horen. 'Natuurlijk. Is dit ernstig, denkt u?'

'Het zou heel ernstig kunnen zijn,' zei meneer Naamloos. 'Maar ik geloof dat we boffen. We hebben al een ingewijde binnen de vesting.' Hij wees met de sigaret op mij zoals Leonard Bernstein zijn dirigeerstokje op de tweede violen richt om aan te geven dat zij moeten gaan krassen.

Ik zei: 'Wacht nu eens even. Ik weet niet waar dit allemaal om gaat, maar Ashton is m'n aanstaande schoonvader. Daardoor komt alles wel erg dicht bij huis. Het kan u geen ernst zijn om mij te vragen. . .'

'Er wordt u niets gevraagd,' zei meneer Naamloos koel. 'Er wordt u iets opgedragen.'

'Gelul,' zei ik ronduit.

Heel even keek hij ontzet en als ik ooit dacht dat die ogen getwinkeld hadden was dit het moment waarop ik van gedachten veranderde. Hij wierp Ogilvie een blik toe en zei: 'Ik weet dat deze man een uitstekende staat van dienst heeft, maar het is me op dit moment niet duidelijk hoe hij dat voor elkaar heeft gekregen.'

'Ik heb het vanmorgen al gezegd, maar ik wil het nog wel eens zeggen,' zei ik. 'M'n staat van dienst kan barsten.'

'Stil, Malcolm,' zei Ogilvie geprikkeld. Hij wendde zich tot Harrison. 'Ik geloof niet dat we jou nog nodig hebben, Joe.'

Harrisons gezicht zag kans tegelijkertijd verbijstering, woede, nieuwsgierigheid en spijt omdat hij weg moest uit te drukken. Toen de deur achter hem dicht was, zei Ogilvie: 'Ik geloof dat Malcolm de spijker op de kop heeft geslagen. Het is niet goed voor ons werk om emotioneel bij een zaak betrokken te zijn. Overigens, Malcolm, wat vind je van Ashton?'

'Ik mag hem wel – voor zover ik hem ken. Hij is geen man met wie je gauw vertrouwelijk wordt, maar daar heb ik dan ook nog niet veel kans voor gehad; ik ken hem nauwelijks.'

'Hij heeft de spijker op de kop geslagen,' erkende meneer Naamloos. Hij twinkelde me toe alsof we plotseling boezemvrienden waren. 'En in nogal onparlementaire taal. Maar het feit blijft dat meneer Jaggard hier ingewijde is. We kunnen dat voordeel niet zo maar overboord gooien.'

Ogilvie zei vlot: 'Ik geloof dat Malcolm graag een onderzoek naar de omstandigheden rond Ashton zal willen instellen zodra hem behoorlijk is uitgelegd waarom hij dat zou moeten doen.'

'Wat dat betreft', zei meneer Naamloos, 'moet u binnen de grenzen blijven. U kent 't probleem.'

'Ik geloof wel dat we 't aan kunnen.'

Meneer Naamloos stond op. 'Dan zal ik in die zin rapporteren.'

Toen hij de kamer uit was, keek Ogilvie me een lange poos aan, schudde toen zijn hoofd. 'Malcolm, je kunt hoge ambtenaren echt niet zo maar in hun gezicht zeggen dat ze kunnen barsten.'

'Heb ik niet gedaan,' zei ik vriendelijk. 'Ik heb 'm gezegd dat m'n staat van dienst kan barsten. Ik heb 'm niet eens gezegd wat-ie er dan verder mee kan doen.'

'De moeilijkheid met mensen als jij die privé-inkomsten hebben is dat jullie je daardoor zo verdomd onafhankelijk opstellen. En dat kan, hoewel 't een voordeel voor de dienst is, zoals ik Zijne Excellentie vertelde voordat jij binnenkwam, de dingen moeilijk maken voor je collega's.'

Zijne Excellentie! Ik wist niet of Ogilvie schertste of niet.

Hij vroeg: 'Wil je je voortaan een beetje kalmer houden?'

Dat was niet te veel gevraagd, dus ik zei: 'Natuurlijk.'

'Mooi. Hoe maakt je vader 't de laatste tijd?'

'Ik geloof dat hij zich een beetje eenzaam voelt nu moeder dood is, maar hij houdt zich flink. U moet de groeten van hem hebben.'

Hij knikte en keek op zijn horloge. 'En nu ga je met me lunchen en me alles vertellen wat je over Ashton weet.'

6

We lunchten in een privé-kamer boven een restaurant waar Ogilvie
bekend scheen te zijn. Hij liet me helemaal bij het begin beginnen,
vanaf het moment dat ik met Penny kennismaakte, en ik eindigde
mijn verhaal met de mislukte informatiegaring over Ashton en
mijn confrontatie met Nellie. Het vergde al bij al veel tijd.
Toen ik klaar was, zaten we aan de koffie. Ogilvie stak een sigaar
op en zei: 'Goed; je wordt geacht een geoefend speurder te zijn. Is
je iets ongewoons opgevallen?'
Ik dacht even na en antwoordde toen: 'Ashton heeft een bediende
die Benson heet. Daar zit 'n eigenaardig aspect aan, geloof ik.'
'Seksueel, bedoel je?'
'Niet per se. Ashton komt me bepaald niet biseksueel voor. Nee, ik
bedoel meer dat 't niet de normale meester-knechtverhouding is.
Toen ze gisteravond van het ziekenhuis terugkwamen sloten ze
zich samen anderhalf uur in Ashtons werkkamer op en maakten in
die tijd een halve fles whisky soldaat.'
'Hm,' zei Ogilvie duister. 'Nog iets anders?'
'De manier waarop hij me onder druk zette om maar zo gauw
mogelijk met Penny te trouwen, was verrekte vreemd. Ik dacht op
'n bepaald moment zelfs dat-ie er 'n moetje van wou maken,'
grinnikte ik.
'Weet je wat ik geloof?' vroeg Ogilvie. 'Ik geloof dat Ashton
doodsbang is; niet voor zich zelf maar ter wille van z'n dochters.
Hij schijnt te geloven dat als hij jouw Penny nu maar zo ver
mogelijk bij hem vandaan kan krijgen, haar niets zal gebeuren.
Wat denk jij?'
'Het zou kunnen kloppen,' zei ik. 'En 't bevalt me verdomme niks.'
'Arme Ashton. Hij had geen tijd om 'n gaaf plan op te poetsen, en
hij overviel jou er te overijld mee. Ik wed dat hij die Australische
baan zo maar uit de lucht greep.'
'Wie *is* Ashton?' vroeg ik.
'Spijt me, maar dat kan ik je niet vertellen.' Ogilvie blies een
rookpluim uit. 'Het was erg aanmatigend van me, zoals ik vanmor-

gen tegen die vent praatte. Ik zei hem dat jij dit karwei heus wel zou opknappen als je maar eenmaal wist waar het om ging, maar hij wist verdomde goed dat ik je geen spat kan vertellen. Dat was het waar hij in bedekte termen bezwaar tegen maakte.'

'Dit is idioot gewoonweg,' zei ik.

'Toch niet. Je gaat alleen doen wat je toch al zou doen, wetend wat je nu weet.'

'En dat is?'

'Het meisje bewaken. Natuurlijk zal ik je vragen ook Ashton te bewaken. Een soort koppelverkoop, weet je; 't ene houdt automatisch 't andere in.'

'En zonder dat ik weet waarom?'

'Je weet waarom. Je gaat Penelope Ashton bewaken omdat je niet wilt dat ze zwavelzuur in haar gezicht gesmeten krijgt en dat zou voor iedere liefhebbende minnaar reden genoeg moeten zijn. Wat Ashton betreft – nou ja, onze vrind had gelijk, vanmorgen. Een bevelhebber kan zijn gewone soldaten zijn plannen niet uitleggen als hij ze in de strijd stuurt. Hij zegt ze gewoon waar ze naar toe moeten en zij zetten de pas erin.'

'De analogie gaat niet op en dat weet u best,' zei ik. 'Hoe kan ik een man bewaken als ik niet weet tegen wie of wat ik 'm bewaak? Dat is hetzelfde als een soldaat het gevecht in te sturen niet alleen zonder hem te vertellen waar de vijand is, maar ook *wie* de vijand is.'

'Tja,' zei Ogilvie kalm. 'Dan ziet 't ernaar uit dat je 't ter wille van m'n mooie blauwe ogen zal moeten doen.'

Daar had hij me klem en dat wist hij, denk ik. Ik had een vermoeden dat meneer Naamloos, wie hij ook mocht zijn, heel formidabel uit de hoek zou kunnen komen en dat Ogilvie die ochtend een situatie gered had die heel vervelend voor me had kunnen worden. Ik was hem daar iets voor verschuldigd. Bovendien waren de ogen van de sluwe oude vos groen.

'Goed dan,' zei ik. 'Maar 't is geen eenmanskarweitje.'

'Daar ben ik me van bewust. Gebruik deze middag om goed te overdenken wat je allemaal nodig hebt – ik wil je verlanglijst morgenochtend vroeg op m'n bureau vinden. O ja, da's waar ook – je geeft je niet bloot.'

Ik deed mijn mond open en toen weer langzaam dicht voordat ik hem zou uitvloeken. Toen zei ik: 'Dit is zeker 'n grapje – ik moet een man bewaken zonder hem te zeggen dát ik 'm bewaak?'

'Ik ben ervan overtuigd dat je 't heel goed zult doen,' zei hij minzaam, en belde om de kelner.

'Dan zult u versteld staan wat ik allemaal nodig heb,' zei ik scherp.

Hij knikte, vroeg toen nieuwsgierig: 'Verontrust het je niet dat je door je huwelijk in een nogal mysterieuze familie terechtkomt?'

'Ik trouw met Penny, niet met Ashton.' Ik keek hem grijnzend aan.

'Bent u niet om dezelfde reden verontrust?'

'Denk niet dat ik dat niet ben,' zei hij ernstig en liet het aan mij over om erachter te komen wat hij daarmee bedoelde.

7

Toen ik op kantoor terugkwam, nam Larry Godwin me kritisch van onder tot boven op. 'Ik stond net op 't punt je als vermist te melden. Had 't sterke vermoeden dat je ongenadig werd afgetuigd. Ik wou net naar de kelder gaan om te zien of ze echt nog duimschroeven gebruiken.'

'Niets aan de hand,' zei ik luchtig. 'Ik heb de Eremedaille van de Dierenbescherming gekregen omdat ik zo aardig was tegen Joe Harrison – da's alles.'

'Leuk hoor,' zei hij zuur en sloeg de *Pravda* van de vorige dag open. 'De enige keer dat jij een medaille zult krijgen is als je met mij meekomt wanneer ik tot ridder word geslagen.' Hij zag me een paar dingen in een koffer gooien. 'Ga je op reis?'

'Je zal 't een dag of wat zonder mij moeten doen.'

'Gelukkige donder. Ik kom nooit achter dit verdomde bureau vandaan.'

'Op een dag gebeurt dat, je zult 't zien,' zei ik troostend. 'Als je je ridderslag moet gaan halen.' Ik leunde tegen het bureau. 'Jij zou eigenlijk bij de Slavische Sectie moeten zitten. Waarom heb je Algemene Diensten gekozen?'

'Ik dacht dat 't opwindender zou zijn,' zei hij, en voegde er wrang aan toe: 'Ik had 't mis.'

'Met jou in de buurt krijgt de uitdrukking "zo blij als Larry" een heel andere betekenis.' Ik dacht dat hij iets naar mijn hoofd zou smijten, dus ik dook snel de deur uit.

Ik reed naar Marlow en vond het politiebureau. Nadat ik de dienstdoende brigadier mijn naam had genoemd stond Honnister in minder dan geen tijd voor me. Hij nam me mee naar zijn kamer die hij met een andere inspecteur deelde en toen ik een voorkeur voor een gesprek onder vier ogen liet blijken, trok Honnister zijn schouders op en zei: 'O, nou ja, we kunnen naar een verhoorkamertje gaan. Maar dat is minder comfortabel dan hier.'

'Het is mij goed.'

De andere inspecteur sloeg een map dicht en stond op. 'Ik moet toch weg. Wees dus niet bang, Charlie, ik zal m'n neus niet in jouw zoete geheimpjes steken.' Hij wierp me een scherpe blik toe terwijl hij de kamer uitging. Hij zou me herkennen als hij me weer eens zag.

Honnister ging aan zijn bureau zitten en keek me dreigend aan. 'Schuw stelletje, daar bij u. Als de dood om open voor den dag te komen.'

Ik grinnikte. 'Ik zie u geen politie-uniform dragen.'

'Ik had vanmorgen een van uw mensen aan de lijn – 'n vent die Harrison heet. Ging me toch tekeer! Bedreigde me met kerker en niet te noemen folteringen als ik over u praatte.'

Ik ging zitten. 'Joe Harrison is een stomme zak, maar hij bedoelt 't goed.'

'Als iemand geheimen weet te bewaren is 't wel een smeris,' zei Honnister. 'Zeker een die in burger dienst doet. Ik ken genoeg plaatselijke geheimen hier om Marlow van de kaart te blazen. Die vent Harrison zou dat moeten weten.' Zijn stem klonk gekrenkt.

Ik vervloekte Harrison en zijn stomme aanpak; als hij mijn contact met de politie ter plaatse verknold had, zou ik hem aan zijn duimen ophangen als ik terugkwam. Ik zei: 'Inspecteur, ik heb u gisteravond gezegd dat ik geen officiële connectie met Ashton had. Dat was toen waar, maar nu niet meer. Mijn mensen hebben nu grote belangstelling.'

Hij gromde. 'Weet ik. Ik heb het verzoek gekregen een extra kopie te maken van al mijn rapporten over de zaak Ashton. Alsof ik al niet genoeg te doen heb zonder een hele papierwinkel te moeten produceren voor kerels die me nog niet eens willen zeggen hoe laat 't is zonder eerst de wet op Officiële Geheimen te raadplegen.' Zijn verbolgenheid groeide.

Ik zei vlug: 'Ach wat, u kunt die onzin uit uw hoofd zetten – zolang ik maar uw rapporten kan inzien.'

'Hebt u daar machtiging voor?'

Ik keek hem glimlachend aan. 'Iedereen heeft alle machtiging die hij te pakken kan krijgen. Ik neem alle schuld op me als de boel fout loopt.'

Hij staarde me aan en toen krulden zijn lippen geamuseerd omhoog. 'U en ik zullen best met elkaar kunnen opschieten,' zei hij. 'Goed, wat wilt u weten?'

'Om te beginnen, hoe is het met het meisje?'

41

'We hebben geen toestemming gekregen om met haar te praten, dus ze moet er aardig beroerd aan toe zijn. En ik heb een signalement nodig. Ik ken niet eens het geslacht van de aanvaller.'

'Dus dat betekent geen bezoekers.'

'Niemand, behalve de familie. Haar zuster is het grootste deel van de dag in het ziekenhuis geweest.'

Ik zei: 'Ik denk dat ik u op dit punt misschien kan helpen. Als ik van Penny nu eens gedaan kan krijgen dat ze Gillian om een signalement vraagt? Dat moet voorlopig voldoende zijn om op door te gaan tot u haar zelf kunt spreken.' Hij knikte. 'Maar ik zie Penny pas veel later. Waar bent u vanavond?'

'Theoretisch vrij van dienst. Maar tussen negen en tien uur pak ik een paar biertjes in de Coach & Horses. Ik heb daar een afspraak met iemand die me misschien een tip kan geven over een andere zaak. U kunt me daar bellen. Doyle, de waard, kent me.'

'Mooi. Da's dan dat. Hoe bent u gevorderd met het zuur?'

Honnister haalde zijn schouders op. 'Ongeveer zo ver als u kon verwachten. 't Is accuzuur, en 't spul is te algemeen. Er zijn hier overal in de buurt benzinestations, maar het kan ook weet ik veel waar vandaan komen.' Hij leunde achterover in zijn stoel. 'Voor mij zit er een Londens luchtje aan deze zaak.'

'Hebt u Ashton gesproken?'

'O ja, ik heb Ashton gesproken. Hij zegt dat-ie absoluut geen enkele reden kan bedenken waarom z'n dochter op zo'n manier zou moeten worden aangevallen. Hoegenaamd geen enkele reden. Het was verdomme of ik tegen 'n stenen muur praatte.'

'Vanavond ga ik zelf met hem praten. Misschien krijg ik iets los.'

'Weet hij wie – en wat – u bent?'

'Nee, dat weet-ie niet; en hij mag er ook niet achterkomen.'

'Jullie kerels leiden een interessant leventje,' zei Honnister, met een scheve grijns. 'En u wilt nog met z'n dochter trouwen ook.'

Ik glimlachte. 'Hoe weet u dat?'

'Gewoon geconcludeerd uit wat u me gisteravond vertelde en uit wat een van m'n mannetjes opving toen-ie een kop koffie dronk met het dienstmeisje van de Ashtons. Ik zei u al dat ik geheimen te horen krijg – en ik ben geen slechte uithoorder, al zeg ik 't zelf.'

'Goed,' zei ik. 'Vertel me dan 'n paar geheimen over Ashton.'

'Niet bij de politie bekend. Crimineel niet. Onze MPM heeft wel eens met hem gepraat.'

'MPM?'

'Misdaad Preventie Man. Er staan hier nogal wat kasten van huizen in de buurt, vol dure spullen die de moeite van 't jatten waard zijn. De MPM gaat ze langs om te zien in hoeverre ze inbraakvrij zijn. Je staat ervan te kijken hoe stom sommigen van die rijke piefen kunnen zijn. Er zijn er die hun huis volproppen met een miljoenenwaarde aan schilderijen en antiek, en te krenterig zijn om een paar mille te besteden aan beveiliging van het spul.'

'Hoe is Ashtons inbraakbeveiliging?'

Honnister grinnikte. 'Bijna even goed als die van de Bank of England.'

Dat interesseerde me. 'Nog iets meer over Ashton?'

'Niets van belang. Maar hij was niet degene die werd aangevallen, wel?' Hij boog zich naar voren. 'Hebt u gedacht aan de mogelijkheid dat Gillian wel eens in 't verkeerde bed kon hebben geslapen? Als ik hoor van een zuuraanval op een vrouw, moet ik altijd aan twee dingen denken; het eerste is dat 't een bendestraf zou kunnen zijn, en het tweede is dat 't wel eens om wraak van de ene vrouw op een andere kon gaan.'

'Daar heb ik aan gedacht. Penny wuift het weg en ik geloof er zelf ook niet zo erg in. Ze lijkt me er het type niet voor.'

'Kan zijn, maar ik heb een beetje rondgeneust. Ik heb nog niets ontdekt, maar ik kan het toch niet zo maar verwaarlozen.'

'Natuurlijk niet.'

Ik stond op en Honnister zei: 'Verwacht niet te gauw te veel. Sterker nog, verwacht helemaal niets. Ik heb niet veel hoop in deze zaak. Maar hoe dan ook, we zijn er nog geen vierentwintig uur mee bezig.'

Dat was zo en het verraste me. Er was die dag zoveel gebeurd dat het veel langer geleken had. 'Goed,' zei ik. 'Tot vanavond.'

8

Ik reed in de richting van Ashtons huis en toerde langzaam rond over de landweggetjes, op zoek naar eventuele ongewone dingen zoals aan de kant geparkeerde auto's met mensen erin die zo maar zaten te zitten. Ik vond niets van dien aard, dus na een uurtje vergeefs dwalen gaf ik het op en reed rechtstreeks naar het huis.

De hekken waren dicht maar er was een belleknop die ik indrukte. Terwijl ik wachtte bestudeerde ik het hek, gedachtig aan wat Honnister verteld had over Ashtons inbraakbeveiliging. Het was een dubbel hek van sierlijk smeedijzer, ongeveer drie meter hoog, bovenaan erg puntig, en scharnierend aan twee massieve stenen zuilen. Ze sloten een opening af in een even hoge rasteromheining die onopvallend – verscholen achter geboomte – het landgoed omringde. Allemaal heel mooi, maar de hekken waren de vorige dag niet dicht geweest.

Na verloop van tijd naderde er een man over de oprit, gekleed in boerse kleren. Ik had hem nooit eerder gezien. Hij keek me door het hek heen aan en vroeg kortaf: 'Ja?'

'Ik ben Malcolm Jaggard. Ik zou graag meneer Ashton spreken.'

'Hij is niet thuis.'

'Juffrouw Ashton?'

'Ook niet thuis.'

Ik trok nadenkend aan mijn oor. 'Benson dan misschien?'

Hij keek me even aan, zei toen: 'Zal even horen.' Hij stapte opzij tot achter een van de stenen zuilen en ik hoorde een klik en toen het gesnor van de draaischijf van een telefoon. Er is een uitdrukking voor wat er gebeurde: hier werd de put gedempt nadat het kalf verdronken was.

De man kwam weer in zicht en begon zwijgend het hek te ontsluiten, dus ik stapte weer in de wagen en reed naar het huis. Benson liet me, op zijn hoffelijke Boris Karloff-manier, de zitkamer binnen en zei: 'Ik denk niet, dat juffrouw Penelope lang zal wegblijven, meneer. Ze belde op om te zeggen dat ze om vijf uur thuis zou zijn.'

'Zei ze nog hoe 't met Gillian was?'

'Nee, meneer.' Hij zweeg even, schudde toen langzaam zijn hoofd. 'Dit is een verschrikkelijke geschiedenis, meneer. Schandelijk gewoon.'

'Ja.' Ik had altijd geleerd dat het niet netjes is om bedienden uit te horen over hun meesters, maar ik had daar nu geen gewetenswroeging over. Benson had nooit de indruk van een doorsnee-huisbediende op me gemaakt, zeker op dit moment niet, want hij droeg, tenzij hij een plotseling opgekomen tumor onder zijn linkeroksel had, een revolver. 'Ik zie dat er een wacht bij het hek staat.'

'Ja. Dat is Willis. Ik zal hem uw naam geven, dan zal hij u altijd binnenlaten.'

'Hoe vat meneer Ashton dit alles op?'

'Opmerkelijk goed. Hij is vanmorgen gewoon naar zijn kantoor gegaan, zoals altijd. Zou u iets willen drinken, meneer?'

'Graag. Een whisky, als 't kan.'

Hij liep de kamer door, opende een kastje, en kwam even later terug met een blaadje dat hij op een tafeltje naast mijn elleboog zette. 'Als u me wilt excuseren, meneer.'

'Natuurlijk, Benson. Dank je.' Hij bleef niet rondhangen om te worden uitgehoord, maar zelfs als hij wel gebleven was betwijfelde ik of ik veel uit hem zou hebben losgekregen. Hij had een neiging tot het uitspreken van clichés en vriendelijke algemeenheden, maar of hij ook zo dacht was iets heel anders.

Ik hoefde niet lang op Penny te wachten en was nauwelijks halverwege het glas toen ze de kamer binnenkwam. 'O, Malcolm, wat fijn jou te zien. Wat een geweldige man ben jij toch.' Ze zag er moe en afgetobd uit.

'Ik had gezegd dat ik zou komen. Hoe maakt Gillian het?'

'Iets beter, geloof ik. Ze begint over de schok heen te komen.'

'Ik ben erg blij dat te horen. Ik heb Honnister gesproken, de inspecteur van politie die met deze zaak belast is. Hij wil haar verhoren.'

'O, maar Malcolm – daar is ze nog niet aan toe. Echt niet.'

Ze kwam naar me toe en ik nam haar in mijn armen. 'Is het zo slecht met haar?'

Ze legde haar hoofd even tegen mijn borst, en keek toen naar me op. 'Ik geloof niet dat jij begrijpt hoe erg dit soort dingen voor een

45

vrouw is. Vrouwen schijnen meer om hun uiterlijk te geven dan mannen – dat moeten we wel, neem ik aan, omdat de meesten van ons nu eenmaal op de mannenjacht zijn. Gillian is niet alleen ten prooi aan de fysieke schok – de psychologische schok is er ook nog.'

'Denk niet dat ik me daar niet van bewust ben,' zei ik. 'Maar denk je eens in Honnisters plaats. Hij zit muurvast – zonder signalement kan hij geen kant op. Op dit moment weet hij niet eens of-ie naar een man of een vrouw moet zoeken.'

Penny keek ontsteld. 'Daar had ik nog niet eens aan gedacht. Ik nam aan dat het een man zou zijn.'

'Honnister neemt dat niet zo maar een-twee-drie aan. Hij neemt nog helemaal niets aan omdat hij geen poot heeft om op te staan. Praat Gillian met jou?'

'Een beetje, vanmiddag.' Penny trok een lelijk gezicht. 'Ik ben het onderwerp zuurgooien uit de weg gegaan.'

'Zou je vanavond naar het ziekenhuis kunnen gaan om te zien wat je uit haar kan loskrijgen? Honnister zit echt met z'n handen in het haar over dit geval. Je vader kon hem niet helpen en hij weet niet waar hij moet gaan zoeken.'

'Ik denk wel dat ik 't zou kunnen proberen.'

'Jij kunt 't beter doen dan Honnister; hij heeft misschien jouw begrip niet. Ik ga met je mee; niet naar haar kamer, maar ik wacht dan wel op je.'

'Zou acht uur je schikken? Niet te laat voor je?'

'Al m'n tijd staat tot je beschikking.' Ik vertelde haar niet dat dit letterlijk waar was, dank zij een zekere Ogilvie en op kosten van de belastingbetaler. 'Je ziet eruit of je best 'n borrel zou kunnen gebruiken.'

'Ik zou wel 'n gin-tonic willen. Kom ermee naar de keuken, wil je? Ik zal iets aan 't eten moeten doen – Paps zal wel gauw thuis zijn.'

Ze ging weg en ik maakte het drankje voor haar klaar en bracht het naar de keuken. Ik bood mijn hulp aan, maar ze lachte en zei: 'Je zou alleen maar in de weg lopen. Mary komt me helpen.'

'Mary wie?'

'Het meisje – Mary Cope. Zoek jij maar iets anders te doen.'

Ik ging weg en bedacht dat ik eigenlijk niets liever zou willen doen dan eens goed in Ashtons werkkamer rondkijken. Maar als het niet netjes is om de bedienden uit te horen, weet ik niet hoe het voor de donder genoemd zou worden om betrapt te worden op het snuffelen in de privé-correspondentie van je gastheer in zijn *sanctum sactorum*. Somber drentelde ik de tuin in.

Ik was bezig croquetballen over het gazon te slaan toen Ashton kwam aanlopen. Hij zag er afgebeeld en uitgemergeld uit, alsof hij door een of andere geestelijke wringer was gehaald. Zijn huid had de gebruinde tint niet verloren maar hij leek bleker dan anders en hij had nog steeds die gekwetste blik in zijn ogen. Het was de blik van een jongetje dat gestraft was voor iets dat het niet gedaan had; de gekwelde blik van alle onrecht ter wereld. Het is moeilijk een jongetje uit te leggen dat de wereld niet noodzakelijkerwijs een rechtvaardig oord is, maar Ashton liep lang genoeg mee om dat te weten.

Ik zei: 'Penny is in de keuken, als u haar soms zoekt.'

'Ik heb 'r gezien,' zei hij kortaf.

'Ze vertelde me dat Gillian vanavond wat is opgeknapt.'

Hij keek omlaag, met de punt van zijn schoen in het gras trappend. Hij zei een poosje niets en ik begon al te denken dat hij me niet goed verstaan had. Maar toen keek hij op en zei abrupt: 'Ze is blind.'

'Jezus; wat spijt me dat.'

Hij knikte. 'Ik heb er vanmiddag een specialist bij gehaald.'

'Weet zij het? Weet Penny het?'

'Ze weten het geen van beiden. Ik heb het voor ze verzwegen.'

'Ik kan me begrijpen dat u het niet aan Gillian wil zeggen, maar waarom mag Penny het niet weten?'

'Anders dan de meeste zusjes zijn ze altijd erg intiem met elkaar geweest ook al zijn ze volkomen verschillend van karakter – of misschien juist daardoor. Ik geloof dat als Penny het wist, Gillian het van haar te weten zou komen, en die schok zou ze nu niet kunnen verdragen.' Hij keek me recht in de ogen. 'Vertel het haar niet.'

Nu was dat allemaal heel logisch en goed doordacht en hij had me zo juist een rechtstreeks bevel gegeven, daar was geen twijfel aan.

'Ik zal 't haar niet vertellen,' zei ik. 'Maar ze zou er ook zonder dat achter kunnen komen. Ze is medisch onderlegd en niet op haar achterhoofd gevallen.'

'Hoe later ze het hoort, hoe beter,' zei hij.

Ik vond dat ik maar beter kon beginnen mijn salaris te verdienen.

'Ik heb vanmiddag Honnister gesproken. Hij vertelde me dat u hem vanmorgen niet veel verder kon helpen. Hebt u echt geen enkel vermoeden waarom iemand Gillian zou willen aanvallen?' 'Nee,' zei hij effen.

Ik bestudeerde hem zorgvuldig. Zijn colbert was van veel betere snit dan dat van Benson, maar zelfs het beste kleermakerswerk zou de lichte bobbel onder zijn arm niet kunnen verbergen. 'U hebt geen dreigbrieven of iets dergelijks gehad?'

'Helemaal niet,' zei hij ongeduldig. 'Ik snap er niets van.'

Ik had hem willen vragen: 'Waarom draagt u dan een revolver bij u?' Mijn probleem was dat ik niet wist waarom hij in onze boeken stond. Er stonden bij ons mannen om velerlei redenen te boek, en dat op zichzelf stempelde hen beslist niet meteen tot schurken – verre daarvan. De moeilijkheid was dat niemand me wilde vertellen in welke categorie Ashton viel en dat maakte dit karwei verdomd moeilijk. Moeilijk om te weten hoe ik hem onder druk moest zetten; moeilijk om de barst te onderkennen waarin de wig geramd moest worden die hem zou breken.

Maar ik probeerde het wel. Ik zei praktisch: 'Dan moet de reden ergens in Gillians eigen leven liggen. Een of andere kliek waar ze in terecht is gekomen, misschien.'

Hij werd onmiddellijk woedend. 'Onzin,' bitste hij scherp. 'Dat is een monsterlijke suggestie. Hoe zou ze buiten mijn weten om in dat soort kringen verzeild geraakt kunnen zijn? Het soort dat zo iets vreselijks zou kunnen doen?'

Ik speelde de rol van de onpartijdige toeschouwer. 'O, ik weet niet,' zei ik nuchter. 'Het gebeurt de hele tijd, te oordelen naar wat we in de kranten lezen. De politie arresteert een jongen of een meisje en brengt een hele reeks vergrijpen aan 't licht, van handel in heroïne tot diefstal om aan het geld te komen dat nodig is om de verslaving te sussen. De ouders zijn verbijsterd en beroepen zich op onwetendheid; ze hadden er geen flauw vermoeden van dat de kleine Johnny of de kleine Mary zich met zo iets inliet. En ik geloof ze.'

Hij haalde diep adem. 'Om te beginnen is Gillian geen kind meer, ze is een volwassen vrouw van zesentwintig. Verder ken ik m'n gezin heel goed. Je hebt me gisteravond een compliment gemaakt; je zei dat ik Penny te goed had opgevoed. Dat geldt ook voor Gillian.' Hij boorde de punt van zijn schoen in het gras. 'Zou je dat van Penny denken?'

'Nee, dat geloof ik niet.'

'Waarom zou je 't dan wel van Gillian denken? Het is belachelijk, verdomme.'

'Omdat Penny geen zwavelzuur in haar gezicht gegooid heeft gekregen,' bracht ik hem in herinnering. 'Gillian wel.'

'Dit is 'n nachtmerrie,' mompelde hij.

'Het spijt me; het was niet m'n bedoeling u te kwetsen. Ik hoop dat u m'n verontschuldiging wilt aanvaarden.'

Hij bracht zijn hand naar zijn gezicht, wreef zijn gesloten oogleden. 'O, da's in orde, Malcolm.' Zijn hand viel langs zijn zij. 'Het is alleen dat ze altijd zo'n braaf meisje was. Heel anders dan Penny. Penny kon soms moeilijk zijn. Nog trouwens. Ze kan erg eigenzinnig zijn, zoals je wel zult merken als je met haar trouwt. Maar Gillian. . .' Hij schudde zijn hoofd. 'Gillian was nooit lastig of moeilijk. Nooit.'

Wat Ashton zei deed me de foltering beseffen die ouders moesten voelen als er met de kinderen iets misging. Maar ik was niet zó bekommerd om zijn foltering dat het me ontging dat hij het had over *als* ik met Penny trouwde, niet *wanneer* ik met haar getrouwd zou zijn. Zijn vastberadenheid van de vorige avond was blijkbaar geluwd.

Hij desillusioneerde me onmiddellijk. 'Heb je nog nagedacht over wat we gisteravond hebben besproken?'

'Min of meer.'

'Met welke conclusie?'

'Ik denk er nog net zo over,' zei ik. 'Ik geloof niet dat dit het moment is om Penny met nieuwe problemen op te zadelen, vooral niet als de meisjes zo intiem met elkaar zijn als u zegt. Ze voelt zich diep ongelukkig, weet u.'

'Je zult wel gelijk hebben,' zei hij moedeloos en schopte weer tegen het gras. Hij deed die schoen bepaald geen goed, en het was zonde om Lobbs vakmanschap zo nonchalant te behandelen. 'Blijf je eten?'

'Als u het goed vindt,' zei ik formeel. 'Ik breng Penny daarna naar het ziekenhuis.'

Hij knikte. 'Zeg haar niets over Gillians ogen. Beloof me dat.'

'Heb ik al gedaan.'

Hij gaf daar geen antwoord op, maar draaide zich met een ruk om en liep weg naar het huis. Terwijl ik hem nakeek had ik wanhopig met hem te doen. Het maakte me toen niets uit of Nellie hem als een held of een schurk te boek had staan; ik had alleen maar meelij met hem als een menselijk wezen in de diepste ellende.

Penny en ik kwamen om ongeveer halfnegen bij het ziekenhuis. Ik ging niet met haar mee naar binnen maar wachtte in de wagen. Ze bleef lang weg, meer dan een uur, en ik begon geprikkeld te worden omdat ik beloofd had Honnister te bellen. Toen ze eindelijk naar buiten kwam, zei ze kalm: 'Ik heb eruit gekregen wat je wou horen.'
Ik vroeg: 'Wil je 't Honnister vertellen? Ik heb een afspraak met hem.'
'Goed.'
We vonden Honnister aan de bar van de Coach & Horses, waar hij somber in een glas bier stond te staren. Toen we bij hem kwamen, zei hij: 'M'n afspraak is gekomen en weggegaan. Ik ben hier gebleven om op uw telefoontje te wachten.'
'Inspecteur Honnister – dit is Penny Ashton. Ze heeft u iets te vertellen.'
Hij keek haar ernstig aan. 'Dank u, juffrouw Ashton. Ik denk niet dat ik u hoef te zeggen dat we in deze zaak doen wat we kunnen, maar het is allemaal nogal moeilijk, en we zijn dankbaar voor iedere hulp die we kunnen krijgen.'
'Dat begrijp ik,' zei ze.
Hij draaide zich naar mij om. 'Wat wilt u drinken?'
'Een whisky graag en. . .' Ik keek naar Penny.
'Een gin-tonic.'
Honnister riep naar de man achter de bar. 'Monte, een grote whisky en een gin-tonic.' Hij draaide zich om en overzag de gelagkamer. 'We moesten maar liever beslag leggen op dat tafeltje daar voordat de laatkomers binnenkomen.'
Ik liep met Penny naar het aangeduide tafeltje en even later kwam Honnister bij ons met de glazen. Hij verspilde geen tijd en vroeg nog voor hij goed en wel was gaan zitten: 'En, juffrouw Ashton, wat kun u me vertellen?'
'Gillian zegt dat het een man was.'
'Aha,' zei Honnister voldaan. Hij had zo juist iets meer dan de helft van de bevolking van Engeland kunnen uitschakelen. 'Wat voor man? Jong? Oud? Alles wat u me vertelt kan van waarde zijn.'

Hij liet haar het verhaal verscheidene keren opnieuw vertellen en bracht iedere keer weer een nieuw flintertje informatie aan het licht. Waar het op neer kwam was dit: Gillian was te voet teruggekomen van de kerk en had, toen ze over de oprit naar het huis liep, een auto aan de kant zien staan met de motorkap open en een man die naar de motor stond te turen. Ze dacht dat het iemand met pech was, dus ze liep naar de man toe met de bedoeling hulp aan te bieden. Toen ze vlak bij hem kwam draaide de man zich om en glimlachte naar haar. Het was niet iemand die ze kende. Ze stond op het punt hem aan te spreken toen hij met de ene hand de motorkap dichtsloeg en haar tegelijkertijd met de andere het zuur in het gezicht smeet. De man had geen woord gezegd; hij was een jaar of veertig, met een ziekelijk bleek gezicht en diepliggende ogen. Ze had niet op het merk van de wagen gelet, maar wist wel dat die nogal donker van kleur was.

'Laten we nog eens even teruggaan,' zei Honnister opnieuw. 'Uw zuster zag de man onder de open motorkap naar de motor staan kijken. Zei ze iets over zijn handen?' 'Nee, ik geloof van niet. Is 't belangrijk?'

'Zou kunnen,' zei Honnister vaag. Hij was een goed ondervrager; hij legde zijn getuigen niet zijn eigen opvattingen in de mond.

Penny fronste, starend naar de in haar glas opborrelende luchtbelletjes, en haar lippen prevelden mee terwijl ze haar gedachten inspande. Opeens zei ze: 'Dat is 't, inspecteur. Gillian zei dat ze naar hem toe liep en dat de man zich omdraaide en tegen haar glimlachte, en toen zijn handen uit de zakken van zijn colbert haalde.'

'Goed zo!' zei Honnister geestdriftig. 'Heel goed!'

'Ik zie de belangrijkheid er niet van in,' zei Penny.

Honnister wendde zich naar mij toe. 'Sommige auto's hebben een scharnierende stang om de motorkap omhoog te houden, andere hebben een veerconstructie. Dus als hij zijn handen in zijn zakken had, kon hij die motorkap niet met eigen hand omhoog hebben gehouden en als hij ze uit zijn zakken haalde om de kap dicht te klappen en tegelijkertijd het zuur te gooien, dan had die kap een veerconstructie. Dat vermindert aanmerkelijk het aantal automerken waar we naar moeten zoeken.' Hij dronk zijn glas leeg. 'Kunt u me nog iets meer vertellen?'

'Ik kan niets meer bedenken, inspecteur.'

'U en uw zuster hebben me voortreffelijk geholpen,' zei hij terwijl hij opstond. 'En nu moet ik met een man gaan praten over een hond.' Hij keek me grinnikend aan. 'Dat meen ik – iemand heeft een hazewind gejat.'

Penny zei: 'U laat het ons wel weten als. . .'

'U bent de eerste die iets hoort als er iets te melden valt,' beloofde Honnister. 'Dit is een schurk die ik werkelijk graag in de kraag zou grijpen.'

Toen hij wegliep, zei ik: 'Hij is een goeie smeris.'

'Dat schijnt zo,' zei Penny. 'Ik zou nooit hebben gedacht aan de betekenis van de manier waarop een motorkap wordt opengehouden.'

Ik staarde in mijn glas. Ik zat eraan te denken dat als ik die zuurgooiende schoft 't eerst te pakken kreeg, er voor Honnister niet veel meer van hem over zou zijn. Op dat moment zei Penny: 'Ik kan niet zeggen "een penny voor je gedachten" want dat zou je misschien verkeerd opvatten – maar waar denk je aan?'

Ik zei het automatisch; ik zei het gedachteloos. Ik zei: 'Ik zit te denken dat het een goed idee zou zijn als we gingen trouwen.'

'Malcolm!'

Ik kan vrij goed nuances in stemmen onderscheiden, maar er waren er in dat ene woordje van twee lettergrepen zo verdomd veel dat het me duizelde. Er was iets van verrassing en iets van schrik; iets, vreesde ik, van ontstemming en iets, hoopte ik, van verrukking. Alles door elkaar.

'Vindt *jij* 't dan geen goed idee?' Ik zag haar naar woorden zoeken. 'Als je maar niet zegt: "Dit komt zo plotseling!" '

'Maar het *komt* zo verdomd plotseling,' zei ze en maakte een handgebaar naar de gelagkamer. 'Hier, nota bene.'

'Het lijkt me een goeie kroeg,' zei ik. 'Doet de plaats er iets toe?'

'Ik denk van niet,' zei ze kalm. 'Maar het tijdstip – en de omstandigheden wel.'

'Ik neem aan dat ik een beter moment had kunnen kiezen,' beaamde ik. 'Maar het was eruit voor ik er erg in had. Ik ben trouwens niet de enige die het een goed idee vindt. Je vader vindt dat ook; hij wou gisteravond al dat ik je vroeg.'

'Dus jullie hebben achter m'n rug over mij gepraat. Ik weet niet of ik dat wel zo prettig vind.'

'Wees redelijk. Het is traditie – en ook hoffelijk – dat een man zijn

52

toekomstige schoonvader van zijn voornemens op de hoogte stelt.'
Ik zei maar niet dat het Ashton was geweest die het onderwerp ter
sprake had gebracht.
'Wat zou je hebben gedaan als hij ertegen was geweest?'
'Ik zou je tóch hebben gevraagd,' zei ik bedaard. 'Ik trouw met jou!'
'Je trouwt met niemand – nog niet tenminste.' Ik was dankbaar
voor het reddende respijt van die laatste woorden. Ze legde haar
hand op de mijne. 'Sufferd die je bent – ik dacht al dat je me nooit
zou vragen.'
'Ik had 't allemaal geprogrammeerd, maar toen waren opeens de
omstandigheden er niet naar.'
'Ik begrijp het.' Er klonk melancholie in haar stem. 'O, Malcolm.
Ik weet niet wat ik moet zeggen. Ik voelde me vandaag zo
ongelukkig, telkens als ik aan Gillian dacht en haar zoveel pijn zag
lijden. En toen die afgrijselijke taak die jij me vanavond oplegde
om haar uit te horen. En dan Paps – hij zegt niet veel maar ik
geloof dat hij door de hel gaat en ik maak me zorgen over hem. En
nu kom jij me nog meer problemen bezorgen.'
'Het spijt me, Penny, echt waar. Laten we de vraag maar een
poosje in de diepvriezer leggen. Beschouw je als ongevraagd.'
'Nee,' zei ze. 'Je kunt een vraag niet ongevraagd maken. In zekere
zin is dat de hele kern van m'n werk.' Ze zweeg even. Ik wist niet
wat ze met dat laatste bedoelde, maar ik was wel zo verstandig om
mijn mond te houden. Ten slotte zei ze: 'Ik wil met je trouwen,
Malcolm – ik zou het morgen doen als het kon. Ik ben geen type
voor buitenissigheden, en ik wil geen witte bruid zijn met alle
bijbehorende poespas en zo. Ik wil je trouwen maar nu kan het niet
en ik kan je niet zeggen wanneer het wel kan. We moeten eerst deze
zaak van Gillian opgelost hebben.'
Ik nam haar hand. 'Dat is voor mij genoeg.'
Ze gaf me een scheef lachje. 'Het zal niet de gebruikelijke soort
verloving worden, vrees ik. Ik ben niet in de stemming voor
romantische frivoliteiten. Later misschien; maar nu niet.' Ze kneep
mijn hand. 'Weet je nog die keer dat ik je vroeg hierheen te komen
om kennis te maken met Paps? Het was die avond toen we dat
Chinese etentje in jouw flat hadden.'
'Dat herinner ik me.'
'Het was een afleidingsmanoeuvre. Ik moest mezelf beletten iets te
doen.'

'Wat te doen, in godsnaam?'

'Jouw slaapkamer binnenstappen en in je bed springen.' Ze maakte haar hand los en dronk haar glas leeg. 'En nu moest je me maar liever naar huis brengen voordat ik van gedachten verander en we slechte dingen gaan doen.'

Terwijl ik haar naar de wagen begeleidde was mijn hart als een zingend vogeltje en alle andere onzin waar de dichters vroeger over schreven. Ze doen dat niet meer; ze laten het nu aan de schrijvers van popsongs over, wat jammer is. Ik reed haar naar huis en stopte voor het hek waar we vijf minuten liefde genoten voordat ze uitstapte. Ze had geen sleutel en moest op de belleknop drukken in afwachting tot er iemand kwam.

Ik zei: 'We maken de verloving niet bekend, maar ik vind dat je vader het hoort te weten. Het schijnt hem bezig te houden.'

'Ik zal 't hem nu meteen vertellen.'

'Ga je morgen naar Londen?'

Ze schudde haar hoofd. 'Lumsden heeft me een paar dagen vrij gegeven. Hij is vol begrip.'

'Ik kom je opzoeken.'

'En je werk dan?'

Ik grijnsde. 'Ik heb ook een baas vol begrip.'

Er werd aan het hek gerammeld en het zwaaide open, geduwd door Willis, de zure en norse man die me eerder die dag had binnengelaten. Penny kuste me en glipte toen naar binnen en het hek sloeg dicht. Ik liep ernaar toe, en zei tegen Willis: 'Begeleid juffrouw Ashton naar het huis, zorg dat ze veilig binnenkomt en dat de buitendeur op slot gaat.'

Hij keek me even zwijgend aan, glimlachte toen, en dat was alsof er een ijsschots brak. 'Dat zal ik doen, meneer.'

9

Ik was de volgende ochtend vroeg op kantoor en had eerst een uitvoerig babbeltje met Nellie. Ik was net naar de schrijfmachine gestapt toen Larry binnenkwam met een stapel kranten die hij op zijn bureau kieperde. 'Ik dacht dat jij op karwei was.'
'Ben ik ook,' zei ik. 'Ik ben hier niet. Ik ben 'n produkt van je verbeelding.'
Ik voltooide mijn lijstje, ging ermee naar Ogilvie en viel maar meteen met de deur in huis. Ik zei: 'Ik vind 't niet erg om te vechten met één hand op m'n rug gebonden, maar ik maak er bezwaar tegen beide handen op m'n rug te laten binden. Ik zal een overzicht moeten hebben van Ashtons huidige openlijke activiteiten en functies.'
Ogilvie glimlachte en schoof een map over het bureau. 'Ik heb je wensen voorzien.'
In ruil kreeg hij mijn vel papier. 'Dat heb ik verder nodig.'
Hij las de lijst door. 'Zes man, zes auto's, aftapping telef . . .' Hij onderbrak zichzelf. 'Wat denk je dat we zijn – de CIA?'
Ik bestudeerde de rug van mijn handen. 'Hebt u ooit buitenwerk gedaan, meneer?'
'Natuurlijk heb ik . . .' Ik keek op en zag hem schaapachtig glimlachen. Het lachje verdween terwijl hij geïrriteerd zei: 'Ik weet 't; jullie kerels geloven dat wij bureauzakken geen voeling meer hebben met de praktijk. Is misschien wel zo.' Hij tikte op het papier. 'Rechtvaardig dit.'
'Ik moet een heimelijke vierentwintiguursbewakingsdienst instellen ten behoeve van drie – misschien vier – mensen. Dat zal . . .'
Hij viel me in de rede. 'Welke drie of vier?'
'Om te beginnen Ashton en Penny. Dan Gillian. Dat ze al een keer is aangevallen geeft haar geen levenslange vrijstelling. Ik zou misschien met Honnister kunnen regelen dat-ie een van z'n mannetjes in het ziekenhuis detacheert, als ik het hem vriendelijk genoeg vraag. Dat zou ons een beetje ontlasten.'
'En de vierde?'

'Benson. Ik heb ze allemaal door de computer gejaagd tot ik ze in Code Paars kwijtraakte.'

'Benson ook al?' Ogilvie dacht erover na. 'Weet je, de computer gaat misschien alleen op het adres af. Iedereen die in dat huis woont is misschien met Ashton op één hoop gegooid.'

'Dacht ik ook, maar het gaat niet op. Mary Cope, het dienstmeisje, is inwonend en bij wijze van controle heb ik haar ook toegevoerd. Nellie heeft nooit van 'r gehoord. Als Ashton zo verdomd belangrijk is dan is-ie zes man waard.'

'Ben ik met je eens – maar je kunt met zes man geen vier mensen in de gaten houden. Ik maak er acht van.' Hij glimlachte vaag. 'Ik ben bang dat ik seniel begin te worden. Als Harrison dit in handen had, zou hij je tot vier man besnoeien.'

Ik was even van mijn stuk gebracht maar herstelde me voldoende om te bespreken wie we bij de operatie zouden inschakelen. Ik zei: 'Ik zou graag Laurence Godwin meenemen.'

'Denk je dat hij 't al aankan?'

'Ja. Als we hem niet gauw iets te doen geven, krijgt-ie de pest in. Ik heb 'm de laatste tijd in 't oog gehouden; hij heeft het vaker bij het goeie eind gehad dan bij het verkeerde, in dit vak niet slecht.'

'Goed dan.' Ogilvie nam mijn lijstje weer op. 'Ik ben het met je eens dat Ashtons telefoons afgeluisterd zouden moeten worden. Als hij bedreigd wordt, willen we dat weten. Maar ik zal er machtiging van boven voor nodig hebben; ik zal er zoveel mogelijk vaart achter zetten. Wat de brievencontrole betreft, dat is lastiger, maar ik zal zien wat ik doen kan.' Hij hield zijn vinger bij de onderkant van het vel papier. 'Dit laatste punt lijkt me moeilijk. Je zult een verdomd goeie reden moeten hebben om een pistool te eisen.'

'Benson draagt een revolver onder z'n oksel, en Ashton idem dito. Als ze dat soort actie verwachten, vind ik dat we voorbereid horen te zijn.'

'Ben je er zeker van?'

'Absoluut zeker. Ik zou wel eens willen weten of ze een wapenvergunning hebben.'

Ogilvie overwoog dit. 'Gezien de omstandigheden, Ashton misschien wel. Van Benson weet ik 't niet. Ik zal het laten nagaan.' Ik zou er heel wat voor over hebben gehad om te weten wat die omstandigheden waren, maar ik vroeg het niet omdat ik wist dat hij het me niet zou vertellen.

We regelden nog een paar minder belangrijke details en toen zei Ogilvie: 'Goed, dat is het dan. Trommel je jongens bij elkaar en instrueer ze. Ik wil dat er een bandopname van jullie instructiebijeenkomst wordt gemaakt en je overhandigt me het bandje persoonlijk voordat jullie weggaan. Zet je schouders eronder, Malcolm.' Toen ik naar de deur liep, voegde hij eraan toe: 'Ik zal machtiging geven voor twee pistolen.'

Ik ging terug naar mijn eigen kamer en gaf Larry een lijst namen. 'Pak de telefoon. Ik wil die kerels tien minuten geleden hier hebben.' Ik zweeg even. 'En zet je eigen naam onder aan de lijst.' Zijn gezicht was een studie van pure verrukking. 'Je bedoelt . . .'

Ik grijnsde. 'Ik bedoel. En nou aan 't werk.' Ik ging aan mijn bureau zitten en sloeg het dossier over Ashton open. Het was maar dun. De namen en adressen van zijn bedrijven stonden erin vermeld, maar zijn overige relaties waren gering, voornamelijk gestudeerde lieden – advocaten, belastingexperts en zo. Hij was lid van geen enkele club, maatschappelijk, sportief noch intellectueel. Een miljonair-kluizenaar.

De groep kwam bijeen en ik zette de bandrecorder aan. De instructie vergde niet veel tijd. Ik schetste het probleem in grote lijnen en vertelde toen hoe we het zouden aanpakken, deelde toen taken en ploegen in. Een pistool zou worden gedragen door de man die Ashton bewaakte, wie het op dat moment dan ook zijn mocht; het andere reserveerde ik voor me zelf.

Ik zei: 'We hebben nu eenmaal walkie-talkies, dus maak er dan ook gebruik van. Blijf in contact en rapporteer zo vaak je maar kunt, om iedereen constant op de hoogte te houden. Wie vrij van dienst is moet bereikbaar zijn en altijd in de buurt van een telefoon blijven. We zouden je in een mum nodig kunnen hebben.'

Simpson vroeg: 'Gaan de lui die vrij van dienst zijn naar huis?' Hij was net terug van zijn huwelijksreis.

'Nee. Iedereen neemt zijn intrek in hotels in of rond Marlow.' Er was hoorbaar gesteun. 'Zodra jullie hebben geboekt, geef dan door in welk hotel je zit, compleet met telefoonnummer, zodat we je kunnen bereiken. Ik logeer in het Compleat Angler.'

Brent zei: 'Wie 't breed heeft laat 't breed hangen – op rekening van de zaak.'

Ik grijnsde, zei toen ernstig: 'Ik geloof niet dat we daar bij deze affaire veel tijd voor zullen hebben. Ik zou er misschien aan moeten toevoegen dat dit een belangrijke affaire is. Hoe belangrijk precies, kunnen jullie beoordelen aan de hand van het feit dat Ogilvie de groep van zes tot acht man heeft uitgebreid – op eigen initiatief en zonder dat ik hem erom hoefde te vragen. Gezien onze personeelsbezetting zegt dat wel iets. Verlies dus géén van deze mensen ook maar 'n seconde uit het oog – en hou je gedekt. Mooi – dat is alles.' Ik schakelde de bandrecorder uit en wond het spoeltje terug.

Larry zei: 'Je hebt mij geen opdracht gegeven.'

'Jij blijft bij mij. Ik ben zo terug – ik moet even met Ogilvie praten.' Toen ik Ogilvies wachtkamer binnenkwam, zei zijn secretaresse: 'Ik wou u net opbellen, meneer Jaggard. Meneer Ogilvie wil u spreken.'

'Bedankt.' Ik ging naar binnen en zei: 'Hier is 't bandje.'

Hij keek me fronsend aan en vroeg op de man af: 'Heb jij een verzoek aan inspecteur Honnister ongedaan gemaakt om afschriften in te leveren van zijn rapporten over de zaak-Ashton?'

Ik legde het spoeltje op zijn bureau. 'Ja.'

'Waarom?'

'Omdat ik het je reinste flauwekul vond,' zei ik ronduit. 'Het belemmerde de goeie verstandhouding. Wat Harrison deed was al erg genoeg.'

'Harrison! Wat deed Joe dan?'

Ik vertelde hoe Harrison er met olifantspoten rond wandelde en Honnisters reactie daarop, en vervolgens diens standpunt ten aanzien van het verschaffen van extra-kopieën van zijn rapporten. Ik voegde eraan toe: 'Als we Honnister willen vragen een wacht in het ziekenhuis te stationeren, zullen we goed bij hem aangeschreven moeten staan.'

'Heel slim van je,' zei Ogilvie nadrukkelijk. 'Maar één ding. Het verzoek om die kopieën kwam niet van deze dienst. Het kwam van elders, en iemand heeft me daarnet per telefoon uitgekafferd.'

'O,' zei ik, nogal stuntelig, en vroeg toen: 'Wie?'

'Moet je dat nog vragen?' vroeg Ogilvie scherp. 'Het heerschap dat je gisteren ontmoet hebt, bemoeit zich met dit zaakje – wat, zou ik er misschien aan moeten toevoegen, volkomen zijn goed recht is.' Hij wreef over zijn wang en corrigeerde de uitlating: 'Zolang hij zich tot verzoeken om informatie beperkt en zelf geen enkele activiteit onderneemt.'

Hij dacht even na, zei toen: 'Goed, Malcolm, je kunt gaan. Maar doe niets overijlds zonder mijn voorkennis.'
'Ja. Het spijt me, meneer.'
Hij wuifde me weg.

10

Er moest bijna een uur bureaucratie worden doorgewerkt voordat Larry en ik naar Marlow konden rijden. Onderweg bracht ik hem op de hoogte en zijn reactie was heftig. 'Dit is krankzinnig gewoon! Je bedoelt dat Ogilvie je niet wil vertellen wat hier allemaal achter zit?'

'Ik geloof dat-ie aan handen en voeten gebonden is,' zei ik. 'Dit is allemaal echt hoogst geheim. Hij heeft 'n Whitehall-vent als 'n aap op z'n rug zitten.'

'Je bedoelt Cregar?'

Ik wierp Larry een zijdelingse blik toe. 'Wie?'

'Lord Cregar. Klein, rozewangig kereltje.'

'Zou kunnen. Hoe kom je zo op hem? Heb je microfoontjes in Ogilvies kamer laten aanbrengen?'

Hij grinnikte. 'Ik ging gisteren naar 't toilet en zag hem uit Ogilvies kamer komen terwijl jij daar binnen zat.'

Ik zei peinzend: 'Ogilvie had 't over hem als "Zijne Excellentie" maar ik dacht dat-ie 'n grapje maakte. Hoe wist je dat-ie Cregar was?'

'Hij is vorige week gescheiden,' zei Larry. 'Zijn foto stond groot op een binnenpagina van de *Telegraph*.'

Ik knikte. De *Daily Telegraph* heeft grote belangstelling voor het huwelijkse lief en leed van de hogere kringen. 'Weet je nog iets meer over hem, behalve dat-ie het zonder echtgenote moet stellen?'

'Ja,' zei Larry. 'Hij hoeft 't niet zonder vrouw te stellen – *dat* kwam in de rechtszaak duidelijk tot uiting. Maar buiten dat, niets.'

We staken bij Marlow de Theems over en ik zei: 'We gaan eerst even bij het ziekenhuis langs, dan naar het politiebureau en daar zal ik je voorstellen aan 'n verdraaide goeie smeris. Kun jij goed flikflooien? Ik zou best 'n paar lessen kunnen gebruiken.'

De parkeerplaats van het ziekenhuis was vol, dus ik zette de wagen op een verboden doktersplaats. Ik zag Jack Brent, die Penny schaduwde, dus dat betekende dat ze in het ziekenhuis was; hij was via zijn mobilofoon met iemand in gesprek. Ik stond op het punt naar hem toe te gaan toen iemand me aanriep; ik draaide me om en zag Honnister naast me staan.

Hij leek heel monter toen ik Larry aan hem voorstelde. Ik zei: 'Ik was gisteren niet goed ingelicht. Het verzoek om extra-kopieën van uw rapporten kwam niet van mijn mensen; het kwam uit een andere hoek.'

Hij glimlachte. 'Ik dacht al dat de commissaris vanmorgen een beetje kribbig was. Zit er niet over in, meneer Jaggard. Een man kan niet meer doen dan z'n best.'

'Nog vorderingen?'

'Ik geloof dat we 't automerk hebben. Een getuige zag zaterdagmiddag een Hillman Sceptre in de buurt van Ashtons huis. De bestuurder beantwoordt aan het signalement van de verdachte. Een donkerblauwe wagen en een motorkap met veerconstructie, dus dat klopt.' Hij wreef zijn handen. 'Ik begin te geloven dat we in deze zaak toch nog een kansje maken. Ik wil deze man voor juffrouw Ashton brengen om 'n definitieve identificatie van haar te krijgen.'

Ik schudde mijn hoofd. 'Die krijgt u niet. Ze is blind.'

Honnister keek me ontzet aan. 'Jezus!' zei hij grimmig. 'Als ik dat hoerenjong te grazen krijg!'

'Ga maar in de rij staan. U bent niet de enige.'

'Ik sta net op het punt om naar haar toe te gaan. De dokter zegt dat ze nu wel mag praten.'

'Vertel haar niet dat ze blind is – dat weet ze nog niet. En vertel 't ook niet aan haar zuster.' Ik dacht even na. 'We hebben reden om te geloven dat er wellicht een nieuwe aanval op haar zal worden gedaan. Kunt u een man in het ziekenhuis op wacht zetten?'

'Daar vraagt u me wat,' zei Honnister. Hij zweeg even, vroeg toen: 'Weet u wat er aan die verdomde politiemacht van ons mankeert? Te veel opperhoofden en te weinig Indianen. Als zich op de autosnelweg een kettingbotsing voordoet, hebben we de grootste moeite om vier geüniformeerde agenten op te trommelen om de zaak af te zetten. Maar ga in 't hartje van Slough kijken en je kunt geen kiezelsteentje in welke richting dan ook gooien zonder drie smerissen met de rang van hoofdinspecteur of hoger te raken.' Hij leek bitter gestemd. 'Maar ik zal zien wat ik doen kan.'

Ik zei: 'Mocht het niet lukken, zet dan het ziekenhuispersoneel de pin op de neus. Er mag niemand in de buurt van Gillian Ashton komen zonder machtiging van u, mij of de familie Ashton. Maak ze dat goed duidelijk.'

Brent stapte uit zijn wagen en kwam naar ons toe en ik stelde hem aan Honnister voor. 'Alles in orde?'

'Ze is nu binnen; dat is haar wagen, daarginds. Maar deze stad is per auto je reinste hel. Ze ging inkopen doen voor ze hierheen ging en ze maakte 't me verduiveld moeilijk. Ik kon nergens parkeren – binnen een halfuur had ik twee bonnen.'

'Verdomme, dat kunnen we niet hebben.' Ik zag Penny al voor me, ontvoerd terwijl Brent met een parkeerwachter stond te bekvechten. Ik zei tegen Larry: 'Ik wil zo gauw mogelijk CD-kentekenborden op al onze wagens.'

'Ha, wat sluw!' zei Honnister bewonderend.

Larry grinnikte. 'Buitenlandse Zaken zal dat niet op prijs stellen.'

'Niks met Buitenlandse Zaken te maken,' merkte Honnister op. 'Het is gewoon een conventie zonder enige legale betekenis. Een van m'n mannen hield laatst een auto met CD-borden aan en trof een rasechte Cockney achter 't stuur, dus hij vroeg hem wat die letters CD te betekenen hadden. De vent zei: "Cake Dienst". En dat klopte, want hij bracht gebak en taart rond.' Hij trok zijn schouders op. 'De smeris kon 'm niets maken.' Hij gaf me een por. 'Gaat u mee naar binnen?'

'Ik kom straks bij u.'

Jack Brent wachtte tot Honnister buiten gehoorsafstand was voordat hij zei: 'Het leek me beter er niet over te praten waar hij bij was, maar Ashton en Benson zijn spoorloos.'

'Is Ashton niet op z'n kantoor?'

'Nee, en hij is ook niet thuis.'

Ik dacht er even over na. In verband met zijn zaken kon Ashton overal in de omgeving van Londen of misschien ook in de stad zelf zijn. En er was geen enkele reden om te veronderstellen dat Benson een gevangene in het huis was; hij zou af en toe toch wel eens weg moeten. Niettemin beviel het me helemaal niet.

Ik zei: 'Ik ga naar het huis. Kom mee, Larry.' Ik draaide me om naar Brent. 'En jij blijft Penny Ashton op de hielen zitten. In godsnaam, raak haar niet kwijt.'

Ik reed op weg naar Ashtons huis iets harder dan verstandig was, en toen ik er kwam bleef ik op de bel drukken tot Willis arriveerde, een geërgerde uitdrukking op zijn gezicht. 'Er is niemand thuis,' bitste hij.

'Daar wil ik me van overtuigen. Laat me binnen.' Hij aarzelde even en maakte toen onwillig het hek open. Ik reed naar binnen. Larry zei: 'Wat een sjagrijn.'

'Maar wel betrouwbaar, dacht ik.' Ik stopte voor de voordeur, stapte uit en belde aan. Het duurde vrij lang voor de deur openging en het dienstmeisje voor me stond, kennelijk verrast mij hier te zien. 'O, meneer Jaggard, juffrouw Penny is er niet. Ze is in 't ziekenhuis.'

'Dat weet ik. Meneer Ashton niet thuis?'

'Nee, hij is ook weg.'

'En Benson?'

'Die heb ik de hele ochtend niet gezien.'

Ik vroeg: 'Bezwaar als we binnenkomen? Ik wil graag even telefoneren.'

Als antwoord trok ze de deur verder open. Larry en ik stapten de vestibule in en ik vroeg: 'Jij bent Mary Cope, niet?'

'Ja, meneer.'

'Heb je vandaag meneer Ashton ook niet gezien of Benson?'

'Nee, meneer.'

'Wanneer heb je ze voor 't laatst gezien?'

'Nou, echt gezien niet,' zei ze. 'Maar ze waren gisteravond in de werkkamer; ik hoorde ze praten. Dat moet om een uur of negen zijn geweest. Even ervóór, eigenlijk, want ik was op weg naar boven, naar m'n kamer, om 't nieuws van negen uur te zien en ik zette het toestel vijf minuten te vroeg aan.' Ze zweeg, zich kennelijk afvragend of ze er wel goed aan deed over het doen en laten van de familie te praten. Per saldo kwam ik nog niet zo erg lang over de vloer. Ze vroeg nerveus: 'Heeft dit iets te maken met wat er met juffrouw Gillian gebeurd is?'

'Het zou kunnen.'

'Meneer Ashtons bed was niet beslapen,' zei ze ongevraagd.

Ik wisselde een blik met Larry die zijn wenkbrauwen optrok. 'En het bed van Benson?'

'Ik heb niet gekeken – maar hij maakt altijd z'n eigen bed op.'

'Aha. Dan wil ik nu even van de telefoon gebruikmaken, als 't mag.'

Ik belde het ziekenhuis, vroeg naar Penny en vertelde de centraliste dat ze in of bij de afdeling speciale behandeling te vinden zou zijn. Het duurde lang voor ze aan de lijn kwam. 'Ik hoop dat je niet al te lang hebt moeten wachten,' zei ze. 'Ik was even weggeglipt voor een kop thee. Gillian is een stuk beter, Malcolm; ze praat nu met Honnister en ze heeft er geen enkel bezwaar tegen.'

Ik vroeg: 'Heb je je vader gisteravond nog over ons verteld?'

'Nee. Hij was al naar bed toen ik thuiskwam.'

'Heb je 't hem vanmorgen verteld?'

'Nee. Ik werd laat wakker en toen ik opstond was hij al weg. Ik neem aan dat Mary het ontbijt voor hem heeft klaargemaakt.'

Ik ging daar niet op in. 'Wanneer heb je Benson voor 't laatst gezien?' Haar stem was plotseling behoedzaam. 'Wat is er, Malcolm? Wat is er gebeurd?'

Ik zei: 'Hoor eens, Penny, ik ben bij jou thuis. Ik zou graag willen dat je thuiskwam want ik wil over iets met je praten. Ik denk zo dat Honnister wel een tijdje in het ziekenhuis zal blijven en je kunt daar toch niets doen op dit moment.'

'Er is iets niet in orde, hè?' vroeg ze.

'Valt wel mee. Ik vertel 't je zodra je hier bent.'

'Ik kom meteen.' Ze hing op.

Ik legde de hoorn neer en keek om me heen, zag hoe Mary Cope me van de andere kant van de vestibule nieuwsgierig stond op te nemen. Ik wenkte Larry met een hoofdbeweging en gaf hem mijn sleutels. 'In het speciale vakje in m'n wagen vind je een dossier over Ashton. Er staat een opsomming in van de auto's die hij bezit – op pagina vijf, geloof ik. Ren naar de garage en kijk wat er weg is. Ga dan naar het toegangshek en vraag Willis hoe laat Ashton en Benson hier vandaan zijn gegaan.'

Hij liep vlug weg en ik ging Ashtons werkkamer binnen. Op zijn bureau lagen twee enveloppen; een geadresseerd aan Penny en de andere aan mij. Ik pakte de mijne en scheurde die open.

Het briefje zou wellicht voor ieder ander raadselachtig zijn geweest, maar voor mij was het kristalhelder. Het luidde:

M'n beste Malcolm,

Je bent veel te intelligent om niet te hebben doorzien waar het me in onze recentere gesprekken om te doen was. Misschien ken je het Franse spreekwoord: *Celui qui a trouvé un bon gendre a gagné un fils; mais celui qui en a rencontré un mauvais a perdu une fille.*

Trouw Penny, mijn zegen heb je en maak haar gelukkig – maar wees, ter wille van haar, een slechte schoonzoon.

Je
George Ashton

Ik liet me in een fauteuil vallen en had een misselijk gevoel diep in mijn maag omdat ik wist dat we het karwei verknold hadden. Ik nam de telefoon op om Ogilvie te bellen.

11

Ik wond er voor hem geen doekjes om. 'Onze vogels zijn gevlogen,' zei ik sober.

Hij kon zijn oren niet geloven. 'Wat! Allemaal?'

'Alleen de twee hanen.'

Hij zweeg even, zei toen langzaam: 'Mijn fout, vrees ik. Ik had je meteen gisteren je groep moeten geven. Ben je er wel zeker van?'

'Hij heeft een briefje voor me achtergelaten.' Ik las het voor.

Ogilvie vertaalde het Franse spreekwoord hardop. ' "Hij die een goede schoonzoon heeft gevonden, heeft er een zoon bijgekregen, maar hij die een slechte heeft getroffen is een dochter kwijt." Wat moet dat nou verdomme betekenen?'

Ik zei: 'Het zou best mijn schuld kunnen zijn dat hij ervandoor is gegaan. Hij begon er gisteren weer met me over dat ik toch maar gauw met Penny moest trouwen en ik weigerde opnieuw. Ik ben bang dat, nu het hem niet lukte haar van hem weg te rukken, hij zich van haar losgerukt heeft. Als u het briefje in die context leest, zult u zien wat ik bedoel.'

'Hm. Hoe was z'n houding gisteravond?'

'Hij was een wandelende rampspoed,' zei ik effen.

'Hoeveel voorsprong hebben ze?'

Ik ging de details na die ik had opgepikt, keek toen op mijn horloge. 'Van Benson weet ik 't niet, maar Ashton maximaal vijftien uur, zeg maar. Over een paar minuten weet ik misschien iets meer.'

'We weten niet zeker dat hij ervandoor is gegaan,' zei Ogilvie. 'Hij zou ook ontvoerd kunnen zijn. Dat briefje aan jou is misschien nep. Maar ook in dat geval is de zaak ernstig, natuurlijk.'

'Ik geloof niet dat hij ontvoerd is. Het briefje is te zeer precies in de roos en dit huis is goed beveiligd.'

'Allicht.' Ogilvie wist genoeg van de achtergrond om zo iets te kunnen zeggen. 'Hoe is het meisje eronder?'

'Ze weet het nog niet. Ashton heeft ook voor haar een brief achtergelaten. Die heb ik niet opengemaakt – dat wil ik haar laten doen. Ik zal u op de hoogte stellen als het van belang is.'

'Denk je dat ze 't je zal vertellen?'

'Ja. 't Is idioot, meneer, maar ik heb haar gisteravond ten huwelijk gevraagd en ze heeft ja gezegd. Ze was van plan het haar vader te vertellen zodra ze thuiskwam maar hij was al naar bed gegaan, zei ze. Ik geloof dat hij toen al weg was. Als hij nog een paar uur had gewacht, zou hij misschien hebben besloten niet te gaan.'

'Mogelijk,' zei Ogilvie peinzend. 'Maar maak je zelf daar geen verwijt van.' Ik keek op toen Larry de werkkamer binnenkwam. Ogilvie vroeg: 'Heb je haar uitgelegd wie en wat je was?'

'Nee.'

Het bleef even stil. 'Jij vat je werk wel heel serieus op, niet waar?'

'Ik probeer 't. Een ogenblikje.' Ik keek naar Larry op. 'Nou?'

'Er ontbreekt een Aston Martin, en Benson en Ashton zijn gisteravond allebei rond halftien weggegaan en ze zijn niet teruggekomen.'

De Aston Martin was Penny's wagen. Ik zei tegen Ogilvie: 'We zijn vrij zeker van het tijdstip. Ze zijn gisteravond om halftien samen weggegaan, waarschijnlijk in een gehuurde wagen.' Hij scheen er lang voor nodig te hebben om dat te verwerken, dus ik vroeg: 'Wat doen we nu?'

'Dit wordt natuurlijk donderen,' zei hij, zo te horen niet al te zorgelijk. 'Maar dat vang ik wel op. Wat jij gaat doen is dat huis centimeter voor centimeter onder de loep nemen. Kijk of je iets kunt vinden dat ons een aanduiding geeft waar Ashton naar toe is. Alles wat je duister is breng je ter beoordeling hierheen.'

Ik zei: 'Dat kost me m'n dekmantel tegenover Penny. Ik kan het huis niet gaan doorzoeken zonder haar een verklaring te geven.'

'Begrijp ik.'

'Ogenblikje.' Ik draaide me naar Larry om. 'Neem contact op met de jongens – ik wil iedereen zo gauw mogelijk hier.'

'Ook wie vrij van dienst is?'

'Ja. En ga naar het hek om ervoor te zorgen dat ze naar binnen kunnen.'

Alvorens het gesprek met Ogilvie te hervatten overwoog ik somber de verklaring die ik Penny zou moeten geven. Het is een helse toestand om zo iets te moeten vertellen aan een meisje dat je net ten huwelijk hebt gevraagd, en ik had het gevoel dat onze verhouding op slag zou verslechteren.

Ik zette het uit mijn gedachten en vroeg: 'Halen we de politie hierbij?'

Ik kon Ogilvies hersens bijna horen kraken terwijl hij daarover nadacht. Eindelijk zei hij: 'Nee, niet in dit stadium. Ik zal 't hogerop moeten zoeken om een beslissing los te krijgen. In dit soort dingen is de politie niet potdicht genoeg – ze worden door te veel journalisten op de vingers gekeken. Hoe lang denk je daar bezig te zijn?'

'Geen idee. Het is een groot huis en ik kan hiervandaan al minstens één kluis zien. Als we geen sleutels kunnen vinden zullen we misschien harde maatregelen moeten nemen. Ik bel u over een uur. Tegen die tijd heb ik misschien een beter ideetje.'

'Ik kan dit niet een uur stilhouden. Als je over een kwartier in de richting van Londen kijkt, zal je de vlammen uit Whitehall zien oplaaien. Doe je best.' Hij hing op.

Ik legde de telefoon neer en keek peinzend naar de aan Penny geadresseerde brief, liep toen de kamer door naar de kluis. Die had een combinatieslot en de deur ging niet open toen ik aan de handgreep draaide. Ik ging terug naar het bureau en doorzocht het vluchtig in de vage hoop direct iets belangrijks te vinden. Er was niets. Vijf minuten later hoorde ik buiten een auto stoppen en omdat ik dacht dat het Penny zou kunnen zijn, ging ik naar buiten. Het was Peter Michaelis, een van mijn mensen. Hij kwam met een vragende uitdrukking op zijn gezicht naar me toe, en ik zei: 'Blijf in de buurt.' Hij had Larry een lift gegeven vanaf het hek, dus ik riep hem bij me. 'Neem Ashtons dossier voor je en ga alles afbellen – z'n kantoor, fabrieken, elk adres dat je erin vindt. Als Ashton ergens gezien is, moet hij onmiddellijk zijn huis opbellen.' Ik haalde mijn schouders op. 'Het haalt niks uit, maar we moeten geen mogelijkheid onbenut laten.'

Er kwam een Aston Martin aanrijden, dus ik zette me schrap. 'Gebruik de telefoon in de vestibule. Ik heb de werkkamer nodig.' Larry liep naar het huis terwijl Penny's wagen grintknarsend met een schok tot stilstand werd gebracht. Ze sprong eruit, keek bevreemd naar Michaelis, rende toen naar me toe. 'Ik word gevolgd,' zei ze, en draaide zich met een ruk om, naar de wagen wijzend die de oprit opkwam. 'Hij heeft de hele weg achter me aan gezeten, tot hier toe, nota bene.'

'Dat is in orde,' zei ik, toen Brents wagen stopte. 'Ik weet wie 't is.'

68

'Wat is er aan de hand?' vroeg ze op hoge toon. 'Wie zijn deze mannen?' Haar stem stokte. 'Wat is er met Paps gebeurd?'

'Voor zover ik weet is alles met hem in orde.' Ik nam haar bij de elleboog. 'Ik wil dat je met me meekomt.'

Ik liep met haar het huis binnen en ze bleef in de vestibule staan toen ze Larry aan de telefoon zag, versnelde toen haar pas weer. We gingen de werkkamer in en ik pakte de brief van het bureau. 'Lees dit eerst maar.'

Ze keek me weifelend aan, zag toen het handschrift op de envelop. 'Van Paps,' zei ze, en scheurde de envelop open. Terwijl ze de brief las, trok ze haar wenkbrauwen samen en verbleekten haar wangen. 'Maar dit is . . . ik begrijp 't niet . . . dit is . . .'

'Wat schrijft-ie?'

Zwijgend gaf ze me de brief, liep toen naar het raam en staarde naar buiten. Ik sloeg haar een ogenblik gade, boog me toen over de brief en las:

Mijn liefste Penny,

Om redenen die ik niet kan noemen moet ik een poosje weg. Die redenen zijn niet oneervol en ik ben ook geen misdadiger, ofschoon je die aantijging misschien wel zult horen. Mijn zaken zijn allemaal in orde en mijn afwezigheid behoeft je financieel geen enkel probleem te bezorgen. Ik heb alle noodzakelijke regelingen getroffen: raadpleeg voor juridisch advies Mr. Veasey van Michelmore, Veasey & Templeton; ga voor financieel advies naar Mr. Howard van Howard & Page. Ze zijn voor deze eventualiteit geheel geïnstrueerd.

Ik weet niet hoe lang ik weg zal moeten blijven. Je zult me een grote dienst bewijzen als je geen enkele poging onderneemt om me te vinden en bovenal wil ik, als het kan worden vermeden, niet dat de politie in deze zaak gemengd wordt. Ik verzeker je nogmaals dat mijn redenen om op deze manier weg te gaan zuiver privé en persoonlijk zijn. Er zal me geen kwaad overkomen, want mijn oude vriend Benson zal over me waken.

Het zou me de grootste gemoedsrust geven als je zo gauw dit praktisch mogelijk is met je Malcolm trouwt. Ik weet dat je van hem houdt en ik weet dat hij heel graag met je wil trouwen, en ik heb groot respect voor de intelligentie en het karakter van de man die je gekozen hebt. Laat alsjeblieft het gebeurde met de arme Gillian je trouwplannen niet in de weg staan en als het zover is, zet dan alsjeblieft een kleine mededeling in *The Times*. Ik heb het grootste vertrouwen dat jullie tweeën erg gelukkig zullen zijn samen en ik ben er al even zeker van dat jullie allebei voor Gillian zullen zorgen. Vergeef me voor de abrupte manier van mijn vertrek, maar het is in het allerbeste belang van ons allemaal.

Je liefhebbende vader,
George.

Ik keek op. 'Het spijt me, Penny.'
'Maar ik begrijp het niet,' riep ze vertwijfeld uit. 'O, Malcolm, wat is er met 'm *gebeurd*?'
Ze kwam in mijn armen en ik omhelsde haar innig. 'Ik weet 't niet – maar we komen er wel achter.'
Ze was een poosje stil, maar duwde zich van me weg toen er vlak achter elkaar twee wagens voor de deur stopten. Ze keek uit het raam naar het groeiend groepje mannen. 'Malcolm, wie zijn al die kerels? Heb je de politie ingelicht? Paps vroeg dat niet te doen.'
'Nee, ik heb de politie niet ingelicht,' zei ik kalm. 'Ga zitten, Penny; ik heb je 'n boel te vertellen.' Ze keek me verwonderd aan, en aarzelde even, maar ging toen in de stoel achter het bureau zitten. Ik aarzelde ook, niet goed wetend waar ik moest beginnen, tot het me het beste leek haar maar meteen ronduit alles te vertellen.
'Ik werk voor de firma McCulloch & Ross, en ik heb je geen leugens verteld over wat de firma doet. Ze doet alles wat ik gezegd heb dat ze doet, en nog erg goed ook. Onze cliënten zijn hoogst tevreden, en dat mag ook wel gezien de hoeveelheid overheidsgeld die ten behoeve van hen besteed wordt.'
'Waar stuur je op aan?'
'McCullogh & Ross is een dekmantel voor een soort discrete overheidsdienst die zich hoofdzakelijk bezighoudt met economische en industriële zaken voor zover ze de staatsveiligheid raken.'
'Staatsveiligheid! Bedoel je dat je een soort geheim agent bent? Een spion?'
Ik lachte en stak mijn handen op. 'Geen spion. We zijn geen romantische stoere jongens met dubbel-nul nummers en een moordvergunning – niets van dat soort nonsens.'
'Maar je was wel bezig als een gemene spion m'n vader te beloeren

en te schaduwen.' Woede laaide in haar op. 'En was ik alleen maar een middel om bij je doel te komen? Ben je alleen maar met me gaan vrijen om meer over hem te weten te komen?'

Mijn lach bestierf snel – dit was het moment van de botsing. 'Jezus, nee.' Tot gisteren wist ik geen ene moer over hem, en veel meer weet ik nu nog niet. Geloof me als ik je zeg dat 't iets was waar ik bij toeval inrolde.'

Ze was ongelovig en minachtend. 'En waar precies *rolde* je zo maar in?'

'Dat kan ik je niet vertellen omdat ik 't zelf niet weet.'

Ze schudde haar hoofd alsof het haar even duizelde. 'Die man in de vestibule – die mannen daar buiten: horen ze ook bij die dienst van jou?'

'Ja.'

'Dan wil ik de man spreken die de leiding heeft.' Ze stond op. 'Ik wil 'm graag zeggen wat ik van dit alles denk. Ik wist dat Paps onder druk stond. Nu weet ik waar die druk vandaan kwam.'

Ik zei nadrukkelijk: 'Je praat met de man die de leiding heeft, en je hebt 't glad mis.'

Dat maakte indruk. Ze ging met een plof zitten. 'Heb *jij* de leiding?'

'Zo is 't.'

'En je weet niet wat je aan het doen bent?' Ze begon hysterisch te lachen.

'Ik weet wat ik doe, maar ik weet niet waarom. Er is een hiërarchie van niveaus, Penny – raderen binnen raderen. Laat me je vertellen hoe ik hierin verzeild raakte.'

Dus ik vertelde het haar. Ik vertelde haar alles, zonder iets te verzwijgen. Ik vertelde haar over Nellie en de kleurencodes; ik vertelde haar over Ogilvie en Lord Cregar. Ik vertelde haar verdomd veel meer dan ik zou moeten doen en had maling aan de wet op officiële geheimen.

Ze hoorde me aan tot ik klaar was, toen vroeg ze bedachtzaam: 'Jullie lopen niet over van vertrouwen, wel?'

'Vertrouwen is ons handelsartikel niet.' Ik stak een sigaret op. 'De druk kwam niet van ons, Penny. Wij hebben niet met zwavelzuur gegooid. Wij kwamen pas daarna in 't spel en mijn opdracht was je vader te bewaken en hem te beschermen – je vader, jou en Gillian en ook Benson, als ik dat nodig achtte.' Ik liep naar het raam en

71

keek naar de auto's. De hele groep was er. 'Ik heb het er tot dusver niet al te best afgebracht.'

'Het is jouw schuld niet dat Paps wegging.' Haar woorden hingen zwaar in de lucht, en ze scheen haar vader anders te bekijken. 'Dat hij *vluchtte*.'

Ik draaide me naar haar om. 'Begin hem geen verwijten te maken zonder te weten wat je hem verwijt.'

Ze zei nadenkend: 'Ik vraag me af of hij nog altijd zou willen dat ik met je trouwde, als hij wist wat ik nu weet.'

'Ik zal 't hem vragen zo gauw ik 'm zie,' zei ik grimmig.

'Je gaat niet achter hem aan?' Ze pakte haar brief op. 'Hij schreef . . .'

'Ik weet wat hij je schreef. Ik weet ook dat hij door mijn dienst als een zeer belangrijk man wordt beschouwd en het zou best kunnen zijn dat hij zich in gevaar begeeft zonder het te weten. Ik heb nog altijd m'n werk te doen.'

'Maar hij wil niet . . .'

Ik zei ongeduldig: 'Wat hij wil of niet wil is van geen belang.' Ik graaide de brief uit haar vingers en las die door. 'Hij zegt dat-ie niet wil dat je naar hem gaat zoeken. Nou, dat doe jij ook niet – ík doe dat. Hij wil niet dat je de politie erin mengt. Goed – ze zijn niet ingelicht. Hij zegt: "Er zal me geen kwaad overkomen, want mijn oude vriend Benson zal over me waken." Goeie God, Penny, hoe oud is Benson? Hij moet minstens tegen de vijfenzestig zijn. Hij is niet in staat zich zelf te beschermen, laat staan iemand anders.'

Ze begon te huilen. Ze snikte niet of jammerde niet, maar de tranen welden in haar ogen op en rolden langs haar wangen. Ze huilde stilletjes en inverdrietig en ze rilde alsof ze het opeens erg koud had. Ik legde mijn arm om haar heen en ze klampte zich heftig aan me vast. Een van de ergste dingen die kunnen gebeuren is dat een tot nog toe knusse en veilige wereld plotseling ineenstort. Een ijskoude wind scheen van de grotere en rauwere buitenwereld door die gezellige, betimmerde kamer te blazen.

'O, Malcolm, wat moet ik doen?'

Ik zei heel kalm: 'Je moet doen wat je zelf denkt dat 't beste is. Als je me vertrouwt zul je me helpen hem te vinden, maar ik zou het je niet kwalijk nemen – kunnen nemen – als je weigert. Ik ben niet open tegen je geweest – ik had je hier gisteren alles over moeten vertellen.'

'Maar je stond onder orders.'

'Een afgezaagd excuus,' zei ik. 'Alle nazi's gebruikten het.'

'Malcolm, maak het jezelf niet moeilijker dan nodig is.' Ze duwde mijn arm weg, stond op en liep naar het raam. 'Waar wachten je mannen op?'

Ik haalde diep adem. 'Op jouw beslissing. Ik wil het huis doorzoeken, en dat kan ik zonder jouw toestemming niet doen.'

Ze liep terug naar het bureau en las de brief van haar vader nog eens door. Ik zei: 'Hij heeft mij ook geschreven', en ik haalde de brief uit mijn zak. 'Je kunt de brief lezen, als je dat wilt.'

Ze las het briefje, gaf het me toen terug. 'Roep je mannen maar binnen,' zei ze toonloos.

12

We vonden een aantal verrassende dingen in dat huis, maar niets waar we veel aan hadden, althans op dat moment niet. In de kelder vonden we een werkplaats en scheikundig laboratorium, allebei opmerkelijk goed geoutilleerd, ver boven amateurpeil. Er was ook een kleine computer met allerlei input- en output-hulpstukken waaronder een X-Y plotter. Op de plotter troffen we nog een via de computer getekende schets aan; het leek me een schematische voorstelling van een gecompliceerde molecule toe en ik snapte er niets van, maar ik ben dan ook geen expert. Voor grotere problemen waarmee de computer geen raad wist, was er een modern en akoestisch koppelapparaat zodat het kleintje kon worden gebruikt als eindstation in aansluiting op een grotere computer via het landelijke lijnennet.

In de werkplaats bevond zich een tafel waarop een of ander apparaat in aanbouw was. Wat het ooit zou moeten doen zou via een computer gaan, want er waren niet minder dan vijftien geïntegreerde micro-elektronische schakelingen ingebouwd en dat is heel wat computerkracht. Verder waren er nog een laser, een kathodestraalbuis, een massa laboratoriumglaswerk en een paar voor mij raadselachtige instrumenten op aangesloten.

Ik wipte geen schakelaars om en drukte geen van de ongemerkte knoppen in omdat ik niet wist wat er zou gebeuren als ik het wel deed. In plaats daarvan vroeg ik Larry: 'Heeft een van Ashtons fabrieken iets met elektronica of computers te maken?'

'Nee, alleen met chemicaliën en plasticvorming. Maar sommige scheikundige procedures zouden best gecomputeriseerd kunnen zijn.'

Ik gromde iets en liet de hele kelder verzegelen. De bollebozen van de dienst zouden alles moeten uitpluizen en ik was niet van plan ook maar iets aan te raken voordat zij dat hadden gedaan.

Penny had de combinatie voor de kluis in de werkkamer en op grond daarvan wist ik dat het onwaarschijnlijk was dat we er iets van belang in zouden vinden. Ik had gelijk. Er was wat geld, nog geen

£ 50, wat niet veel was gezien Ashtons inkomsten – ik neem aan dat het bedoeld was als zakgeld in geval van nood. Er lagen een paar kasboeken in waar ik wat tijd aan verknoeide voordat ik ontdekte dat ze betrekking hadden op het huishouden, de stallen en de auto's. Alles uitermate ordelijk. Er lag een dikke bundel balansen in, allemaal onder het briefhoofd van de accountantsfirma Howard & Page. Een vlugge blik op de onderste regels vertelde me dat George Ashton heel aardig boerde, ondanks de economische recessie, dank u wel.

En dat was alles.

Ashtons woonvertrekken leverden iets meer op. Hij had een suite-slaapkamer, badkamer, kleedkamer en zitkamer, allemaal brand-schoon. Hij scheen enigszins Spartaans te leven; niets van de gebruikelijke rommel die een man gewoonlijk om zich heen verzamelt en alles erg schoon en keurig. Er was hoegenaamd niets te vinden in de zakken van de costuums die in de garderobekast hingen; wie het ook was die zijn kleren verzorgde – Benson waarschijnlijk – deed zijn werk goed.

Maar heel wat geklop op lambrizeringen en zo bracht ten slotte een schuifpaneel aan het licht dat, eenmaal opzij gegleden na een gecompliceerde gang van zaken waarbij bepaalde lampen in alle vier de kamers moesten worden ontstoken om een elektrisch werkend slot open te krijgen, een massieve deur van gepantserd staal onthulde. De manier waarop ik dit vertel zou misschien de indruk geven dat het dom geluk was dat we die deur vonden, maar het was beslist geen dom geluk. De jongens waren erg goed in hun vak.

Hoewel toch niet goed genoeg om die kluisdeur open te krijgen. Nadat Simpson een paar architecturale opmetingen had gedaan, wist ik dat zich achter die deur niet zo maar een kluis bevond maar een flinke kamer, groot genoeg om er een katje naar binnen te slingeren, zo niet een volwassen kat. Nu leek het me toe dat iemand die zo'n deur als toegang tot een kamer zou laten aanbrengen, beslist nog meer voorzorgsmaatregelen zou treffen. De muren, vloer en zoldering zouden van heel dik beton moeten zijn, terdege bewapend met hardstaal en de hele zaak zou zelfs leeg heel wat wegen. De kluis bevond zich op de tweede verdieping, wat betekende dat er een speciale stutconstructie gebouwd moest zijn om alles te dragen. Ik maakte een aantekening: we moesten Ashtons architect te pakken zien te krijgen.

Toen de stalen deur aan Penny getoond werd was ze net zo verbaasd als wij allemaal. Ze had het bestaan ervan nooit vermoed. Dit alles betekent niet dat ik zelf, op alle muren kloppend, door het huis rondsloop. Ik liet dat aan de jongens over en bekeek de resultaten pas als ze me kwamen halen. Ik leidde het doorzoeken van Ashtons werkkamer in Penny's aanwezigheid, ging toen in een rustig hoekje met haar praten omdat ik aannam dat zij meer over haar vader zou weten dan wie ook.

'Benson,' zei ik. 'Hoe lang ken je Benson al?'

Ze keek me verbaasd aan. 'Hij is hier altijd geweest.'

'Da's een lange tijd. Hoe lang is altijd?'

'Altijd is altijd, Malcolm. Ik kan me geen tijd herinneren dat Benson er niet was.'

'Zo lang? Vijfentwintig of zesentwintig jaar?'

Penny glimlachte. 'Langer nog, volgens Gillian tenminste. Hij was al bij Paps voordat ik geboren was – voordat zij geboren was.'

'Altijd is heel lang,' beaamde ik. 'Hij speelt de rol van factotum des huizes bijzonder goed, moet ik zeggen. Maar hij is meer dan dat, is 't niet?'

Ze rimpelde haar voorhoofd. 'Ik weet 't niet. Dat is moeilijk te beoordelen. Als iemand zo lang bij een familie is als Benson, zit het erin dat hij meer als een vriend dan als een bediende beschouwd wordt.'

'In die mate zelfs dat je vader samen met hem een halve fles whisky zou leegdrinken?'

'Ik geloof niet dat hij dat ooit gedaan heeft.'

'Dat heeft-ie zondagavond gedaan,' merkte ik op. 'Is Benson altijd je vaders lijfknecht geweest?'

Ze dacht even na. 'We zijn in 1961 in dit huis komen wonen – ik was toen twaalf. Het was toen dat Benson hier introk als Paps' lijfknecht en duvelstoejager. Daarvoor hadden we een huis in Slough; een klein huis maar, lang niet zo groots als dit. Benson werkte in een van Paps' fabrieken, maar hij kwam vrij vaak bij ons thuis – minstens eens per week.' Ze glimlachte. 'Hij was een van onze favorieten. Hij bracht altijd snoep voor ons mee – verboden vruchten want Paps vond 't niet goed dat we te veel snoepten. Benson stopte ons 't lekkers altijd stiekem toe.'

'Wat deed Benson in die fabriek?'

'Dat weet ik niet. Ik was maar een klein meisje, toen.'

'Wanneer is je moeder gestorven, Penny?'

'Toen ik vier was.'

Ik vond het wel pech voor Ashton, om twee kleine dochtertjes te hebben moeten grootbrengen. Maar hij had het niet slecht gedaan. Er scheen maar weinig te zijn dat hem slecht afging. Ik vroeg: 'Weet je hoe je vader begonnen is? Ik bedoel, hoe begon hij in zaken? Had hij geld geërfd, bijvoorbeeld?'

Ze schudde heftig haar hoofd. 'Paps praatte nooit veel over zijn vroegere leven, maar ik weet zeker dat hij nooit iets geërfd heeft omdat hij als weeskind in een tehuis voor vondelingen is opgevoed. Hij was tijdens de oorlog in het leger en toen hij eruit kwam, kreeg hij contact met mijn grootvader en toen zijn ze samen in zaken gegaan. Ze hadden op dat moment niet veel geld, vertelde m'n grootvader voordat hij stierf. Hij zei dat ze hun succes te danken hadden aan Paps gezonde verstand.'

'Wat was hij in het leger?' vroeg ik terloops.

'Gewoon soldaat.'

Dat verbaasde me nogal. Ashton moest zes- of zevenentwintig zijn geweest toen hij werd gedemobiliseerd en het was vreemd dat een man van zijn doorzettingsvermogen en karakter nog altijd gewoon soldaat zou zijn geweest. Het zou misschien de moeite lonen om zijn militaire staat van dienst in te zien.

'Heeft je vader ooit een vuurwapen gehad?'

Ze begreep me verkeerd. 'Hij ging wel eens op jacht, maar niet vaak.'

'Ik bedoel geen jachtgeweer. Ik bedoel een revolver of automatisch pistool.'

'Hemeltje, nee! Zo'n ding heeft-ie niet.'

'Zou jij het weten, als het wél zo was?'

'Natuurlijk zou ik dat weten.'

'Je wist niets van die kluis hierboven.'

Ze zweeg en beet op haar lip, vroeg toen: 'Denk je dat-ie gewapend is?'

Het antwoord daarop werd me bespaard doordat Larry zijn hoofd om de hoek van de deur stak. 'Kan ik je even spreken, Malcolm?'

Ik knikte en kwam bij hem in de vestibule. Hij zei: 'Niets in Gillian Ashtons kamers te vinden, niets van belang. Ik heb haar dagboeken doorgelezen; ze schijnt een rustig, welgesteld leventje te leiden

– toneel, ballet, opera en zo meer. Ze leest ook veel.'

'Niet meer? Nog liefdesaffaires?'

'Niks blijvends; een stuk of wat mannen die de een na de ander opdoken om na een poosje weer te verdwijnen.' Hij grinnikte. 'Geen mysterieuze relaties met alleen door initialen aangeduide figuren; niets van dien aard.'

'En Penny's kamers? Heb je die bekeken?'

Larry keek me een tikje vreemd aan. 'Maar ik dacht . . .'

'Kan me niet schelen wat je dacht,' zei ik effen. 'Doe 't.'

'Goed.' Hij ging weer de trap op, en ik bedacht dat Larry nog veel moest leren.

Ik stond op het punt naar de werkkamer terug te gaan toen Michaelis door de vestibule kwam. Ik vroeg: 'Iets ontdekt?'

'Niets voor ons. Maar op zolder heb ik verdomme toch iets gevonden – het grootste modelspoorweg-emplacement dat ik ooit in m'n leven gezien heb.'

'Modelspoorweg!' zei ik ongelovig.

'Je reinste hobby-werk,' zei hij. 'Ik ben er zelf gek op, maar zo iets als dit heb ik nog nooit gezien. Minstens twee kilometer modelspoorbaan daar boven, het lijkt wel een spinneweb, goddome. Je zou verdomme een hele dienstregeling nodig hebben om dat zaakje soepel te laten draaien.'

Het was een facet van Ashton waar ik nooit aan zou hebben gedacht, maar het had niets met de onderhavige zaak te maken. Dus wuifde ik het weg. 'Waar is Jack Brent?'

'Bezig de buitengebouwen te inspecteren – de garages en stallen.'

'Zeg 'm dat ik hem wil spreken als-ie klaar is.' Ik ging terug naar de werkkamer en vond dat het tijd was opnieuw te proberen contact met Ogilvie te krijgen. Ik had hem om het uur gebeld, maar iedere keer was hij niet op kantoor geweest zodat ik mijn gegevens aan Harrison gespuid had. Ik strekte mijn hand voor de zoveelste maal naar de draaischijf uit, maar de telefoon rinkelde voordat ik het ding had aangeraakt.

Het was Ogilvie. 'Wat heb je te pakken gekregen?' vroeg hij abrupt.

'Ik heb het allemaal aan Harrison doorgegeven. Hebt u hem gesproken?'

'Nee. Zoals je wel begrepen zult hebben is het donderen geworden, en ik heb het de laatste paar uren aardig druk gehad. Geef me de kern van de zaak.'

'We hebben hier een verdomd grote kluis gevonden,' zei ik. 'Geen brandkast, maar een echte bankkluis. We zullen experts nodig hebben om het geval open te krijgen, en zelfs *zij* zullen daar waarschijnlijk een week voor nodig hebben.'

'Beter van niet,' zei Ogilvie. 'Je krijgt ze binnen een uur. Wat nog meer?'

'Ik zou een paar bollebozen kunnen gebruiken – zowel op elektronisch als chemisch gebied. Er is hier een kelder vol wetenschappelijke rommel. En u moest maar liever iemand sturen die alles van computers afweet.' Ik grinnikte. 'En misschien een modelspoorweg-expert.'

'Een wat?' blafte hij.

'Ashton heeft op z'n zolder een modelspoorbaan. Ik heb 't fraais niet gezien maar het schijnt grandioos te zijn.'

'Dit is geen tijd voor grapjes,' zei Ogilvie scherp. 'Wat nog meer?'

'Geen donder. Niks van belang voor ons.'

'Blijf zoeken,' zei hij streng. 'Een vent kan niet vijftien jaar in een huis wonen zonder iets van zijn persoonlijkheid te laten rondslingeren. Er moet *enige* aanwijzing zijn waar hij naar toe is gegaan.' Hij dacht even na. 'Maar ik heb je hier nodig. Draag de leiding aan iemand anders over.'

'Dat moet dan Gregory zijn,' zei ik. 'Ik moet nog een paar dingen regelen – ik ben binnen twee uur bij u.' Ik hing op en zei tegen Penny: 'Nou, dat is 't dan, schatje. De baas wil dat ik naar hem toe kom.'

Ze zei: 'Je zei daarnet iets over Paps, dat hij een vuurwapen zou hebben. Wat bedoelde je precies?'

'Dat hij gewapend is,' zei ik.

Ze schudde ongelovig haar hoofd, maar aangezien er die dag zo veel vreemde dingen waren gebeurd kon ze mijn opmerking niet bestrijden. 'En zal je 'm vinden?'

'O ja, we vinden 'm heus wel. Wat me verontrust is dat iemand anders misschien ook naar hem op zoek is en hem eerder zal vinden. En het bedonderde is dat we niks met zekerheid weten.'

Brent kwam binnen. 'Je wou me spreken?'

Ik wuifde hem de kamer uit en kwam bij hem in de vestibule. Terwijl ik mijn colbert uittrok, vroeg ik: 'Iets gevonden?'

'Niks.'

Ik gespte de schouderholster onder mijn linkeroksel los. 'Pak aan;

je zou 't nodig kunnen hebben.' Ik wachtte tot hij het geval had omgegespt, nam hem toen mee de werkkamer in. 'Penny, dit is Jack Brent; hij is van nu af jouw beschermengel. Hij blijft bij je waar je ook bent, met uitzondering van het toilet en de slaapkamer – en die controleert hij vooraf.'

Penny keek me aan alsof ze dacht dat ik een grapje maakte. 'Meen je dat serieus?'

'Je zult een kamer voor Jack moeten vinden – hij blijft hier wonen zolang jij hier woont.' Ik draaide me naar Brent om. 'Stel je op de hoogte van de inbraak-alarminstallatie hier, en zorg ervoor dat 't verdomde ding werkt.'

Hij knikte en zei: 'Het spijt me, juffrouw Ashton; ik moet doen wat me wordt opgedragen.'

'Alweer iemand onder orders,' zei ze strak. Er waren rode woede-plekken op haar wangen. 'Bedoel je werkelijk dat deze man bij me blijft, waar ik ook ga of sta?'

'Zolang jij je frisse meisjesteint wilt houden.'

Misschien zei ik het een beetje grof, maar het maakte wel indruk. Ze werd erg bleek. 'Mijn God, Malcolm. Wat *is* m'n vader?'

'Ik weet 't niet; maar ik zal 't uit Ogilvie loswringen, ook al zou dat 't laatste zijn wat ik deed.'

Jack Brent keek me aan alsof hij geloofde dat het inderdaad het laatste zou zijn wat ik deed. Je baas in de houdgreep nemen is nergens de goeie weg naar promotie.

Ik zei: 'Ik moet nog het een en ander doen. Ik zie je nog voor ik wegga, Penny.' Ik wilde Gregory inlichten over de laatste ontwikkelingen en de leiding aan hem overdragen. Ik vond hem met Simpson bezig Bensons kamers te doorzoeken die overigens weelderiger waren dan je van een huisknecht zou verwachten – een suite van drie royale vertrekken. Gregory en Simpson hadden alles minutieus overhoop gehaald, op mijn instructies omdat Benson me bijzonder intrigeerde. 'Iets gevonden?'

Gregory gromde. 'Niet veel. Alleen dit.' Hij wees op een klein busje olie. 'Aanbevolen voor vuurwapenmechanismen. En we hebben één enkele patroon gevonden – onafgevuurd. Het ding was onder het bed gerold en in een kier bij de muur gevallen.'

Het was een 9 mm parabellum-patroon, veel gebruikt in het leger en bij de politie. 'We wisten dat hij gewapend was,' zei ik. 'Nu weten we ook waarmee – al schieten we daar niet veel mee op.

Niets anders?'
'Nog niet.'
Ik vertelde Gregory de stand van zaken en ging kijken wat de rest van de ploeg uitvoerde. Ik moest *iets* vinden om mee te nemen naar Ogilvie. Op de zolder vond ik twee van de jongens bezig met treintjes te spelen. 'O, Jezus!' zei ik. 'Hou daarmee op. We zijn hier om te werken.'
Michaelis grijnsde. 'Dit is werk – helemaal in overeenstemming met onze opdracht. Als je dit huis grondig doorzocht wilt hebben, zullen we iedere locomotief, passagiers- en goederenwagon van dit emplacement van binnen moeten bekijken. De enige manier om dat te doen is ze trein voor trein naar dit centrale controlepunt te rijden.'
Ik bekeek het emplacement en zag dat hij wel eens gelijk kon hebben. Je zou misschien op een internationale modelspoorbaan-expositie een gecompliceerder treinennet kunnen vinden, maar eerlijk gezegd betwijfelde ik dat. Er liepen rails op wel tien verschillende niveaus, met een verbijsterende wirwar van wissels en stations en rangeersporen, en het hele net werd bediend vanaf een centraal paneel dat eruitzag als het instrumentarium van een Concorde. Michaelis scheen ermee te kunnen omgaan; misschien was hij een technisch genie.
'Hoeveel wagons zijn er wel?'
'We hebben er tot nu toe ongeveer driehonderd bekeken,' zei hij. 'Da's ongeveer een kwart, schat ik. We boffen dat er een automatisch koppelings- en ontkoppelingssysteem is. Zie je die goederenwagons op dat rangeeremplacement daarginds?' Hij wees naar een plek ongeveer acht meter binnen het spinneweb van rails. 'We zouden daar nooit kunnen komen zonder de zaak op te breken – dus we sturen er een loc naar toe om ze eruit te trekken. Kijk, zo.'
Hij wipte een paar schakelaars om en een rangeerlocomotief van ongeveer twaalf centimeter lang reed het zijspoor op en koppelde zich met een licht klikje aan een goederentrein. De loc reed langzaam achteruit, de trein goederenwagons van het rangeeremplacement wegtrekkend, en Michaelis lachte van genoegen. 'Nou is alleen nog 't probleem – hoe krijgen we die trein van daar naar hier?'
Mijn God! dacht ik. Wat je al niet moet doen voor je vak.
Ik snoof en liet hen hun gang gaan, en ging op zoek naar Penny om

afscheid van haar te nemen. Iemand zei dat ze in haar slaapkamer was. Ik klopte en toen ze opendeed was ze zo woedend als ik haar nog nooit gezien had. 'Kom binnen,' zei ze ongeduldig, dus ik stapte de kamer in, waarop zij de deur met een harde klap achter me dichtsmeet. 'Iemand heeft m'n kamer doorzocht.'

'Dat weet ik. *Alle* kamers hier in huis zijn doorzocht.'

'In jouw opdracht?'

'Ja.'

'O nee! Dat heb ik niet aan je verdiend, dacht ik. Je had gelijk toen je zei dat vertrouwen jullie handelsartikel niet is. Gisteravond heb je me gevraagd je vrouw te worden, en nog geen vierentwintig uur later laat je zien hoe weinig je me vertrouwt. Wat ben jij voor een man om iemand hier naar binnen te sturen om in mijn spullen te graaien?'

'Het is geen kwestie van vertrouwen of niet vertrouwen,' zei ik. 'Ik doe m'n werk zoals het me geleerd is.'

'Dus jij doet alles volgens 't boekje! Nou, het is niet het soort boek dat ik wil lezen.'

En zo kregen we een laaiende ruzie – onze eerste. Ik werd zo ziedend van razernij dat ik ten slotte het huis uitstormde en in mijn wagen sprong. Ik liet een beetje rubber op de oprit achter en kwam in recordtijd op kantoor – bofte nog dat ik niet door de politie werd aangehouden wegens te hard rijden.

Ik was niet in de allerbeste stemming toen ik bij Ogilvie binnen-stapte. Hij vroeg onmiddellijk: 'Heb je iets meer?'

Ik gooide de patroon op zijn bureau. 'Benson heeft iets dat die dingen afschiet.'

'Goed, Malcolm,' zei hij. 'Laten we bij 't begin beginnen.'

Dus praatten we. Ik vertelde hem gedetailleerd alles wat er gebeurd was en we bespraken de implicaties. Of liever gezegd, dat laatste deed Ogilvie. Ik wist niet genoeg van Ashton om enigerlei implica-ties te zien. Op zeker moment in het gesprek zei ik: 'Het is duidelijk dat Ashton hier al heel lang op voorbereid is geweest. Hij schreef Penny dat zijn advocaat en accountant goed waren geïnstrueerd, en dat heeft hij nooit in een dag kunnen doen. Ik weet niet of hij verwachtte dat er met zwavelzuur zou worden gegooid, maar hij was beslist klaar om ervandoor te gaan. Iemand heeft 'm danig bang gemaakt.'

82

Ogilvie ging daar niet op in. Hij zei: 'Je weet misschien wel – of misschien ook niet – dat er een interdepartementale commissie voor organisaties als de onze is, die tot taak heeft eventuele bevoegdheidsgeschillen uit de weg te ruimen.'

'Ik wist 't niet, maar het lijkt me een goed idee.'

'De commissie is vanmiddag in speciale zitting bijeengeroepen, en ik heb erg hard en snel moeten praten. Er was heel wat oppositie.'

'Van Lord Cregar?'

Ogilvies wenkbrauwen gingen omhoog. 'Hoe ben je achter z'n naam gekomen?'

'Hij ziet kans z'n foto in de kranten te krijgen,' zei ik smalend.

'Juist, ja. Weet je iets van de begingeschiedenis van deze dienst?'

'Niet veel.'

Hij boog zich naar voren en zette zijn vingertoppen tegen elkaar. 'De Engelsen houden er een nogal vreemde manier op na om hun inlichtingen- en veiligheidsdiensten te runnen. In de loop der jaren hebben we de naam gekregen er aardig goed in te zijn, goed en vrij geraffineerd. Dat is de weloverwogen beoordeling van onze Amerikaanse en Russische rivalen. Ze zitten er natuurlijk naast. Wat zij voor geraffineerdheid aanzien is alleen maar onze hebbelijkheid om onze rechterhand vrijwel nooit te laten weten wat de linker doet.'

Hij haalde een koker uit zijn zak en bood me een sigaret aan. 'De politici zijn doodsbang voor een gecentraliseerde inlichtingendienst; ze moeten niets hebben van zo iets monolitisch als de CIA of de KGB omdat ze hebben gezien wat er gebeurt als zo'n instantie te groot en te machtig wordt. En dus is, op de klassieke manier van verdeel en heers, het inlichtingenwerk in Engeland verbrokkeld over betrekkelijk kleine groepjes mensen.'

Hij accepteerde een vuurtje. 'Dat heeft ook z'n nadelen. Het leidt tot amateurisme, rivaliteit tussen afdelingen, overlappende activiteiten, de vorming van machtsblokken en particuliere legers, gebrek aan samenwerking, communicatiestoornissen – een hele ellende van ondeugdelijkheden. En 't maakt mijn werk verdomd moeilijk.'

Zijn toon was een mengeling van verbittering en berusting. Ik zei: 'Dat kan ik me voorstellen.'

'In het begin van de jaren vijftig werd het gevaar van industriële spionage merkbaar. We maakten ons er echt niet druk om of het ene bedrijf nou geheimen van het andere jatte, en dat doen we nog steeds niet, tenzij de staatsveiligheid in het geding komt. Het hele' probleem was dat onze vrienden in 't oosten geen particuliere ondernemingen hebben, dus iedere industriële spionage van die kant was *ipso facto* van staatswege geïnspireerd, en dat konden we niet hebben. Er werd, op onze onnavolgbare Engelse manier, een nieuwe dienst ingesteld om dat varkentje te wassen. Deze dienst.'

'Ik weet wat we doen, maar ik wist niet hoe we ermee begonnen.' Ogilvie zoog aan zijn sigaret. 'Er is 'n belangrijk aspect. In een poging om dubbel werk in te dammen, moesten verscheidene diensten grote brokken van hun activiteiten aan ons overdoen. Het was zelfs zo dat een paar ervan hun *raison d'être* volkomen verloren en werden opgedoekt. Van veel belang waren ze trouwens toch niet. Maar het leidde allemaal wel tot jaloezie en kwaad bloed – in verwaterde zin tot op de huidige dag merkbaar. En zo hebben wij 't probleem-Ashton geërfd.'

Ik vroeg: 'Wie hebben we Ashton afgepikt?'

'Lord Cregars speciale dienst.' Ogilvie boog zich naar voren. 'Vanmiddag schaarde de minister zich aan onze kant. Ashton is en blijft ons zorgenkind en wij zijn 't die hem moeten vinden. Jij bent nog altijd de insider, en dat betekent dat *jij* 'm moet vinden. Alle hulp die je nodig hebt – je hoeft maar te vragen.'

'Dat is net wat ik hebben moet,' zei ik. 'Ik wil machtiging voor Code Paars.'

Ogilvie schudde zijn hoofd. 'Dat niet.'

Ik stoof op. 'Godallemachtig! Hoe kan ik een vent opsporen als ik niks van 'm weet? Daarnet in Marlow heb ik nog een interessant college over vertrouwen gekregen dat me doodziek heeft gemaakt en dit karwei heeft m'n privé-leven al veel te veel aangetast. Een van tweeën – u vertrouwt me of u vertrouwt me niet en hier komt de breuk. Ik krijg machtiging voor Code Paars, of mijn ontslagbrief ligt morgenochtend om negen uur op uw bureau.'

Hij zei droevig: 'Ik heb je gewaarschuwd niet te hard van stapel te lopen. Om te beginnen zou ik je binnen dat tijdsbestek geen machtiging kunnen geven, en zelfs als 't me lukte zou je niet vinden wat je zocht want Ashton zit in Code Zwart.' Zijn stem was grimmig. 'En machtiging voor Code Zwart zou je niet binnen drie maanden krijgen – zo ooit.'

Code Zwart klonk alsof het 't einde van de regenboog was en Ashton de pot vol goud. Er viel een stilte die ik verbrak door bedeesd te zeggen: 'Dat is 't dan. Ik kan maar beter naar m'n kamer gaan om m'n ontslagbrief te gaan typen.'

'Gedraag je niet als 'n stomme tiener!' snauwde Ogilvie. Hij trommelde op het bureau, zei toen: 'Ik ben tot 'n besluit gekomen. Als 't bekend wordt, vlieg ik er misschien uit. Wacht hier.'

Hij stond op en verdween door een onopvallende deur achter zijn bureau. Ik wachtte heel lang en vroeg me af wat ik gedaan had. Ik wist dat ik mijn carrière op het spel had gezet. Goed, daar was ik op voorbereid en met mijn financiële ruggesteun kon ik er tegenop. Ik zou het misschien niet hebben gedaan als ik alleen van mijn salaris had moeten leven. Ik weet het niet. En nu had ik Ogilvie ertoe gebracht iets te doen waarvan hij misschien spijt zou krijgen, en dat was erg, want ik mocht hem graag.

Eindelijk opende hij de deur en zei: 'Kom hier in.' Ik volgde hem een kamertje binnen waar weer zo'n alomaanwezig computerding stond. 'Ik heb machtiging voor Code Zwart,' zei hij. 'De informatie over Ashton komt zo dadelijk op het scherm. Als je daar gaat zitten zul je te weten komen wat je moet weten. De computer weet niet wie er op de knoppen drukt.' Hij keek op zijn horloge. 'Ik ben over twee uur terug.'

Ik was een beetje geïmponeerd. 'Goed, meneer.'

'Ik wil je erewoord,' zei hij. 'Ik wil niet dat je naar willekeur Code Zwart gaat afschuimen. Ik wil er zeker van zijn dat je je tot Ashton en alleen Ashton beperkt. Er zitten andere zaken in Code Zwart waar je maar beter onkundig van kunt blijven – ter wille van je eigen gemoedsrust.'

Ik zei: 'U kunt zich daarvan overtuigen door gewoon hier bij me te blijven zitten.'

Hij glimlachte. 'Je zei daarnet iets essentieels over vertrouwen. Een van tweeën – ik vertrouw je of ik vertrouw je niet, en daarmee uit.'

'U hebt m'n woord.'

Hij knikte kortaf en ging weg, trok de deur achter zich dicht.

Ik keek naar deze Nellie die me met een streng, helgroen vraagteken aanstaarde, en keek toen om me heen in het kleine kamertje dat eigenlijk niet meer dan een hokje was. Aan de ene kant van het apparaat stond een kleine plotter, in veel opzichten gelijk aan die in Ashtons kelder; aan de andere kant stond een soort telex.

Ik ging aan het bedieningspaneel zitten en overpeinsde dat als Ashton zo belangrijk was en al van belang was geweest voordat de dienst was opgericht, er waarschijnlijk massa's gegevens over hem in Nellies binnenste zouden zijn opgeslagen. Deze gedachte werd versterkt door de twee uren die Ogilvie me ter beschikking had gesteld, dus wipte ik over naar de telex en typte:

INFORMATIE VIA TELEX

Nellie kreeg een aanval van verbale diarree. Ze hamerde me in:

TELEX-INFORMATIE VERBODEN ONDER CODE ZWART
LET WEL: ONDER CODE ZWART MAG NIETS SCHRIFTELIJK
WORDEN VASTGELEGD LET WEL: ONDER CODE ZWART MOGEN
GEEN BANDRECORDER-
OPNAMEN WORDEN GEMAAKT
LET WEL: ONDER CODE ZWART MOGEN GEEN FOTO'S VAN DE
TEKST WORDEN GEMAAKT

Ik zuchtte en schakelde de telex uit.

Ik heb al eerder verteld hoe je Nellie bedient, dus het heeft geen zin daar nogmaals op in te gaan. Wat ik niet gezegd heb, is dat Nellie inschikkelijk is; als ze te snel voor je gaat kun je haar afremmen, en als ze iets van geen belang produceert kun je haar versnellen. Je kunt ook grasduinen in alles wat ze meedeelt, teruggrijpen naar vergeten of verwaarloosde onderwerpen. Leuk speelgoed, zo'n Nellie.

Ik grasduinde aardig wat rond in Ashtons leven. Hij had heel wat meegemaakt.

13

Aleksandr Dimitrovitsj Tsjeljoeskin werd als zoon van arme maar fatsoenlijke ouders geboren in het stadje Tesevo-Netyl'skiy, even ten noorden van Novgorod in Rusland. Dat was in het jaar 1919. Beide ouders werkten bij het onderwijs; zijn moeder was kleuterleidster en zijn vader gaf oudere jongens les in wiskunde en aanverwante dingen.

Dit waren de jaren van revolutie, en of de Roden dan wel de Witten aan het bewind zouden komen was in 1919 nog niet beslist. Legers buitenlanders – Engelsen, Fransen, Amerikanen – bevonden zich op Russisch grondgebied en het was een tijd van woeling en chaos. De kleine Aleksandr legde kort na zijn geboorte bijna het loodje toen de oorlogsgolven over het land spoelden. En inderdaad stierven in deze periode zijn oudere broer en zusters terwijl het gezin in de storm van hot naar her geranseld werd; hoe ze precies aan hun eind kwamen, staat nergens vermeld.

Ten slotte vond het gezin Tsjeljoeskin in 1923 toevlucht in het stadje Aprelevka, even buiten Moskou. Het gezin was tot drie gereduceerd en aangezien Aleksandr laat was geboren en zijn moeder nu waarschijnlijk onvruchtbaar was, zouden er niet meer kinderen komen en werd hij als enig kind grootgebracht. Zijn vader vond werk als wiskundeleraar en ze wenden zich aan een leven van betrekkelijke geborgenheid.

Ofschoon Dimitri Ivanovitsj Tsjeljoeskin wiskundeleraar was, scheen hij zelf geen goed wiskundige te zijn in de zin dat hij oorspronkelijk werk produceerde. Zijn rol in het leven was jongetjes de beginselen van rekenkunde, algebra en meetkunde bij te brengen, hetgeen hij grotendeels deed via clichés, sarcasme en hardhandigheid. Maar hij was vakman genoeg om te zien dat hij de jeugdige Aleksandr niets tweemaal hoefde te vertellen en toen hij na verloop van tijd merkte dat hij het de jongen niet eens éénmaal hoefde te vertellen en dat zijn zoon niet te beantwoorden vragen begon te stellen, kwam het moment dat hij geloofde een wonderkind in huis te hebben.

Aleksandr was toen ongeveer tien jaar oud.

Hij kon erg goed schaken en werd lid van de schaakclub in Aprelevka waar hij prompt alle oudere leden van het bord veegde. Vader Tsjeljoeskin vergat de wiskunde als toekomst voor zijn zoon en dacht aan de mogelijkheid een Grootmeester in de familie te hebben – een grote eer in Rusland.

Een zekere Soeslov, lid van de schaakclub, was het daar niet mee eens. Hij drong er bij Pa Tsjeljoeskin op aan een brief aan een vriend van hem in Moskou te schrijven, die lid was van de Onderwijsraad. Er gingen vele brieven en maanden overheen voor Aleksandr uiteindelijk, na een serie bijzonder zware examens waar hij zijn hand niet voor omdraaide, tot een lyceum in Moskou werd toegelaten op de tot dusver ongehoorde leeftijd van twaalf jaar en tien maanden. Of het feit dat Soeslov tot de komst van Aleksandr de onbetwiste schaakkampioen van Aprelevka was geweest, daar iets mee te maken had, is niet bekend. Soeslov liet zich daar althans niet over uit maar won het volgende jaar wel opnieuw het clubkampioenschap.

In de meeste democratische landen wijst de linkervleugel elitevorming af; in Rusland moedigen de communisten haar aan. Als er een uitzonderlijk begaafde leerling wordt ontdekt, verdwijnt hij onmiddellijk naar een speciale school waar zijn verstand maximaal wordt ontwikkeld. Afgelopen is het met het gemakkelijke leventje van moeiteloos en spelenderwijs de lessen te volgen en als de beste uit de bus te komen terwijl zijn zwakkere broeders hard zwoegend achteraan sjokken. Aleksandr werd aan een geforceerd studieprogram onderworpen.

Hij vond het prachtig. Hij had de geestesgesteldheid die verzot is op geworstel met alles wat duister en moeilijk is en hij vond veel van zijn gading in zuivere wiskunde. Nu is wiskunde op haar zuiverst een spel voor volwassenen en behoeft geen enkele relatie te hebben met de werkelijke fysieke wereld en het feit dat dit soms wel het geval is, moet louter geluk worden genoemd. De beoefenaar van de zuivere wiskunde houdt zich bezig met het begrip getal in zijn abstractste vorm, en Aleksandr verlustigde zich een hele poos welgemoed in de abstracties. Op zestienjarige leeftijd schreef hij een wetenschappelijke verhandeling onder de titel *Enkele Opmerkingen over de Verwantschap tussen de Functies van Mathieu en de Elliptische Functies van Weierstrass*. Het stuk bestond uit drie alinea's geschreven tekst en tien pagina's vol wiskundige formules en werd vrij gunstig beoordeeld. Hij liet er het jaar daarop een nieuwe verhandeling op volgen, die hem onder de aandacht van Peter Kapitza bracht en tot de tweede grote verandering in zijn leven leidde.

Het was 1936 en Kapitza was de man van wie de Russische natuurkundige wereld grote verwachtingen had. Hij was in Kronstadt geboren en had gestudeerd in Kronstadt en Petrograd, zoals de stad toen nog heette. Maar in 1925 nam hij een beslissing die in die tijd nogal vreemd was voor een Rus. Hij ging naar Cambridge, toen de toonaangevende universiteit op het gebied der natuurkunde. Hij werd assistent-directeur voor onderzoek aan het Cavendish-laboratorium onder Rutherford. Hij werd in 1929 tot lid van het Koninklijk Genootschap gekozen en verwierf vrijwel iedere wetenschappelijke onderscheiding afgezien van de Nobelprijs, die zijn neus voorbijging. In 1936 ging hij naar Rusland terug, zogenaamd met studieverlof en is daar sindsdien gebleven. Gezegd werd dat Stalin hem de weg naar het buitenland versperde.

Dit dan was de man die zich over Aleksandr Tsjeljoeskin ontfermde. Misschien zag hij in de jongen zichzelf op zeventienjarige leeftijd. Hoe dan ook, hij haalde Aleksandr weg van zijn gespeel met zuivere wiskunde en liet hem zien dat er in de wereld echte problemen op te lossen waren. Kapitza bracht hem in aanraking met de theoretische natuurkunde.

Natuurkunde is een experimentele wetenschap en de meeste fysici zijn goede monteurs en hebben afgebroken nagels als gevolg van het in elkaar flansen van apparatuur. Maar er zijn er ook – en het zijn er maar heel weinig – die niets anders doen dan denken. Ze hebben de neiging almaar in de ruimte te zitten staren en hun geliefkoosde wapens zijn schoolbord en krijt. Na een paar uren, dagen of jaren van diep denken opperen ze bedeesd dat er geëxperimenteerd moet worden.

Het rijk van de theoretische fysicus is de totaliteit van het universum en de grote geesten die zich daarmee bezighouden zijn altijd gering in aantal. Aleksandr Tsjeljoeskin was er één van.

Hij bestudeerde onder leiding van Peter Kapitza het magnetisme en de thermodynamica en deed, met toepassing van de quantumtheorie op het eerdere werk van Kamerlingh Onnes, belangrijk werk met betrekking tot fase II van vloeibaar helium en dat gaf de stoot tot het nieuwe werkterrein van het supergeleidingsvermogen. Maar dit was slechts een van de vele dingen waarover hij nadacht. Zijn werk was verbluffend breed gevarieerd en eclectisch en hij publiceerde overvloedig. Hij publiceerde niet alles wat hij dacht aangezien hij de dingen graag netjes rangschikte, maar een deel van zijn werk, ontleend aan zijn uit deze tijd daterende aantekeningen, liep duidelijk vooruit op de kosmologische theorieën van Fred Hoyle in de jaren vijftig en zestig. Ander aan zijn notities ontleend werk omvatte denkbeelden over de aard van de katalyse en een korte schets die deze gedachten uitbreidde tot het organische terrein van enzymen.

In 1941 werd Rusland in de oorlog betrokken, maar het brein dat door de staat met zoveel zorg gekoesterd was, werd te waardevol geacht om aan het risico van een kogel te worden blootgesteld, en Tsjeljoeskin zag nooit enig oorlogsgeweld. Gedurende het grootste deel van de oorlog zat hij achter de Oeral en dacht zijn gedachten. Een van de vele dingen waarover hij nadacht was de fijne structuur van metalen. De resulterende verbetering in de Russische tankpantsering was zeer opmerkelijk.

In maart 1945 kreeg hij bezoek van een hoge ambtenaar die hem adviseerde zorgvuldige aandacht te besteden aan de atomische structuur van bepaalde zeldzame metalen. Stalin was net teruggekomen van de Jalta-conferentie waar hij was ingelicht over het bestaan van de atoombom.

In de periode onmiddellijk na de oorlog groeide in Tsjeljoeskin een gevoel van onbehagen, voornamelijk omdat hij, ofschoon de oorlog was afgelopen, zich nog steeds moest beperken tot wapenonderzoek. Dat werk beviel hem niet en hij talmde er welbewust mee. Maar een brein kan niet worden verboden te denken en hij wijdde zich aan andere dingen dan natuurkunde – aan sociologie bijvoorbeeld. Kortom, hij hield op over dingen na te denken en begon na te denken over mensen.

Hij keek naar de wereld om zich heen en was niet zo erg blij met wat hij zag. Dit was de tijd toen Stalin achteraf fouten ging bestraffen die tijdens de oorlog waren begaan. Terugkomende Russen die krijgsgevangen waren gemaakt, kregen nauwelijks tijd om te niezen voordat ze in Siberische kampen werden opgeborgen, en honderden ex-officieren verdwenen op geheimzinnige wijze spoorloos. Hij overpeinsde dat aanhoudende zuivering voor een maatschappij net zo nadelig is als voortdurende purgering voor een lichaam, en hij wist dat de beruchte militaire zuivering van 1936 het leger zo verzwakt had dat de ontstellende nederlagen aan het begin van de oorlog grotendeels daaraan waren toe te schrijven. En toch ging dat proces nog steeds door.

Hij was, op morele gronden, vastbesloten niet met zijn atomisch onderzoek door te gaan en buitendien was hij ervan overtuigd dat hij geen atoomwapens in handen wenste van een man als Stalin. Maar hij was al even vastbesloten niet in een dwangarbeiderskamp terecht te komen zoals sommigen van zijn collega's gebeurd was, zodat hij zich geconfronteerd zag met een moeilijk probleem dat hij met de hem tekenende exactheid en accuratesse oploste.

Hij pleegde zelfmoord.

Hij had er drie maanden voor nodig om zijn dood te beramen en hij was meedogenloos in de manier waarop hij te werk ging. Hij had het lijk nodig van een man van ongeveer zijn eigen leeftijd en met dezelfde fysieke kenmerken. Wat het allemaal gecompliceerder maakte, was dat hij het lichaam moest hebben voordat het dood was opdat er bepaalde chirurgische en tandtechnische ingrepen konden worden verricht die tijd kregen om te rijpen. Dus kon hij niet met een lijk volstaan.

Hij vond wat hij zocht bij een bezoek aan Aprelevka. Een jeugdvriend van zijn eigen leeftijd viel ten prooi aan leukemie en algemeen werd betwijfeld of hij de ziekte zou overleven. Tsjeljoeskin ging naar het ziekenhuis en praatte met zijn vriend, aanvankelijk in algemeenheden en toen, rechtstreekser en riskanter, over politiek. Hij had het geluk dat zijn vriend vrijwel dezelfde overtuigingen bleek te zijn toegedaan als hij zelf, hetgeen hem dus aanmoedigde de beslissende vraag te stellen. Zou zijn vriend, in de eindstadia van een dodelijke ziekte, zijn lichaam ter beschikking willen stellen om Tsjeljoeskin het leven te redden?

Nergens wordt officieel de naam van Tsjeljoeskins vriend onthuld, maar naar mijn mening was hij een bijzonder dapper man. Tsjeljoeskin liet zijn invloed gelden en kreeg gedaan dat de vriend naar een ander ziekenhuis werd overgebracht waar hij verzekerd was van de medewerking van een bepaalde dokter. Boekingen werden verdoezeld, papieren raakten verloren en er werd bureaucratisch geritseld; alles was in hoge mate chaotisch en liep uit op het feit dat Tsjeljoeskins vriend voor zover iedereen wist dood was.

Toen werd 's mans been onder chirurgische en aseptische omstandigheden gebroken en zijn gebit drastisch onder handen genomen. De beenbreuk correspondeerde nauwkeurig met een soortgelijke breuk in het been van Tsjeljoeskin en het gebit was, na restauratie, het evenbeeld van dat van Tsjeljoeskin. Het bot groeide keurig aaneen, en hij hoefde alleen maar te wachten tot zijn vriend werkelijk doodging.

Intussen had hij, via ondergrondse kanalen, contact opgenomen met de Engelse inlichtingendienst en politiek asyl gevraagd. Wij, in Engeland, waren maar al te graag bereid hem ter wille te zijn, zelfs op zijn voorwaarden. Te koop lopen met een gedroste Russische geleerde is bepaald geen lucratieve methode, en dus waren we maar al te graag bereid zijn eisen van geheimhouding te respecteren zolang we hem maar in onze knuisten hadden. Dus werden alle noodzakelijke regelingen getroffen.

Het duurde heel lang voor Tsjeljoeskins vriend doodging. Er was zelfs een periode die een opmerkelijke verbetering in zijn toestand te zien gaf die mijn bazen razend moet hebben gemaakt. Ik betwijfel of het Tsjeljoeskin veel zorgen baarde. Hij verdiepte zich als gewoonlijk in zijn werk, woonde de commissievergaderingen bij die steeds meer een ergerniswekkend deel van zijn leven werden, en zwoegde door. Maar zijn vrienden merkten op dat hij zijn best scheen te doen zich in de wodkafles te verdrinken.

Zeven maanden later vernam de Russische wetenschappelijke gemeenschap tot haar leedwezen dat de hooggeleerde kameraad A. D. Tsjeljoeskin de dood in de vlammen had gevonden toen zijn *dacha,* waarin hij zich voor een korte vakantie had teruggetrokken, door brand was vernield. Er volgde een onderzoek. Het gerucht wilde dat Tsjeljoeskin dronken in bed gerookt had en dat in de vlammen gegoten wodka hem niet veel geholpen had. Dat was een verhaal dat iedereen zou kunnen geloven.

Een maand later glipte Tsjeljoeskin over de Iraanse grens. Drie dagen later was hij in Teheran en werd de volgende dag door tussenkomst van de RAF-Transportdienst afgezet op het vliegveld Northolt. Hij werd enthousiast verwelkomd door een select groepje dat gekomen was om dit genie te bejubelen dat toen de rijpe leeftijd van achtentwintig jaar bereikt had. Hij had nog heel wat voor hen in petto.

De autoriteiten waren enigszins verbluft door Tsjeljoeskins betrekkelijke jeugdigheid. Ze hadden de neiging te vergeten dat creatief abstract denken, vooral op wiskundig gebied, een bezigheid voor jonge hersens is, en dat Einstein zijn befaamde relativiteitstheorie gepubliceerd had toen hij pas negentien was. Zelfs de politici onder hen vergaten dat Pitt op zijn vierentwintigste minister-president was.

Wat hen nog meer verblufte – en ook ergerde – was Tsjeljoeskins houding. Hij maakte het al gauw duidelijk dat hij een Russisch patriot was en geen verrader en dat hij niet van zins was atoom- of andere geheimen te onthullen. Hij zei dat hij Rusland verlaten had omdat hij niet op atoomgebied wilde werken, en dat doorgeven van zijn kennis de door hem genomen stap teniet zou doen. Gesprekken over atoomtheorie waren voor hem taboe.

De ergernis nam toe en hij werd onder druk gezet, maar de autoriteiten merkten dat ze deze man niet konden dwingen. Hoe meer druk er op hem werd uitgeoefend, des te koppiger werd hij, tot hij ten slotte weigerde om over ook maar *iets* van zijn werk te praten. Zelfs voor het uiteindelijke dreigement zwichtte hij niet. Toen hem gezegd werd dat hij zelfs in dat late stadium nog voor de Russen ontmaskerd zou kunnen worden, trok hij alleen maar zijn schouders op en liet uitkomen dat de Engelsen het volste recht hadden dat te doen als ze zulks wilden, maar dat hij het hen onwaardig achtte.

De autoriteiten veranderden van tactiek. Iemand vroeg hem wat hij wilde gaan doen. Wilde hij de beschikking over een laboratorium hebben, bijvoorbeeld? Inmiddels was Tsjeljoeskin argwanend geworden ten aanzien van de Engelsen en hun beweegredenen. Hij was, veronderstel ik, in zekere zin naïef geweest om enige andere behandeling te verwachten, maar naïviteit in een genie is betrekkelijk normaal. Hij zag zich omringd, niet door geleerden die hij begreep, maar door berekenende mannen, de machthebbers van Whitehall. Het wederzijdse onbegrip was volledig.

Hij wees het aanbod van een laboratorium bruusk af. Hij zag heel duidelijk dat hij gevaar liep de ene intellectuele gevangenis voor een andere te ruilen. Toen ze hem andermaal vroegen wat hij wilde, zei hij iets interessants. 'Ik wil leven als een gewoon burger,' zei hij. 'Ik wil verloren gaan in de zee van het Westerse kapitalisme.'

De autoriteiten haalden hun schouders op en gaven er de brui aan.

Wie snapte trouwens iets van deze rare buitenlanders? Er werd een ik-niet-dan-jij-ook-niet houding aangenomen; als wij niet van 's mans brein konden profiteren dan de Russen ook niet en dat was bevredigend. Hij kon altijd in het oog worden gehouden en, wie weet, misschien leverde hij in de toekomst nog wel eens dividend op.

Dus kreeg Tsjeljoeskin precies waar hij om gevraagd had.

Een Engelse soldaat die George Ashton heette was in Duitsland omgekomen bij een verkeersongeluk. Hij was zevenentwintig en was grootgebracht in een tehuis voor vondelingen. Ongehuwd en door kind noch kraai betreurd, was hij de volmaakte oplossing. Tsjeljoeskin werd per vliegtuig naar Duitsland gebracht, in het uniform gestoken van een gewoon soldaat in het Britse leger, en per trein en schip weer naar Engeland vervoerd, al die tijd heimelijk bespied. Hij ging door een demobilisatiecentrum, waar een sombere demobilisatie-sergeant hem een goedkoop burgerpak, een bedragje aan achterstallig soldij en een hand gaf.

Hij kreeg ook een honorarium van £ 2000.

Voordat hij aan zijn lot werd overgelaten, vroeg en kreeg hij nog iets anders. Vanwege de noodzakelijkheid voor wetenschappelijke studie had hij in zijn jeugd Engels geleerd en las het vlot. Maar hij had nooit gelegenheid gehad de taal te spreken, wat wellicht een voordeel was toen hij door een zes maanden durende monstercursus Engelse conversatie gejaagd werd, want hij behoefde nu geen slechte gewoonten af te leren. Hij kwam eruit met een algemeen beschaafd accent, en toog aan de slag om in de kapitalistische wereld te zwemmen of te verzuipen.

£ 2000 lijkt misschien nu niet veel, maar in 1947 was het een aardige bom duiten. Niettemin, George Ashton begreep dat hij er zuinig mee moest omspringen; hij zette het grootste deel op een depositorekening bij een bank, en leefde heel eenvoudig terwijl hij deze vreemde nieuwe wereld ging verkennen. Hij was niet langer een geëerd man, een Academicus met een auto en een *dacha* tot zijn beschikking, en hij moest een manier vinden om de kost te verdienen. Iedere baan waarvoor diploma's vereist waren, was voor hem uitgesloten aangezien hij de papieren niet had. Het was een lachwekkende situatie.

Hij ging als boekhouder werken in het magazijn van een machinebedrijfje in Luton. Dit was in de dagen vóór de computers, toen de boekhouding nog zoals in Dickens' tijd met de hand werd gedaan en een goede boekhouder in één geroutineerde oogopslag ponden, shillings en pence bij elkaar kon optellen. Maar goede boekhouders waren schaars en Ashton merkte dat hij welkom was omdat hij nu eenmaal, in tegenstelling tot de algemeen gangbare mythe, een geleerde was die kon rekenen en *nooit* te weinig wisselgeld terugkreeg. Hij vond het werk belachelijk makkelijk zij het wat monotoon, en het liet hem tijd om na te denken.

Hij maakte kennis met de voorman van de werkplaats, een man van een jaar of vijftig die John Franklin heette. Ze konden het goed met elkaar vinden en maakten er een gewoonte van om na het werk samen een borrel te pakken in de naburige kroeg. Mettertijd werd Ashton uitgenodigd voor een zondagsetentje bij Franklin thuis, waar hij kennis maakte met Franklins vrouw, Jane, en hun dochter, Mary. Mary Franklin was toen 25 en nog ongetrouwd aangezien haar verloofde in de laatste dagen van de oorlog boven Dortmund was neergeschoten.

Gedurende deze hele tijd werd Ashton in het oog gehouden. Als hij zich ervan bewust was, liet hij het in ieder geval niet merken. Andere mensen werden ook gadegeslagen en de familie Franklin werd grondig onder de loep genomen met als motief dat iedereen die belangstelling had voor Ashton *per se* zelf belangstelling waard was. Er werd niets ontdekt behalve de waarheid: dat Jack Franklin een verdomd goed vakman was met zijn brein in zijn vingertoppen, dat Jane Franklin een gezellige, moederlijke vrouw was, en dat Mary Franklin een tragedie in haar leven had meegemaakt.

Zes maanden na hun kennismaking gingen Ashton en Franklin bij het bedrijfje weg om voor zich zelf te gaan beginnen. Ashton stopte er £ 1500 en zijn hersens in terwijl Franklin £ 500 en zijn vaardige handen bijdroeg. De bedoeling was een kleine plasticgieterij op te zetten; Franklin zou de gietvormen en de betrekkelijk eenvoudige machines maken die benodigd waren, en Ashton zou de modellen ontwerpen en de zaak leiden.

Het bedrijfje sukkelde een poosje zonder overmatig succes voort, tot Ashton, die in toenemende mate ontevreden werd over de gietpoeders die hij van een grote chemische fabriek kreeg, een eigen mengsel samenflanste, er patent op kreeg, en een nieuw bedrijf opzette om het te maken. Daarna keken ze nooit meer achterom. Ashton trouwde met Mary Franklin en ik ben er zeker van dat iemand van de een of andere overheidsdienst onopvallend bij de huwelijksplechtigheid aanwezig was. Een jaar later schonk ze hem een dochter die ze Penelope doopten, en twee jaar later nog een meisje dat ze Gillian noemden. Mary Ashton stierf een paar jaar later, in 1953, aan complicaties in het kraambed. De baby stierf ook.

Ashton bleef zijn leven lang op de achtergrond. Hij werd geen lid van clubs of bedrijfsorganisaties; hij hield zich ver van de plaatselijke of nationale politiek, ofschoon hij wel trouw ter stembus ging, en verdeelde zijn leven over het algemeen tussen zijn werk en zijn gezin. Dit gaf hem tijd om voor zijn twee dochtertjes te zorgen, geholpen door een kinderjuffrouw die hij naar het huisje in Slough haalde, waar hij toen woonde. Uit alles bleek dat hij aan zijn twee meisjes verknocht was.

Omstreeks 1953 moet hij zijn oude notitieboeken hebben opengeslagen en weer zijn gaan nadenken. Als Tsjeljoeskin had hij nooit iets gepubliceerd over zijn werk aan katalysators en ik neem aan dat hij het veilig achtte om zich openlijk op dit terrein te begeven. Een katalysator is een substantie die de chemische reacties tussen andere stoffen versnelt, soms wel duizendvoudig. Ze worden overvloedig toegepast bij chemische bewerking, met name in de olie-industrie.

Ashton maakte nuttig gebruik van zijn vroegere werk. Hij bedacht een hele reeks nieuwe katalysators, afgestemd op gespecialiseerde toepassingen. Sommige fabriceerde en verkocht hij zelf, andere liet hij in licentie vervaardigen. Ze werden allemaal gepatenteerd en het geld begon binnen te stromen. Het zag ernaar uit dat deze vreemde vis heel aardig in de kapitalistische zee rondzwom.

In 1960 kocht hij het huis dat hij nu bewoonde en na vijftien maanden uitgebreide inwendige restauratie trok hij er met zijn gezin in. Daarna scheen er niet veel te gebeuren, behalve dat hij de betekenis inzag van olie uit de Noordzee, in 1970 een nieuwe fabriek opende, nog meer patenten op zijn naam liet schrijven en almaar rijker werd. Hij breidde zijn belangstelling ook uit tot die natuurlijke katalysators, de enzymen, en naar we mogen aannemen werd de in dat vroege notitieboek vluchtig geschetste theorie volledig uitgewerkt.

Na 1962 of daaromtrent werden de gegevens uitermate vaag en oppervlakkig, en dat verbaasde me niet. De autoriteiten hadden geen belangstelling meer voor hem en hij zou alleen nog maar voortbestaan in een routine-map om iemand aan de jaarlijkse controle te herinneren. Pas toen ik door mijn argeloze informatie de belletjes aan het rinkelen had gebracht, was er iemand wakker geschrokken.

En dat was dan het leven van George Ashton, eens Aleksandr Dimitrovitsj Tsjeljoeskin – mijn aanstaande schoonvader.

14

Wat ik over Ashton-Tsjeljoeskin op papier heb gezet is slechts een samenvatting van wat de computer spuide met enkele daaraan toegevoegde, onbelangrijke onderstellingen die er een lopend verhaal van moesten maken. Als ik de telex had kunnen gebruiken zou er genoeg kopij uitgerold zijn om een boek ter dikte van een familiebijbel te maken. Er is een massa papier voor nodig om alle details van iemands leven vast te leggen. Ik geloof evenwel dat ik de voornaamste feiten heb weergegeven.

Toen ik klaar was had ik hoofdpijn. Tweeëneenhalf uur lang naar een kathodestraalbuis kijken is niet best voor de ogen en ik had zwaar zitten roken zodat het kamertje tamelijk dompig was. Het was een verademing om Ogilvies kamer binnen te komen.

Hij zat aan zijn bureau een boek te lezen. Hij keek op en glimlachte. 'Je ziet eruit of je hard aan een borrel toe bent.'

'Die zou er sissend ingaan,' beaamde ik.

Hij stond op en maakte een kastje open waar hij een fles whisky en twee glazen uit haalde; toen toverde hij een karaf ijswater te voorschijn uit een ingebouwd koelkastje. De gemakken van hoge functies. 'Wat vind je?'

'Ik vind Ashton een kei van een vent. Ik ben er trots op hem te kennen.'

'En verder?'

'Er is één feit dat zo verdomd voor de hand ligt dat het misschien over het hoofd is gezien.'

'Dat betwijfel ik,' zei Ogilvie en overhandigde me een glas. 'Dat dossier is door 'n heleboel goeie kerels nageplozen.'

Ik goot water bij de whisky en ging zitten. 'Hebben jullie alles over Ashton daarin?'

'Alles wat we weten.'

'Precies. Nou heb ik Ashtons werk nogal uitvoerig doorgenomen en dat is allemaal op het gebied van toegepaste wetenschap – technologie, als u wilt. Alles wat hij met katalysators gedaan heeft, is ontleend aan zijn vroegere ongepubliceerde activiteiten; eigenlijk

zit daar niets nieuws in. Zeg 't alstublieft, als ik het mis heb.'
'Je hebt volkomen gelijk, al was er dan een man met Ashtons hersens voor nodig om het te doen. We hebben onze eigen beste chemici fotokopieën van die notitieboeken gegeven en hun opinie was dat het allemaal theoretisch gezien klopte als een bus maar nergens toe scheen te leiden. Ashton kreeg gedaan dat het wel ergens toe leidde en hij is er rijk van geworden. Maar over het algemeen is 't waar wat je zegt; het is allemaal afgeleid van vroeger werk – zelfs zijn latere belangstelling voor enzymen.'

Ik knikte. 'Maar Tsjeljoeskin was een theoreticus. De hamvraag is dit – hield hij op met theoretiseren en, zo niet, waar zat-ie dán over na te denken? Ik kan begrijpen waarom u die vervloekte kluis open wou hebben.'

'Jij bent nog niet zo stom,' zei Ogilvie. 'Je slaat de spijker op z'n kop. Je hebt gelijk; je kunt een man niet beletten te denken, maar waar hij over gedacht heeft is moeilijk na te gaan. In ieder geval niet over atoomtheorie.'

'Waarom niet?'

'We weten wat hij leest; de tijdschriften waar hij op geabonneerd is, de boeken die hij koopt. We weten dat hij zich niet op de hoogte houdt van de wetenschappelijke literatuur op enig gebied behalve katalytische scheikunde, en niemand denkt in een vacuüm. De atoomtheorie is met sprongen vooruitgegaan sinds Ashton uit Rusland kwam. Om enig origineel werk te doen zou 'n vent verrekte hard moeten werken om de rest voor te blijven – aan groepsstudies meedoen en zo. Dat heeft Ashton niet gedaan.' Hij proefde zijn whisky. 'Wat zou jij in Ashtons plaats hebben gedaan als je zijn hersens had?'

'Lijfsbehoud zou punt één zijn,' zei ik. 'Ik zou een veilig schuilhoekje in de samenleving zoeken. Als ik dat eenmaal gevonden had zou ik misschien weer gaan denken – theoretiseren.'

'Waarover? In jouw worsteling om lijfsbehoud is de denkwereld je ver vóór geraakt; je bent de aansluiting kwijt. En je durft ook niet te proberen weer contact te krijgen. Dus waar zou je over nadenken?'

'Ik weet 't niet,' zei ik langzaam. 'Misschien zou ik, met hersens als de zijne, nadenken over dingen waar andere mensen nooit over hebben nagedacht. Iets heel nieuws.'

'Ja,' zei Ogilvie peinzend. 'Je vraagt het je toch af, niet?'

We bleven een poosje zwijgend zitten. Het was laat – het daglicht ebde weg uit de zomerhemel boven de stad – en ik was moe. Ik nipte waarderend van mijn whisky en dacht aan Ashton. Even later vroeg Ogilvie: 'Heb je iets in 't dossier gevonden dat je enig idee geeft waar hij naar toe gegaan zou kunnen zijn?'

'Er schiet me niets te binnen. Ik zou er graag 's een nachtje over willen slapen – het onderbewustzijn een kans geven.' Ik dronk mijn glas leeg. 'Wat is de rol van Cregar hierin?'

'Het waren mensen van zijn dienst die Ashton benaderden toen hij uit Rusland weg wou. Cregar ging zelf naar Rusland om hem eruit te krijgen. Hij was toen een jonge vent, natuurlijk, en nog niet Lord Cregar – hij was toen nog de Edelhoogachtbare James Pallton. Nu staat hij aan het hoofd van die dienst.'

Ik was de naam Pallton in de opsomming van feiten tegengekomen, maar had die niet in verband gebracht met Cregar. Ik zei: 'Hij heeft Ashton van het begin af verkeerd aangepakt. Hij heeft 'm benaderd met alle gevoeligheid van een goedkope hoer. Eerst dreigde hij, toen probeerde hij hem om te kopen. Hij snapte niets van de persoonlijkheid die hij voor zich had, en hij joeg Ashton tegen zich in 't harnas.'

Ogilvie knikte. 'Dat is één element in 't mengsel van zijn wrok. Hij heeft altijd gedacht dat hij Ashton zou kunnen terugwinnen; daarom had hij zo de pest in toen de zaak-Ashton naar ons werd overgeheveld. Daarom bemoeit hij zich er nu zo mee.'

'Welke stappen zijn er al genomen om Ashton op te sporen?'

'De gebruikelijke. De Speciale Dienst staat op de uitkijk in zee- en luchthavens, en ze controleren de passagierslijsten van de afgelopen vierentwintig uur. Je moest daar morgen maar gauw contact over opnemen met Scotland Yard.'

'Dat zal ik doen. En ik zal 't ook van de andere kant proberen. Er is iets dat ik graag zou willen weten.'

'Wat dan?'

'Wie joeg Ashton zo de stuipen op het lijf? Wie heeft dat verdomde zuur gegooid?'

Ik was die avond doodmoe en kon niet in slaap komen. Terwijl ik rusteloos lag te woelen, waren mijn gedachten erg veel bij Penny. Uit wat ze gezegd had bleek duidelijk dat ze niets wist van Ashtons vroegere leven, toen hij nog Tsjeljoeskin heette. Haar verhaal over zijn jeugd en begintijd klopte met wat ik te weten was gekomen over de in Duitsland gedode Engelse soldaat.

Ik vroeg me af hoe het met Penny en mij zou zijn. Ik was die middag verdomd ongevoelig geweest. Natuurlijk, haar kamer moest doorzocht worden, maar dat had ik zelf moeten doen, bij voorkeur in haar aanwezigheid. Ik kon het haar niet kwalijk nemen dat ze woedend was geworden en ik vroeg me af hoe ik de situatie zou kunnen redden. Ik vond het heel ellendig.

De meeste mensen bekommeren zich, als er bij hen ingebroken is, niet zozeer om de gestolen goederen als wel om het binnendringen in het hart van hun leven, het huis dat zo volstrekt hún huis is. Het is de gedachte dat vreemde handen in hun intiemste geheimen hebben gewroet, in laden hebben gegraaid, deuren in de privé-gedeelten van het huis hebben geopend – dit alles is diep aanstotelijk. Ik wist dat allemaal en had er tegenover Penny rekening mee moeten houden.

Ten slotte ging ik in bed overeind zitten, keek hoe laat het was, greep toen de telefoon. Ofschoon het al laat was wilde ik met haar praten. Mary Cope nam op. 'Met Malcolm Jaggard; ik zou graag juffrouw Ashton willen spreken.'

'Een ogenblikje, meneer,' zei ze. Ze bleef niet lang weg. 'Juffrouw Ashton is niet thuis, meneer.' Er klonk vaag iets zenuwachtigs in haar stem, alsof ze bang was dat ik haar niet zou geloven. Ik geloofde haar inderdaad niet, maar er viel weinig aan te doen.

Pas tegen de vroege ochtend viel ik eindelijk in slaap.

Ik bracht het grootste deel van de voormiddag op Scotland Yard door in de kamer van een functionaris van de Speciale Dienst. Ik had niet veel hoop op succes en hij evenmin, maar we deden wat gedaan moest worden. Zijn mannen hadden hard gewerkt maar desondanks kwamen de rapporten traag binnen. Er vertrekken in vierentwintig uur massa's mensen van het vliegveld Heathrow, en dat is nog maar één uitreispunt.

'Ashton en Benson,' zei hij somber, terwijl hij een naam aftikte. 'Verdomme bijna net zo erg als Smit en Jansen. Waarom hebben mensen in wie wij geïnteresseerd zijn goddome nooit namen als Geldzak of Ganaarbed?'

Er waren zes Bensons en vier Ashtons van Heathrow vertrokken. De helft kon worden geschrapt op grond van sekse en de Ashtons vormden een gezin van vier. Maar twee van de Bensons zouden moeten worden opgespoord; een was naar Parijs gegaan en de andere naar New York. Ik pleegde de nodige telefoontjes.

Heathrow mag dan groot zijn, maar is altijd nog maar één vliegveld en er zijn ook andere vliegvelden – meer dan de meeste mensen zich realiseren. En verder waren er de zeehavens waar het in het eilandenrijk Engeland van wemelt. Het zou moeizaam speurwerk worden met geen enkele andere garantie dan onzekerheid.

De man van de Speciale Dienst zei filosofisch: 'En ze kunnen natuurlijk onder andere namen uit het land zijn weggegaan. Een reserve-pas te pakken krijgen is kinderspel.'

'Ze zijn misschien helemaal niet het land uitgegaan,' zei ik. 'Zeg uw mannen dat ze hun ogen goed open houden.'

Ik lunchte in een cafetaria van de Yard en ging toen terug, voorbereid op een stomvervelende middag. Om drie uur belde Ogilvie me op. 'Ze krijgen vanmiddag die kluis open. Ik wil dat jij erbij bent.'

Een ritje naar Marlow zou heel wat verkwikkender zijn dan passagierslijsten controleren. 'Goed.'

'Luister, dit zijn mijn exacte instructies. Als die deur geopend wordt, ben jij erbij en de voorman van de kraakploeg. Niemand anders. Is dat duidelijk?'

'Volkomen duidelijk.'

'Dan stuur je hem de kluiskamer uit en inspecteert de inhoud. Als die draagbaar is breng je alles onder bewaking hierheen. Zo niet dan sluit je de zaak weer af, na je er eerst van te hebben overtuigd dat we de deur weer gemakkelijk open kunnen krijgen.'

'Hoe lang blijft u op kantoor?'

'De hele nacht, als 't moet.' Hij hing op.

Dus reed ik naar Marlow en Ashtons huis. Ik kon zo langzamerhand die weg wel dromen. Simpson hield de wacht bij het hek en hij liet me binnen en ik reed door naar het huis. In de vestibule liep ik Gregory tegen het lijf. 'Iets gevonden?'

Hij trok zijn schouders op. 'Geen donder.'

'Waar is juffrouw Ashton?'

'In het ziekenhuis. Jack Brent is bij haar.'

'Allicht.' Ik ging de trap op naar Ashtons kamers en vond de kluiskrakers aan het werk. Ik weet niet waar de dienst dat soort experts laat als ze niet actief zijn, maar zodra ze ergens nodig zijn komen ze altijd prompt opdraven. De chef-kraker was een zekere Frank Lillywhite, die ik al eens eerder ontmoet had. 'Middag, Frank,' zei ik. 'Hoe lang nog?'

Hij gromde. 'Een uurtje.' Hij zweeg even. 'Of twee.' Het bleef wat langer stil terwijl hij iets ingewikkelds deed met een stuk gereedschap dat hij vasthield. 'Of drie.'

Ik grinnikte. 'Of vier. Is dit 'n lastige knaap?'

'Ze zijn allemaal lastig. Dit is 'n vierentwintiguurskluis, da's alles.'

Ik was nieuwsgierig. 'Wat bedoel je?'

Lillywhite stapte van de kluisdeur weg en een assistent nam zijn plaats in. 'Brandkastfabrikanten verkopen geen veiligheid – ze verkopen tijd. Iedere kluis die gemaakt wordt kan gekraakt worden; 't enige dat de fabrikant garandeert is de tijdsduur die nodig is om z'n produkt te kraken. Ze schatten dit op 'n karweitje van vierentwintig uur; ik doe 't in twintig – met 'n beetje geluk. De moeilijkheid zit 'm in het omzeilen van de trucs.'

'Wat voor trucs?'

'Als ik hier iets verkeerds doe, schieten er rondom de hele deur hardstalen staven uit. Dan is alleen de fabrikant in staat het kreng open te krijgen.'

'Waarom halen we er dan niet meteen de fabrikant bij?'

Lillywhite zuchtte en zei geduldig: 'De hele kluis zou uit 't huis gesloopt en naar de fabriek gebracht moeten worden. Ze hebben daar een verdomd grote blikopener die duizend ton weegt. Daarna zou je natuurlijk niet veel meer aan die kluis hebben.'

Ik overdacht de afschuwelijke mogelijkheid van verwijdering van de hele kluis. 'Aan dit huis trouwens ook niet. Ik zal geen idiote vragen meer stellen. Maak die deur niet open tenzij ik erbij ben.'

'Boodschap ontvangen en begrepen.'

Ik ging de trap af naar de laboratoriumkelder waar ik een paar geleerd uitziende figuren aantrof vol diep ontzag voor Ashtons apparatuur. Hun gesprek, als je het zo kon noemen, werd in het Engels gevoerd maar daarbij maak ik wel zeer vrij gebruik van dat woord; het was technisch jargon dat me ver boven de pet ging, dus ik liet ze maar hun gang gaan. Een andere man was bezig tapecassettes in een doos te pakken en voor vervoer gereed te maken. Ik vroeg: 'Wat zijn dat?'

Hij wees op de kleine computer. 'Programmerings- en gegevensbandjes voor dat ding daar. We nemen ze voor onderzoek mee.'

'U registreert alles, hoop ik. U zult een ontvangstbewijs aan juffrouw Ashton moeten geven.' Hij fronste daarop en ik zei scherp: 'We zijn geen dieven of inbrekers, weet u. Dat we hier zijn hebben we alleen aan de vriendelijkheid van juffrouw Ashton te danken.' Toen ik de kelder uitging, was hij bezig cassettes uit de doos te halen en op een tafel te stapelen.

Anderhalf uur later vond Gregory me in Ashtons werkkamer. 'Ze zullen de kluis over 'n minuut of vijftien open hebben.'

'Laten we naar boven gaan.'

We gingen de werkkamer uit en zagen Lord Cregar in de vestibule, in gezelschap van een grote man met het postuur van een zwaargewichtbokser. Cregar zag er kwiek en opgewekt uit, maar zijn opgewektheid, zo niet zijn kwiekheid, vervluchtigde toen hij mij zag. 'Ah, meneer Jaggard,' zei hij. 'De zaak is aardig verknold, moet ik zeggen.'

Ik trok mijn schouders op. 'De dingen gebeurden sneller dan we hadden voorzien.'

'Zeg dat wel. Ik hoor dat er hier een kluis is die vanmiddag geopend wordt. Is dat al gebeurd?'

Ik was benieuwd waar hij zijn informatie vandaan had. 'Nee.'

'Mooi. Dan ben ik nog op tijd.'

Ik zei: 'Moet ik daaruit opmaken dat u erbij wilt zijn als de kluis geopend wordt?'

'Inderdaad.'

'Het spijt me,' zei ik. 'Maar ik zal daar even ruggespraak over moeten houden.'

Hij keek me bedachtzaam aan. 'Weet u wie ik ben?'

'Jawel, my lord.'

'Goed dan,' zei hij. 'Belt u maar op.'

Ik gaf Gregory een hoofdknikje en we gingen weer de werkkamer binnen. 'We hoeven niet te bellen,' zei ik. 'Ogilvies instructies waren heel exact en Cregar werd niet genoemd.'

'Ik ken die grote kerel die hij bij zich heeft,' zei Gregory. 'Martins heet-ie. 'n Kwaaie om 't mee aan de stok te krijgen.' Hij zweeg even. 'Je zou misschien toch maar beter even met Ogilvie kunnen overleggen.'

'Nee. Hij heeft me gezegd wat ik doen moet en dat ga ik doen.'

'En als Cregar 't niet pikt? Een partijtje bakkeleien met een lid van het Hogerhuis zou z'n repercussies kunnen hebben.'

Ik glimlachte. 'Ik betwijfel of het zo ver zal komen. Laten we hem het slechte nieuws gaan vertellen.'

We kwamen terug in de vestibule en merkten dat Cregar en Martins waren verdwenen. 'Ze zijn vast boven,' zei Gregory.

'Kom mee.' We renden de trap op en vonden ze in Ashtons kamer. Cregar stond ongeduldig met zijn voet te tikken toen ik op hem toestapte en formeel zei: 'My lord, ik moet u tot mijn spijt meedelen dat u niet aanwezig mag zijn als de kluis geopend wordt.'

Cregars ogen puilden uit. 'Heeft Ogilvie dat gezegd?'

'Ik heb meneer Ogilvie sinds vanmiddag niet meer gesproken. Ik volg alleen maar m'n instructies op.'

'U haalt zich wel wat op de hals,' merkte hij op.

Ik draaide me naar Lillywhite om. 'Hoe lang nog, Frank?'

'Geef me tien minuten.'

'Nee – kap er nu mee. Begin niet weer voordat ik 't je zeg.' Ik wendde me weer tot Cregar. 'Als u zelf met meneer Ogilvie wilt praten kunt u gebruik maken van de telefoon hier of in de werkkamer.'

Cregar glimlachte zowaar. 'U weet de verantwoordelijkheid heel goed van u af te schuiven. Maar u hebt volkomen gelijk; ik kan maar beter even met Ogilvie praten. Ik ga naar de werkkamer.'

'Wijs even waar 't is,' zei ik tegen Gregory en ze gingen met hun drieën de kamer uit.

Lillywhite vroeg: 'Wat was dat allemaal?'

'Een beetje onderling geharrewar; daar staan wij nederige dienaren helemaal buiten. Je kunt verdergaan, Frank. Die kluis moet open, koste wat 't kost.'

Hij ging weer aan het werk en ik drentelde naar het raam en keek omlaag naar de oprit. Even later kwamen Cregar en Martins het huis uit, stapten in een wagen, en reden weg. Gregory kwam de kamer binnen. 'Cregar had flink de pest in toen hij uit de werkkamer kwam,' zei hij. 'Ogilvie wil je spreken.'

Ik liep naar de telefoon naast Ashtons bed en nam de hoorn op. 'Jaggard hier.'

Ogilvie zei vlug: 'Cregar mag onder geen beding weten wat er in die kluis te vinden is. Geef 'm geen kans op z'n strepen te gaan staan – hij heeft hier niets mee te maken.'

'Geen paniek,' zei ik. 'Hij is weg.'

'Mooi. Wanneer gaat de deur open?'

'Over vijf minuten.'

'Hou me op de hoogte.' Hij belde af.

Gregory hield een pakje sigaretten op en we rookten terwijl Lillywhite en zijn twee assistenten met de deur hannesten. Eindelijk klonk er een scherpe klik, en Lillywhite zei: 'Dat is het dan.' Ik stond op. 'Mooi. Iedereen de kamer uit behalve ik zelf en Frank!' Ik wachtte tot ze weg waren en liep toen naar de kluis. 'Open met dat ding.'

'Goed.' Lillywhite legde zijn hand op een hefboom en trok die omlaag. Er gebeurde niets. 'Alsjeblieft.'

'Je bedoelt dat-ie nu open is?'

'Jazeker. Kijk maar.' Hij trok en de deur, bijna dertig centimeter dik, begon langzaam open te zwaaien.

'Wacht even,' zei ik vlug. 'Zeg op, kan die deur weer op slot en gemakkelijk weer open?'

'Tuurlijk. Da's nou kinderspel.'

'Dat wou ik alleen maar weten. Spijt me, Frank, maar ik zal je moeten vragen nu te verdwijnen.'

Hij gaf me een scheef lachje. 'Als zelfs een lid van 't Hogerhuis niet mag zien wat hierin zit, is 't zeker niks voor Frank Lillywhite.' Hij liep de kamer uit en deed de deur nadrukkelijk achter zich dicht.

Ik opende de kluis.

15

Ogilvies mond viel open. 'Leeg!'
'Zo leeg als 'n lekke emmer.' Ik dacht daar even over na. 'Afgezien van een laagje fijn stof op de vloer.'
'Je hebt alle planken en vakken gecontroleerd?'
'Er waren geen planken. Er waren geen vakken. Het was gewoon een lege kubus. Ik ben er niet eens ingegaan. Ik heb alleen m'n hoofd naar binnen gestoken en rondgekeken. Het leek me beter alles maar onaangeroerd te laten voor 't geval u er de vingeraf-drukjongens bij wou halen. Ik wed dat het ding nooit gebruikt is sinds het vijftien jaar geleden gebouwd is.'
'Wel allemachtig!' Ogilvie zweeg. Hij scheen geen woorden te kunnen vinden, maar zijn gedachten draaiden op volle toeren. Ik liep naar het raam en keek omlaag naar de verlaten straat. Het was al laat en de bolhoedvloedgolf was weggeëbd en had de binnenstad aan een handjevol achterblijvers overgelaten. Er is geen enkel ander stadsdeel ter wereld dat er zo verlaten kan uitzien als het oude hart van Londen.
Ogilvie zei bedachtzaam: 'Dus alleen jij, de chef-kraker, en nu ik, weten hier van.'
Ik draaide me om. 'Zelfs uw opperinbreker weet 't niet. Ik heb Lillywhite de kamer uitgestuurd voor ik de kluis opende.'
'Dus alleen jij en ik. Verdomme!'
Hij vloekte zo hartgrondig dat ik vroeg: 'Waarom is dat zo'n ramp?'
'Omdat ik lik op stuk krijg. Cregar zal me nu nooit geloven als ik hem de waarheid over die vervloekte kluis vertel. Ik wou nu dat hij er bij was geweest.'
Persoonlijk kon het me niets schelen wat Cregar geloofde of niet geloofde. Ik haalde een velletje papier uit mijn portefeuille, vouwde het open en legde het op Ogilvies bureau. 'Dit is de nieuwe combinatie om de kluis open te krijgen. Lillywhites meesterwerk.'
'Dit is 't enige exemplaar?'
'Lillywhite moet er 'n kopie van hebben.'
Ogilvie schudde zijn hoofd. 'Dit zal heel wat denkwerk vergen.

Intussen ga jij door met 't zoeken naar Ashton en Benson, en vergeet niet dat ze misschien elk hun eigen weg zijn gegaan. Iets opgeschoten?'
'Alleen door eliminatie – als je dat opschieten mag noemen.'
'Goed,' zei Ogilvie vermoeid. 'Ga door.' Ik had mijn hand op de deurknop toen hij zei: 'Malcolm.'
'Ja?'
'Kijk uit voor Cregar. Je kunt 'm beter niet tot vijand hebben.'
'Ik vecht niet tegen Cregar,' zei ik. 'Hij heeft niks met me te maken. Wat er tussen u en hem is gaat mij veel te hoog.'
'De manier waarop jij 'm vanmiddag afpoeierde stond 'm bepaald niet aan.'
'Hij liet er niets van merken – hij was heel vriendelijk.'
'Dat is zijn manier van doen, maar hij klopt je alleen op de rug om een plek te vinden om er een mes in te steken. Kijk uit voor 'm.'
'Hij heeft niks met me te maken,' herhaalde ik.
'Kan zijn,' zei Ogilvie. 'Maar misschien denkt Cregar daar anders over.'

Daarna gebeurde er een tijdje niet veel. Het onderzoek van Speciale Diensten liep op niets uit ofschoon hun mannen nog steeds havens en vliegvelden scherp in het oog hielden voor het geval ons duo een late vluchtpoging zou doen. Honnister had niets te bieden. Bij mijn derde informerende telefoontje zei hij bits: 'Je moet ons niet bellen – wij bellen jou wel.'
Ik bracht tweeëneenhalve dag door met het lezen van ieder woord van de karrevracht aan paperassen die Gregory uit Ashtons huis had gehaald – agenda's, financiële overzichten, notitieboeken, brieven enzovoort. Op grond daarvan werden heel wat informaties ingewonnen, maar dat leverde niets van belang op. Ashtons bedrijven werden grondig doorzocht met al even weinig resultaat. Een week na Ashtons verdwijning was mijn groep gehalveerd. Ik hield Brent bij Penny en Michaelis bewaakte Gillian, zodat ik nog maar twee man over had om het speurwerk te doen. Ik deed daar zelf hard aan mee, was zestien uur per dag in touw, holde van hot naar her zonder een stap verder te komen. Larry Godwin zat weer aan zijn bureau Oosteuropese kranten te lezen. Zijn gooi naar de vrijheid was wreedaardig kort geweest.
De bollebozen hadden niets te melden. De computerbandjes

toonden niets ongewoons behalve een bijzonder knappe programmeringsmethode, maar wat de programma's bewerkstelligden was niets speciaals. De ontwerpconstructie waaraan Ashton geknutseld had veroorzaakte een vloedgolf van gissingen die een dun laagje bezinksel aan harde feiten achterliet. De eenstemmige opinie was dat het een proefmethode betrof voor het vervaardigen van synthetische insuline; zeer ingenieus en ongetwijfeld hoogst lucratief maar nog in een vroeg experimenteerstadium. Ik werd er niets wijzer van.

De dag nadat we de lege kluis open kregen, had ik Penny opgebeld. 'Bel je om me te vertellen dat jullie Paps hebben gevonden?' vroeg ze.

'Nee, ik heb je daarover niets nieuws te vertellen. Het spijt me.'

'Dan geloof ik niet dat we veel te bepraten hebben, Malcolm,' zei ze, en hing op voordat ik nog iets kon zeggen. Op dat moment wist ik waarachtig niet of we nog verloofd waren of niet.

Daarna hield ik me via Brent van haar doen en laten op de hoogte. Ze ging weer aan het werk in Londen maar reisde nu meer per auto in plaats van per trein. Ze scheen zich in Brents aanwezigheid te hebben geschikt; hij was haar passagier op haar dagelijkse ritten naar en van Londen en ze vertelde hem altijd wat ze voornemens was te gaan doen. Hij had plezier in zijn taak en vond haar erg aardig. Hij dacht niet dat ze gewapend was. En, nee, ze praatte nooit over mij.

Gillian was overgebracht naar de Moorfields Oogkliniek en ik ging haar daar opzoeken. Na een paar woorden met Michaelis had ik een gesprek met haar arts, een specialist die Jarvis heette. 'Ze is nog steeds zwaar gezwachteld,' zei hij. 'En ze zal kosmetische plastische chirurgie moeten ondergaan, maar dat gebeurt later en ergens anders. Hier houden we ons alleen met haar ogen bezig.'

'Wat zijn uw verwachtingen, dokter?'

Hij zei voorzichtig: 'Er is misschien een kansje om het gezichtsvermogen van het linkeroog enigermate te herstellen. Voor het rechteroog is er geen enkele hoop.' Hij keek me recht aan. 'Juffrouw Ashton weet dat nog niet. Vertel het haar alstublieft niet.'

'Natuurlijk niet. Weet ze dat haar vader er – eh – is weggegaan?'

'Dat weet ze en het maakt mijn taak er niet makkelijker op,' zei Jarvis vinnig. 'Ze is erg gedeprimeerd en we hebben hier al genoeg problemen zonder ook nog te moeten optornen tegen een psychologisch depressieve patiënte. Het is hoogst ongevoelig van de man om op dit moment op zakenreis te gaan.'

Dus dat had Penny aan Gillian verteld. Het leek me nauwelijks beter dan haar ronduit te vertellen dat Paps de benen had genomen. Ik zei: 'Misschien kan ik haar een beetje opvrolijken.' 'Ik wou dat het waar was,' zei Jarvis hartelijk. 'Het zou heel goed voor haar zijn.'

Dus ging ik met Gillian praten en vond haar plat op haar rug op een bed zonder kussens en volslagen gezichtloos omdat ze om-zwachteld was als Claude Rains in de film *De onzichtbare man*. De verpleegster vertelde haar vriendelijk dat ik er was, en ging weg. Ik omzeilde de redenen waarom ze hier lag en stelde er geen vragen over. Honnister was waarschijnlijk een betere ondervrager dan ik en zou alles al uit haar hebben gepuurd. In plaats daarvan beperkte ik me tot trivialiteiten, vertelde haar een paar grappige voorvallen die ik in de ochtendbladen had gelezen en bracht haar op de hoogte van het nieuws van de dag.

Ze was erg dankbaar. 'Ik mis 't krantenlezen. Penny komt iedere dag bij me en leest me dan alles voor.'

Brent had me dat verteld. 'Ja, dat weet ik.'

'Wat is er fout gegaan tussen jou en Penny?'

'Niets, voor zover ik weet,' zei ik luchtig. 'Heeft zij gezegd dat er iets mis was?'

'Nee, maar ze praat nooit meer over jou en toen ik naar je vroeg zei ze dat ze je niet gezien had.'

'We hebben het allebei erg druk gehad.'

'Dat zal 't wel zijn,' zei Gillian. 'Maar het was de manier waarop ze het zei.'

Ik stapte op een ander onderwerp over en we babbelden nog wat en toen ik wegging dacht ik dat ze een beetje was opgemonterd. Michaelis vond zijn taak vervelend, wat inderdaad zo was. In de ogen van het ziekenhuispersoneel was hij een politieman die op wacht was gezet bij een meisje dat gewelddadig was aangevallen. Hij zat op een stoel bij de deur die toegang tot de afdeling gaf, en bracht zijn tijd door met het lezen van romannetjes en tijdschriften.

'Ik lees juffrouw Ashton iedere dag een uurtje voor.'

'Dat is aardig van je.'

Hij trok zijn schouders op. 'Ik heb niet veel anders te doen. En ook

alle tijd om na te denken. Zo heb ik zitten nadenken over die modelspoorbaan bij Ashton op zolder. Ik heb nooit iets gezien dat daaraan kon tippen. Hij was natuurlijk een dienstregelingenman.'
'Een wat?'
'Nou kijk, je hebt 'n hoop verschil in de mensen die zich voor modelspoortreinen interesseren. Je hebt de entouragegekken die niet rusten voor ze alles, tot het landschap aan toe, in alle details in miniatuur hebben nagebootst. Daar ben ik er één van. Dan zijn er de technische knapen die hun emplacement met alle geweld technisch volmaakt willen hebben; dat is duur. Ik ken een vent die het Paddington station heeft nagebouwd en het enige dat 'm interesseert is gedaan te krijgen dat de treinen precies volgens de dienstregeling vertrekken en binnenkomen. Hij is een dienstregelingenman, net als Ashton. Het enige verschil is dat Ashton het op echt grote schaal deed.'
Hobby's zijn dingen waar sommige mensen inderdaad fanatiek over worden, maar Ashton had me daar het type niet voor geleken. Maar goed, ik had ook niet geweten dat Michaelis een model-spoorwegman was. Ik vroeg: 'Op hoe grote schaal?'
'Verdomde groot. Ik vond een stapel dienstregelingen daar boven, niet te geloven gewoon. Hij kon verdomme bijna het hele Engelse spoorwegnet kopiëren - niet alles ineens, maar in gedeelten. Hij scheen zich te specialiseren in het vooroorlogse treinwezen; hij had dienstregelingen van het ouwe LMS-net, bijvoorbeeld; en de Great Western en de LNER. Nou komt daar een verrekte hoop gegoochel aan te pas, dus weet je wat-ie deed?'
Michaelis keek me vol verwachting aan, dus ik vroeg: 'Nou?'
'Hij heeft een massa microschakelingen in dat regelpaneel gemonteerd. Je weet wel - de dingetjes die wel een computer op een splinter worden genoemd. Daar kon hij zijn dienstregelingen in programmeren.'
Dat leek me echt iets voor Ashton; heel efficiënt. Maar het hielp me niet hem te vinden. 'Hou je gedachten maar liever bij je werk,' adviseerde ik. 'We willen niet dat er opnieuw iets met 't meisje gebeurt.'

Twee weken na Ashtons vlucht belde Honnister me op. Zonder plichtplegingen zei hij: 'We hebben onze man te pakken.'
'Mooi. Wanneer verhoor je 'm?' Ik wilde daar bij zijn.

111

'Dat doe ik niet,' zei Honnister. 'Hij valt buiten mijn district. 't Is een Londense knaap dus een kluif voor m'n collega's daar. Een vent van de Yard gaat 'm vanavond aan de tand voelen; inspecteur Crammond. Hij verwacht dat jij 'm even belt.'

'Dat zal ik doen. Hoe heet deze figuur, en hoe ben je hem op het spoor gekomen?'

'Hij heet Peter Mayberry, is tussen de vijfenveertig en vijftig, en hij woont in Finsbury. Da's verdomme alles wat ik weet. Crammond neemt de draad verder op. Mayberry had de wagen voor het weekend gehuurd – niet bij een van de grote verhuurbedrijven, maar van een garage in Slough. De smerissen daar kwamen langs om een paar routinevragen te stellen. De garageman was verdomd nijdig; hij zei dat iemand accuzuur op de achterbank gemorst had, dus dat bracht ons op 'n ideetje.'

Ik dacht daar over na. 'Maar zou Mayberry z'n ware naam hebben genoemd toen hij die wagen huurde?'

'Dat heeft de verdomde idioot toch gedaan,' zei Honnister. 'Trouwens, hij moest z'n rijbewijs laten zien. Deze vent lijkt me een amateur toe; ik geloof niet dat-ie beroeps is. Hoe dan ook, Crammond zei me dat het lijkt te kloppen, want er woont inderdaad een Peter Mayberry op dat adres.'

'Ik ga Crammond meteen opbellen. Bedankt, Charlie. Verdomd goed gedaan.'

Hij zei ernstig: 'Je mag me bedanken door deze schoft verrekte hard aan te pakken.' Ik stond op het punt de hoorn neer te leggen, maar hij was me voor: 'Ashton nog gezien de laatste tijd?'

Het was zo'n argeloze vraag die je van hem mocht verwachten, maar ik meende Honnister inmiddels beter te kennen: hij was er de man niet naar om zijn tijd met geklets te verdoen. 'Nauwelijks,' zei ik. 'Hoezo?'

'Ik dacht zo dat-ie 't wel zou willen weten. Iedere keer als ik bel is-ie niet thuis, en van de man die daar in de buurt de ronde doet hoor ik dat er vreemde dingen aan de hand zijn geweest in dat huis. Een hoop heen en weer gevlieg en komen en gaan.'

'Ik geloof dat hij voor zaken op reis is. Wat het huis betreft, ik zou het niet weten – ik ben er de laatste dagen niet geweest.'

'Dat zal jouw verhaal wel zijn waar je aan vasthoudt, denk ik,' zei hij. 'Wie gaat het de gezusters Ashton vertellen – jij of ik?'

'Dat zal ik wel doen,' zei ik. 'Zodra ik zeker ben van Mayberry.'

112

'Goed. Als je weer 's hier in de buurt komt, reken ik erop dat je even binnenwipt. We kunnen weer 's een borrel in de Coach & Horses gaan drinken. Ik ben erg geïnteresseerd in alles wat je me kunt vertellen.' Hij hing op.

Ik glimlachte. Ik was ervan overtuigd dat Honnister geïnteresseerd zou zijn. Er was in zijn district iets vreemds aan de hand waar hij niets van afwist en dat zat hem dwars.

Ik draaide Scotland Yard en kreeg Crammond te pakken. 'Ah, ja, meneer Jaggard; 't gaat over die zwavelzuurgooier. Ik ga vanavond naar Mayberry toe – hij komt pas omstreeks halfzeven thuis, zegt z'n hospita. Ik stel voor dat u hier om zes uur bij me komt, dan rijden we er samen naar toe.'

'Prima.'

'Alleen één ding,' zei Crammond. 'Wiens bevoegdheid geldt hier – die van ons of van jullie?'

Ik zei behoedzaam: 'Dat hangt ervan af wat Mayberry zegt. Die zuurgooierij is regelrechte mishandeling, dus wat dat betreft is-ie jullie man en mogen jullie 'm hebben, gráág. Maar er zijn andere aspecten waar ik helaas niet nader op kan ingaan, en mogelijk willen wij 'm nog wat verder uithoren voordat u hem inrekent. Informeel, natuurlijk.'

'Ik begrijp 't,' zei Crammond. 'Het is alleen zo dat je deze dingen beter vooraf kunt regelen. Tot straks om zes uur dan, meneer Jaggard.'

Crammond was terecht voorzichtig. De politie voelde zich nooit erg op haar gémak als er met mensen als wij moest worden samengewerkt. Ze wisten dat sommige dingen die wij deden, strikt genomen, als onwettig konden worden uitgelegd en het stuitte hen tegen de borst een oogje dicht te doen. Bovendien hadden ze de neiging zich zelf als de enige vakmensen in dit werk te beschouwen en keken op ons neer als amateurs en ze waren er, in hun ogen, niet om amateurs te helpen de wetten van het land te schenden.

Ik belde Ogilvie op en vertelde het hem. Het enige dat hij zei was: 'Mooi zo, we zien wel wat ervan komt.'

Ik ontmoette Crammond zoals was afgesproken. Hij was een gezette man van gemiddeld postuur en met een onopvallend uiterlijk, hoogst nuttige eigenschappen voor een rechercheur-in-burger. We reden in zijn wagen naar Finsbury, met een agent in uniform op de achterbank, en hij vertelde me wat hij wist.

'Toen Honnister ons inlichtte, liet ik Mayberry onder de loep nemen. Dat was vanmorgen, dus hij was niet thuis. Hij woont op de bovenste verdieping van een huis dat in flats is opgedeeld. Zo heet dat tenminste; de meeste zogenaamde flats zijn niet meer dan zitslaapkamers. Zijn hospita beschrijft hem als een rustig type – beetje 'n boekenwurm.'

'Getrouwd?'

'Nee. Nooit geweest ook, gelooft ze. Hij heeft een of ander kantoorbaantje in de binnenstad. Daar was ze niet al te duidelijk over.'

'Zo te horen niet het soort man dat met zwavelzuur gooit,' klaagde ik.

'Maar hij heeft 'n strafblad.'

'Da's beter.'

'Wacht tot u 't hoort. Een aanklacht wegens verzet tegen een agent van politie, dat is alles. Ik ben erin gedoken en de aanklacht had nooit mogen worden ingediend, hoewel hij schuldig werd bevonden. Hij raakte bij een knokpartij betrokken tijdens een van de Aldermaston-betogingen van een paar jaar geleden, en werd samen met een paar anderen naar binnen gesleurd.'

'Een demonstrant,' zei ik peinzend. 'Amateur of beroeps?'

'Amateur, zou ik zeggen. Hij staat in ieder geval niet op onze lijst van bekende oproerkraaiers, en hij heeft er ook de goeie baan niet voor. Hij is niet mobiel genoeg. Maar zijn uiterlijk klopt met het signalement dat Honnisters getuigen hebben gegeven. We zullen zien. Wie stelt de vragen?'

'Dat doet u,' zei ik. 'Ik blijf op de achtergrond. Hij zal denken dat ik gewoon een collega van u ben.'

Mayberry was nog niet thuis toen we daar kwamen, dus zijn hospita bood ons gastvrijheid in haar zitkamer aan de voorkant van het huis. Ze was duidelijk nieuwsgierig en vroeg schalks: 'Heeft meneer Mayberry iets stouts gedaan?'

'We hopen alleen maar dat hij ons bij een onderzoek wil helpen,' zei Crammond minzaam. 'Is hij een goeie huurder, mevrouw Jackson?'

'Hij betaalt zijn huur keurig op tijd en hij is rustig. Da's voor mij goed genoeg.'

'Woont hij hier al lang?'

'Vijf jaar – of zijn 't er zes?' Na diep nadenken kwam ze tot het besluit dat het er zes waren.

'Heeft hij hobby's? Wat doet hij in z'n vrije tijd?'
'Hij leest erg veel; altijd met z'n neus in een boek. En hij is godsdienstig – hij gaat iedere zondag tweemaal naar de kerk.'
Ik was teneergeslagen. Dit leek, zo te horen, steeds minder de man die we zochten. 'Is hij op zondag twee weken geleden ook naar de kerk gegaan?' vroeg Crammond.
'Waarschijnlijk wel,' zei ze. 'Maar ik was dat weekend niet thuis.' Ze hield haar hoofd scheef. 'Daar hoor ik hem thuiskomen, geloof ik.'
Iemand liep buiten de kamer door de gang en ging de trap op. We gaven hem tijd om op zijn gemak te komen en gingen hem toen achterna. Op de eerste overloop zei Crammond tegen de politieman in uniform: 'Jij wacht buiten bij de deur, Shaw. Als hij probeert ervandoor te gaan, grijp 'm in z'n lurven. Het is niet waarschijnlijk dat dat zal gebeuren, maar als hij een met zwavelzuur gooiende ploert is, kan hij gevaarlijk zijn.'
Ik stond achter Crammond toen hij op Mayberry's deur klopte en ik zag dat Shaw plat tegen de muur gedrukt stond opdat Mayberry hem niet zou kunnen zien. Het is plezierig vakmensen aan het werk te zien. Mayberry was een man van achter in de veertig en had een ziekelijk bleke gelaatskleur, alsof hij niet goed at. Zijn ogen lagen diep in de kassen verzonken.
'Meneer Peter Mayberry?'
'Ja.'
'We zijn van de politie,' zei Crammond vriendelijk. 'En we geloven dat u ons kunt helpen. Mogen we even binnenkomen?'
Ik zag Mayberry's knokkels wit worden terwijl hij de rand van de deur omklemde. 'Hoe kan ik u helpen?'
'Gewoon door een paar vragen te beantwoorden. Kunnen we binnenkomen?'
'Ik dacht van wel.' Mayberry hield de deur open.
De kamer stelde niet veel voor; het vloerkleed was versleten en het meubilair was van geverfd vurehout en erg goedkoop, maar alles zag er schoon en netjes uit. Aan een van de wanden was een plank aangebracht waar misschien veertig of vijftig boeken op stonden; iedereen met dat aantal boeken in huis moest ongetwijfeld een groot lezer zijn voor mevrouw Jackson die zich vermoedelijk, hooguit, door één boek per jaar worstelde.
Ik keek naar de titels. Sommige waren religieus en duidelijk bijbels

georiënteerd; er was een verzameling milieulectuur waarbij enkele brochures van de Vrienden der Aarde. Voor de rest waren het romans, allemaal klassiek en geen van alle modern. De meeste boeken waren pockets.

Er waren geen prenten of platen in de kamer te zien behalve een affiche dat met plakband aan de hoeken op de wand bevestigd was. Het toonde de aarde, vanuit de ruimte gezien, een door een astronaut genomen foto. Onderaan stonden de woorden afgedrukt: IK BEN ALLES WAT JE HEBT; ZORG GOED VOOR ME.

Crammond begon met de vraag: 'Mag ik uw rijbewijs even zien, meneer Mayberry?'

'Ik heb geen auto.'

'Dat was niet wat ik vroeg,' zei Crammond. 'Uw rijbewijs, alstublieft.'

Mayberry had zijn colbert uitgetrokken dat over de rugleuning van een stoel hing. Hij bukte zich en haalde zijn portefeuille uit een binnenzak, nam er zijn rijbewijs uit en gaf het aan Crammond die het ernstig en zwijgend bestudeerde. Eindelijk zei Crammond goedkeurend: 'Keurig, geen enkele aantekening.' Hij reikte me het document toe.

'Ik rij altijd voorzichtig,' zei Mayberry.

'Daar ben ik van overtuigd. Rijdt u vaak?'

'Ik heb 't u al gezegd – ik heb geen wagen.'

'Dat heb ik u horen zeggen. Rijdt u vaak?'

'Niet erg vaak. Wat betekent dit allemaal?'

'Wanneer hebt u voor het laatst auto gereden?'

Mayberry zei: 'Hoort u eens, als iemand beweert dat ik bij een aanrijding betrokken ben geweest, dan hebben ze 't mis want dat is niet zo.' Hij leek erg nerveus, maar dat zijn veel mensen in het bijzijn van de politie, zelfs al zijn ze onschuldig. Het is de schurk die zich er brutaal doorheen slaat.

Ik legde het rijbewijs op de tafel en pakte het boek op waarin Mayberry had zitten lezen. Het ging over de zogenaamde alternatieve technologie en was opengeslagen bij een hoofdstuk dat vertelde hoe je een gistmiddel kon maken om methaangas uit mest te produceren. Het leek een voor Finsbury onwaarschijnlijk onderwerp.

Crammond vroeg: 'Wanneer hebt u voor het laatst autogereden?'

'O, ik weet 't niet – maanden geleden.'

'Van wie was die wagen?'
'Dat weet ik niet meer. Zo lang geleden.'
'In wiens auto rijdt u gewoonlijk?'
Het bleef even stil terwijl Mayberry daarover nadacht. 'Ik rijd niet *gewoonlijk*.' Hij begon te transpireren.
'Hebt u ooit een auto gehuurd?'
'Jawel.' Mayberry slikte. 'Ja, ik heb wel eens een auto gehuurd.'
'Kort geleden nog?'
'Nee.'
'Als ik nu eens zei dat u twee weekeinden geleden een auto in Slough hebt gehuurd, wat zou u dan zeggen?'
'Ik zou zeggen dat u 't glad mis had,' zei Mayberry nors.
'Ja, dat zou u kunnen zeggen,' zei Crammond. 'Maar *zou* ik 't mis hebben, meneer Mayberry?'
Mayberry rechtte zijn schouders. 'Ja,' zei hij uitdagend.
'Waar was u dat weekend?'
'Hier – zoals altijd. U kunt het mevrouw Jackson vragen, m'n hospita.'
Crammond keek hem een poosje zwijgend aan. 'Maar mevrouw Jackson was dat weekend niet thuis, is 't wel? Dus u was dat hele weekend hier. In deze kamer? Ging u niet de deur uit?'
'Nee.'
'Helemaal niet? Zelfs niet zoals gewoonlijk naar de kerk?'
Mayberry begon zenuwachtig te worden. 'Ik voelde me niet goed,' mompelde hij.
'Wanneer was 't de laatste keer dat u op zondag niet naar de kerk bent geweest, meneer Mayberry?'
'Dat weet ik niet meer.'
'Kunt u iemand noemen die kan getuigen dat u die hele zondag hier in deze kamer bent geweest?'
'Hoe kan ik dat? Ik ben de deur niet uit geweest.'
'Hebt u niet gegeten?'
'Ik voelde me niet goed, zei ik u al. Ik had geen honger.'
'En die zaterdag dan? Ging u toen ook niet de deur uit?'
'Nee.'
'En u hebt ook die hele zaterdag niet gegeten?'
Mayberry schuifelde nerveus heen en weer; de eindeloze stroom vragen begon hem op de zenuwen te werken. 'Ik at een paar appels.'

'U at een paar appels,' zei Crammond effen. 'Waar en wanneer kocht u die appels?'

'Vrijdagmiddag, in een supermarkt.'

Crammond liet dat gaan. Hij zei: 'Meneer Mayberry, ik geloof dat u me niets anders dan leugens verteld hebt. Ik geloof dat u die zaterdagochtend per trein naar Slough ging waar u bij de garage van Joliffe een Hillman Sceptre huurde. Meneer Joliffe was erg boos over de door accuzuur veroorzaakte schade aan de achterbank van de wagen. Waar hebt u dat zuur gekocht?'

'Ik heb geen accuzuur gekocht.'

'Maar u hebt wel die auto gehuurd?'

'Nee.'

'Hoe verklaart u dan het fiet dat de van een rijbewijs – dit rijbewijs,' Crammond pakte het op en zwaaide het voor Mayberry's neus – 'overgenomen gegevens, naam en adres, uw naam en uw adres zijn?'

'Daar kan ik geen verklaring voor geven. Ik hoef dat niet te doen. Misschien heeft iemand zich voor mij uitgegeven.'

'En waarom zou iemand zich voor u willen uitgeven, meneer Mayberry?'

'Hoe moet ik dat weten?'

'Ik geloof dat niemand het zou weten,' merkte Crammond op. 'Maar dit kan allemaal heel gemakkelijk worden geregeld. We hebben de vingerafdrukken van de wagen en die kunnen zo met die van u worden vergeleken. Ik ben ervan overtuigd dat u er geen bezwaar tegen zult hebben even mee te gaan naar het bureau om ons uw vingerafdrukken te geven, meneer.'

Het was de eerste keer dat ik iets over vingerafdrukken hoorde en ik veronderstelde dat Crammond blufte. Mayberry zei: 'Ik . . . dat doe ik niet. Ik kom niet naar het politiebureau.'

'Aha,' zei Crammond zacht. 'Beschouwt u zich als iemand met hart voor het algemeen belang, meneer Mayberry?'

'Net zoals iedereen.'

'Maar u hebt er bezwaar tegen om naar het politiebureau te gaan.'

'Ik heb een zware dag achter de rug,' zei Mayberry. 'Ik voel me niet goed. Ik stond op 't punt naar bed te gaan toen u binnenkwam.'

'Ah,' zei Crammond, alsof hem een licht opging. 'Nou ja, als dat uw enige bezwaar is, ik heb vingerafdrukspul in m'n wagen. We kunnen dit nu hier ter plekke afdoen.'

118

'U krijgt m'n vingerafdrukken niet. Ik hoef dat niet toe te staan. En nu wil ik dat u weggaat.'

'Aha, dus u hebt er echt bezwaar tegen.'

'Ik wil dat u weggaat of anders zal ik –' Mayberry zweeg abrupt.

'De politie bellen?' vroeg Crammond spottend. 'Wanneer hebt u juffrouw Ashton voor het eerst ontmoet?'

'Ik heb haar nooit ontmoet,' zei Mayberry vlug. Te vlug.

'Maar u wist van haar bestaan.'

Mayberry ging een stap achteruit en botste tegen de tafel op. Het boek viel op de grond. 'Ik ken niemand van die naam.'

'Niet persoonlijk, misschien – maar had u van haar gehoord?'

Ik bukte me om het boek op te rapen. Er was een pamfletje uit gefladderd en ik keek daarnaar voordat ik het boek op tafel legde. Mayberry herhaalde: 'Ik ken niemand van die naam.'

Het pamfletje was een door de voorlichtingsdienst uitgegeven parlementair rapport. Onder het koninklijke wapen was de titel afgedrukt: *Rapport van de Werkgroep over de Experimentele Knoeierij met de Genetische Samenstelling van Micro-organismen.*

Een heleboel ogenschijnlijk los van elkaar staande feiten klikten plotseling op hun plaats: Mayberry's star-bijbelse geloofsovertuiging, zijn belangstelling voor milieuproblemen en het werk dat Penny Ashton deed. Ik vroeg: 'Meneer Mayberry, wat vindt u van de stand van zaken in de moderne biologische wetenschap?'

Crammond, die zijn mond al open had om een nieuwe vraag te stellen, gaapte me verbaasd aan. Mayberry draaide zijn hoofd met een rukkerige beweging naar mij toe. 'Slecht,' zei hij. 'Allerbelabberdst.'

'In welk opzicht?'

'De biologen schenden de goddelijke wetten,' zei hij. 'Ontwijden het leven zelf.'

'Hoe dan?'

'Door ongelijksoortige wezens te kruisen – door monsters te creëren. Mayberry's stem werd luider. ' "En God zeide: 'Dat de aarde voortbrenge levende wezens naar hun aard." Dat zei hij – *naar hun aard.* "Vee en kruipend gedierte en wild gedierte naar zijn aard." *Naar zijn aard!* Dat staat op de allereerste bladzijde van de Heilige Schrift.'

Crammond wierp me een bevreemde blik toe en keek toen weer

119

naar Mayberry. 'Ik geloof niet dat ik goed begrijp wat u bedoelt, meneer.'

Mayberry was geëxalteerd. ' "En God zeide tot Noach: 'Van het gevogelte naar zijn aard' – *naar zijn aard* – 'en van het vee naar zijn aard' – *naar zijn aard* – 'van al het kruipend gedierte van de aardbodem naar zijn aard' – *naar zijn aard!* – 'van alle soorten zal één paar tot u komen om het in het leven te behouden.' " Ze is goddeloos; ze zou Gods eigen werk vernietigen zoals het in de Schrift is vastgelegd.'

Ik betwijfelde of Crammond begreep wat Mayberry zei, maar ik begreep het wel. Ik vroeg: 'Hoe?'

'Ze zou het door God gemaakte zaad schenden en de ene soort met een andere soort kruisen, en zo monsters ter wereld brengen – chimaeren en griezels.'

Ik had moeite mijn stem in bedwang te houden. 'Ik neem aan dat u met "ze" dr. Penelope Ashton bedoelt.'

Crammonds hoofd draaide zich met een ruk naar me toe. Mayberry, nog steeds ten prooi aan religieus vuur, zei achteloos: 'Onder anderen.'

'Zoals professor Lumsden,' opperde ik.

'Haar meester in het duivelswerk.'

'Als u vond dat ze verkeerd deed waarom bent u er dan niet met haar over gaan praten? Misschien had u haar ertoe kunnen brengen haar fout in te zien.'

'Ik zou m'n oren niet door haar stem willen laten bevuilen,' zei hij verachtelijk.

Ik vroeg: 'Staat er niet in de bijbel dat God het eerste mensenpaar heerschappij gaf over de vissen der zee, over het gevogelte des hemels, en over al het gedierte dat over de aarde kruipt? Misschien is ze in haar recht.'

'Zelfs de Duivel kan bijbelteksten citeren,' zei Mayberry en wendde zich van me af. Ik voelde me misselijk.

Het drong eindelijk tot Crammond door wat er aan de hand was. 'Meneer Mayberry, geeft u toe zuur te hebben gegooid in het gezicht van een vrouw met de naam Ashton?'

Mayberry keek gejaagd in het rond, zich ervan bewust te veel te hebben gezegd. 'Dat hebt u mij niet horen zeggen.'

'Ik heb u genoeg horen zeggen.' Crammond keek me aan. 'Ik geloof dat we genoeg hebben om hem in te rekenen.'

Ik knikte, zei toen tegen Mayberry: 'U bent een godvruchtig mens. U gaat iedere zondag naar de kerk – tweemaal, hoor ik. Vindt u dat het een christelijke daad was om accuzuur in het gezicht van een jonge vrouw te gooien?'

'Ik ben u geen verantwoording voor mijn daden schuldig,' zei Mayberry. 'Ik ben alleen verantwoordelijk jegens God.'

Crammond knikte ernstig. 'Niettemin geloof ik dat iemand gezegd heeft: "Geef de keizer wat des keizers is." Ik geloof dat u met ons zal moeten meegaan, meneer Mayberry.'

'En moge God u bijstaan,' zei ik. 'Want u hebt het verkeerde meisje mishandeld. U hebt het zuur in het gezicht gegooid van dr. Ashtons zuster die terugkwam van de kerk.'

Mayberry staarde me aan. Toen hij gezegd had verantwoordelijk jegens God te zijn had hij een verheven gelaatsuitdrukking gehad, maar nu was zijn gezicht verrimpeld, met opkomende afschuw in zijn ogen. Hij fluisterde: 'Het verkeerde ... verkeerde ...' Plotseling begon hij, stuiptrekkend, luidkeels te gillen.

'O, Jezus!' zei Crammond terwijl Shaw de kamer binnenstormde. Mayberry zeeg op de vloer ineen, met zachte en monotone stem een stroom obsceniteiten uitbrakend. Toen Crammond zich naar me omdraaide, zag ik dat hij transpireerde. 'Dit is geen klant voor de bajes. Hij gaat regelrecht naar Broadmoor. Wilt u hem nog iets vragen?'

'Geen donder,' zei ik. 'Niet nu.'

Crammond zei tegen Shaw: 'Bel om een ambulance. Zeg ze dat het om een geval van godsdienstwaanzin gaat en dat ze misschien een dwangbuis nodig zullen hebben.'

16

Tegen de tijd dat we Mayberry in een ambulance hadden, was Ogilvie van kantoor weg en naar huis gegaan. Ik nam niet de moeite hem thuis te bellen, maar belde wel Penny op omdat ik vond dat ze over Mayberry behoorde te worden ingelicht. Weer kreeg ik Mary Cope aan de lijn met de mededeling dat Penny niet thuis was, maar deze keer hoorde ik haar verder uit. Ze zei dat Penny naar Oxford was gegaan om een lezing bij te wonen en pas laat zou thuiskomen. Ik belde af, ervan overtuigd dat ik niet opnieuw was afgepoeierd.

Voordat ik de volgende ochtend naar Ogilvies kamer ging, draaide ik het nummer van Crammond. 'Nog nieuws over Mayberry?'

'Hij ligt in het King's College Hospital – onder bewaking in een privékamer.'

'Is-ie wat opgeknapt?'

'Zo te zien niet. 't Lijkt mij een volledige instorting toe, maar ik ben geen specialist.'

'Jammer. Ik zal toch nog even met hem moeten praten, ziet u.'

'Dan zult u eerst de barrière van een heel assortiment artsen moeten nemen,' waarschuwde Crammond. 'Hij schijnt van alles te mankeren, van ingegroeide teennagels tot psychodisjuncticus toe.'

'Wat is dat dan wel?'

'Het betekent dat-ie geschift is,' zei Crammond nors. 'De hersenkijkers houden 'm geïsoleerd.'

Ik bedankte hem voor zijn hulp en ging naar Ogilvie. Ik vertelde hem over Mayberry en zijn gezicht was een studie in verbijstering. 'Weet je zeker dat Mayberry ons niet belazert?'

Ik schudde mijn hoofd. 'Hij is getikt. Maar we hebben 'm, en een psychiater zal 'm voor ons aan de tand voelen.'

'Mij best – voorlopig.' Ogilvie schudde zijn hoofd. 'Maar ik zou de psychiatrie geen exacte wetenschap willen noemen. Is 't je niet opgevallen dat bij rechtszaken voor iedere door de verdediging opgeroepen psychiater een andere komt opdraven die à charge een volkomen tegengestelde opinie verkondigt? Maar goed, stel dat definitief wordt vastgesteld dat Mayberry aan godsdienstwaanzin lijdt, dan blijven er toch nog een paar klemmende vragen.'

'Dat weet ik. Waarom had hij het op Penny gemunt – of op het meisje dat hij voor Penny aanzag? Handelde hij uit eigen vrije wil of werd hij op het goeie spoor gezet en geduwd? Ik zal ervoor zorgen dat hij wordt uitgeknepen zodra hij verhoord kan worden. Maar u draait om 't grote probleem heen.'

Ogilvie gromde, en tikte onderstellingen op zijn vingers af. 'Stel dat Mayberry *inderdaad* gek is en stel dat hij *niet* gestuurd was – dat hij het op eigen initiatief deed, en dat Penelope Ashton een min of meer willekeurige keus was onder de genetici. Dan zitten we toch nog aardig voor 't blok, niet?'

'Ja.' Ik bracht de grote vraag onder woorden. 'In dat geval – waarom kneep Ashton er dan tussenuit?'

Ik voelde mijn hoofdpijn weer opkomen.

Ik zag ervan af Penny op te bellen; het was niet iets om haar telefonisch te vertellen. Maar voordat ik naar het University College ging, belde ik Honnister en bracht hem op de hoogte. Hij trok het zich nogal aan. 'Het verkeerde meisje!' stoof hij op. 'De stomme krankzinnige schoft pikte 't verkeerde meisje!' Hij braakte een stroom profaniteiten uit.

'Ik vond dat je 't moest weten. Je hoort van me als er nieuwe ontwikkelingen zijn.'

Ik ging naar het University College en wilde net bij de receptie informeren toen ik Jack Brent aan het eind van een gang zag staan. Ik liep naar hem toe. 'Problemen?'

'Niks hoor.'

'Waar is Penny Ashton?'

Hij maakte een duimgebaar naar een deur. 'Bij d'r baas. Da's Lumsdens kamer.'

Ik knikte, klopte aan en stapte naar binnen. Penny en professor Lumsden zagen er erg professioneel uit in witte laboratoriumjassen; ze deden me denken aan de lui die televisiereclame voor tandpasta maken. Ze zaten aan een bureau koffie te drinken en papieren te bestuderen die er als computerkopij uitzagen. Lumsden was veel jonger dan ik verwacht had; pionieren in de grensgebieden van de wetenschap is werk voor jonge mensen.

Penny keek op. Even vloog er verbazing over haar gezicht dat

123

vervolgens effen en strak werd, maar de stevig opeengeperste lippen ontgingen me niet. Ik zei: 'Goedemorgen, dr. Ashton – professor Lumsden. Zou ik je even kunnen spreken, Penny?'

'Zeg 't maar,' zei ze koel.

Ik wierp een vlugge blik op Lumsden. 'Het is ambtelijk, vrees ik. In jouw kamer, misschien?'

'Als het ambtelijk is . . .' zei ze kortaf en bekeek me wantrouwend.

'Dat is 't,' zei ik, al even kortaf.

Ze maakte haar excuses tegen Lumsden en we gingen zijn kamer uit. Ik zei tegen Brent: 'Blijf in de buurt', volgde toen Penny die me voorging door een andere gang en haar kamer binnen. Ik keek om me heen. 'Waar is de microscoop?'

Zonder te lachen zei ze: 'We werken met dingen die je onder een microscoop niet kunt zien. Wat wil je? Heb je paps gevonden?'

Ik schudde mijn hoofd. 'We hebben de man gevonden die met het zuur gegooid heeft.'

'O.' Ze ging achter haar bureau zitten. 'Wie is het?'

'Een zekere Peter Mayberry. Ooit van hem gehoord?'

Ze dacht even na. 'Nee, niet dat ik weet. Wat is het voor iemand?'

'Een kantoorbediende – en een godsdienstwaanzinnige.'

Ze fronste, zei toen op vragende toon: 'Een godsdienstwaanzinnige? Maar wat heeft dat te maken met Gillian? Ze is Anglicaans – en dat heeft niets met fanatisme te maken.'

Ik ging zitten. 'Hou je vast, Penny. Het zuur was niet bedoeld voor Gillian. Het was bedoeld voor jou.'

'*Voor mij!*' Ze fronste en schudde toen haar hoofd alsof ze het niet goed gehoord had. 'Zei je . . . voor mij?'

'Ja. Weet je zeker dat je nog nooit van die man gehoord hebt?'

Ze negeerde mijn vraag. 'Maar waarom zou een godsdienstwaanzinnige . . .?' Ze bleef in de woorden steken. 'Waarom ik?'

'Hij scheen te denken dat je met Gods wetten aan het knoeien was.'

'O.' Toen: 'Scheen? Hij is toch niet dood?'

'Nee, maar op het moment kan hij niet zo best denken. Hij leeft in een soort waas.'

Ze schudde haar hoofd. 'Er zijn bezwaren gemaakt tegen waar we mee bezig zijn, maar dat waren wetenschappelijke bezwaren. Paul Berg, Brenner, Singer en nog een paar hadden ernstige bezwaren tegen . . .' Opeens drong het werkelijk tot haar door. 'O, mijn God!' zei ze. 'Arme Gillian!'

124

Ze bleef een ogenblik stram zitten, haar handen stijf in elkaar gevouwen, en toen begon ze te rillen, waarbij de huiveringen door haar lichaam golfden. Ze kreunde – een jammergeluid – en viel toen naar voren op het bureau, met haar hoofd op haar armen. Haar schouders schokten krampachtig en ze huilde wild. Ik zag een wastafel in de hoek van de kamer, vulde een waterglas en liep snel terug naar het bureau, maar ik kon niet veel doen tot de eerste schok was afgenomen.

Het huilen werd minder intens en ik sloeg mijn arm om haar heen. 'Kalm maar. Drink eens.'

Ze hief, nog steeds snikkend, haar hoofd op en toonde me een met tranen besmeurd gezicht. 'O, Gillian! Er zou . . . niets met haar . . . zijn . . . als ik . . . als ik niet . . .'

'Ssst,' zei ik. 'Schei uit. En drink op.'

Ze dronk wat water, zei toen: 'O, Malcolm; wat moet ik doen?'

'Doen? Er valt niets te doen. Je gaat gewoon door met wat je aan het doen was.'

'O nee. Hoe zou ik dat kunnen?'

Ik zei met nadruk: 'Je kunt jezelf met geen mogelijkheid de schuld geven van wat er met Gillian gebeurd is. Als je dat doet maak je jezelf kapot. Je bent niet verantwoordelijk voor de daad van een gestoorde man.'

'O, ik wou dat ik het geweest was,' riep ze uit.

'Nee, dat meen je niet,' zei ik scherp. 'Zeg dat nooit weer.'

'Hoe moet ik het haar zeggen?'

'Je zegt haar niets. Niet tot ze beter is – en dan nóg.' Ze begon weer te huilen en ik zei: 'Penny, beheers je – ik heb je hulp nodig.'

'Wat kan *ik* doen?'

'Je kunt jezelf opknappen,' zei ik. 'Dan kun je Lumsden hier roepen, want ik wil jullie allebei een paar vragen stellen.'

Ze snoof nog wat, vroeg toen: 'Wat voor vragen?'

'Je krijgt ze te horen als Lumsden hier is. Ik heb geen zin het twee keer te doen. We weten nog steeds niet waarom je vader is weggegaan, maar het schijnt in gang gezet te zijn met die aanval met zuur, dus moeten we er zoveel mogelijk van te weten zien te komen.'

Ze ging naar de wastafel en waste haar gezicht. Toen ze er weer toonbaar uitzag, belde ze Lumsden. Ik zei: 'Ik heb liever niet dat je iets over je vader zegt waar Lumsden bij is.' Daar zei ze niets op en ze ging achter het bureau zitten.

Toen Lumsden binnenkwam, wierp hij één blik op Penny's rode ogen en bleke gezicht, toen keek hij mij aan. 'Wat is er gebeurd? En wie bent u?'

'Ik ben Malcolm Jaggard en ik ben een soort politieman, professor.' Om hem er van te weerhouden naar mijn legitimatie te vragen, voegde ik eraan toe: 'En ik ben ook Penny's verloofde.' Penny maakte geen bezwaar tegen die verklaring, maar Lumsden toonde verbijstering. 'O, ik wist niet . . .'

'Pas sinds kort,' zei ik. 'U weet uiteraard van die aanval met zuur op Penny's zusje?'

'Ja, een afschuwelijke zaak.'

Ik vertelde hem over Mayberry en hij keek zeer ernstig. 'Dat is erg,' zei hij. 'Het spijt me verschrikkelijk, Penny.' Ze knikte zonder iets te zeggen.

'Ik zou willen weten of iemand van uw afdeling bedreigd is – anonieme brieven, telefoontjes of dat soort dingen.'

Hij haalde zijn schouders op. 'Er zijn altijd gekken. We besteden meestal geen aandacht aan ze.'

'Misschien is dat fout,' zei ik. 'Ik zou graag wat bijzonderheden horen. Bewaart u dat soort brieven? Zo ja, dan wil ik ze hebben.'

'Nee,' zei hij spijtig. 'Die worden meestal weggegooid. Ziet u . . . eh . . . inspecteur?'

'Meneer.'

'Nou, meneer Jaggard, de meeste van de brieven van die gekken zijn geen dreigbrieven – gewoon wartaal, meer niet.'

'Waarover?'

'Over zogenaamde wandaden jegens God. Een hoop bijbelse citaten, meestal uit Genesis. Precies wat je kunt verwachten.'

Ik vroeg Penny: 'Heb jij dergelijke brieven ontvangen?'

'Een paar,' zei ze zacht. 'Geen dreigbrieven. Ik heb ze weggegooid.'

'Ook telefoontjes? Hijgen en zo?'

'Eén keer, ongeveer een halfjaar geleden. Na een maand is hij ermee opgehouden.'

'Wat zei hij?'

'Wat Lummy net vertelde. Precies wat je verwachten kunt.'

'Ben je hier of thuis opgebeld?'

'Hier. Thuis heb ik een geheim nummer.'

Ik wendde me tot Lumsden. 'Jullie zeggen allebei hetzelfde –

"Precies wat je verwachten kunt". Wat kun je verwachten, professor Lumsden?'

'Nou, gezien ons werk hier . . .' Hij wapperde veelzeggend met zijn handen.

We stonden nog steeds. Ik zei: 'Ga zitten, professor, en vertel me eens iets over uw werk, althans wat u kunt zonder de Wet op Geheimhouding te overtreden.'

'De Wet op Geheimhouding overtreden! Daar is geen sprake van – hier niet.'

'In dat geval zult u er geen bezwaar tegen hebben me iets te vertellen, wel?'

'Het lijkt me niet,' zei hij twijfelend en ging zitten.

Hij bleef even zwijgen om zijn gedachten te ordenen, en ik wist wat er in hem omging. Hij was op zoek naar ongebruikelijk eenvoudige woorden om ingewikkelde ideeën uit te leggen aan een onwetenschappelijke boer. Ik zei: 'Ik begrijp woorden van drie lettergrepen – zelfs vier lettergrepen als ze langzaam worden uitgesproken. Ik zal u helpen. De basis van erfelijkheid is het chromosoom; in het chromosoom bevindt zich een zuur dat DNA wordt genoemd. Een ding dat gene wordt genoemd is de uiteindelijke factor die heel specifiek is; er zijn afzonderlijke genen voor het leveren van de verschillende chemicaliën die nodig zijn voor het organisme. Je kunt de genen zien als kralen aan een spiraalvormige ketting maar dan geregen aan een streng van DNA. Tenminste, zo stel ik het me voor. Daar houdt het voor mij mee op, dus kunt u beter verder gaan.'

Lumsden glimlachte. 'Niet gek, meneer Jaggard; helemaal niet gek.' Hij begon te praten, aanvankelijk aarzelend, toen sneller. Hij weidde nogal uit en een enkele keer moest ik hem onderbreken en op het juiste spoor terugbrengen. Andere keren liet ik hem met eenvoudiger woorden uitleggen wat hij bedoelde. De fundamentele ideeën waren tamelijk simpel, maar ik begreep dat de uitvoering ervan in het laboratorium volstrekt niet zo simpel was.

Het kwam hier op neer: een streng DNA bevat vele duizenden genen, en elk gene verricht zijn eigen werk, zoals bijvoorbeeld het beheersen van de produktie van cholinesterase, een chemisch produkt dat de elektrische handelingen in het zenuwstelsel regelt. Er zijn duizenden soortgelijke chemische produkten en elk heeft zijn eigen gene.

De moleculaire bioloog heeft bepaalde enzymen ontdekt waarmee

127

een streng DNA in korte stukjes kan worden gehakt, en andere enzymen waarmee de korte stukjes weer aan elkaar gelast kunnen worden. Ze hebben ook ontdekt dat ze een kort stukje DNA kunnen vastlassen aan een bacteriofaag, een minuscuul organisme dat in staat is de celwand te doorboren. Eenmaal binnen, worden de genen losgekoppeld en ondergebracht in het DNA van de gastcel.

Zo gesteld klinkt het nogal eenvoudig, maar de implicaties zijn fantastisch, en Lumsden legde daar de nadruk op. 'Ziet u, de genen die je in een cel onderbrengt hoeven niet van hetzelfde soort dier te komen. In dit laboratorium hebben we bacteriënkweken die genetisch materiaal van muizen bevatten. Nou is een bacterie een bacterie en een muis is een zoogdier, maar onze kleine vrienden zijn deels bacterie en deels zoogdier.'

'Het afbreken van het zaad, verschillende soorten door elkaar mengen en fantasiewezens scheppen,' overwoog ik.

'Zo zou je het misschien kunnen zeggen,' zei Lumsden.

'Ik heb het niet zo gezegd,' zei ik. 'Dat was Mayberry.' In dat stadium begreep ik de zin niet. 'Maar wat heb je eraan?'

Lumsden fronste alsof ik traag van begrip was, en dat zal ook wel zo zijn geweest. Penny zei: 'Lummy, wat denk je van *Rhizobium*?' Zijn gezicht klaarde op. 'Ja, dat is een goed voorbeeld.'

Hij zei dat hoewel planten behoefte hebben aan stikstof om te groeien, ze het niet uit de lucht kunnen halen, hoewel de lucht voor 78 procent uit stikstof bestaat. Ze hebben het nodig in de vorm van nitraten die, bij door de mens geplante gewassen, meestal worden verspreid in de vorm van kunstmest. Maar er is een reeks planten, vooral de peulvruchten – erwten, bonen en zo – die in hun wortels de *Rhizobium*-bacterie vertonen. Dit organisme heeft het vermogen om de atmosferische stikstof om te zetten in een vorm waarvan de plant gebruik kan maken.

'Goed,' zei Lumsden, 'alle planten hebben bacteriën in hun wortels en sommige zijn heel bijzonder. Stel dat we de *Rhizobium*-bacterie nemen, de gene isoleren die de eigenschap van de stikstofomzetting beheerst, en die overbrengen op een bacterie die eigen is aan graan. Dan krijgen we, als die goed gekweekt wordt, graan dat zichzelf bemest. In deze tijd van voedseltekorten over de hele wereld lijkt het me de moeite waard om zo iets te hebben.'

Dat leek mij ook, maar Penny zei: 'Het kan behoorlijk gevaarlijk zijn. Je moet er verdomd zeker van zijn dat je de juiste gene hebt gekozen. Een paar van de *Rhizobium*-genen zijn tumor-verwekkend. Als je er zo een te pakken neemt zou de wereldgraanoogst aan kanker kapot kunnen gaan.'

'Ja,' zei Lumsden. 'We moeten heel zeker zijn voor we onze in het laboratorium gemuteerde organismen vrijgeven. Nog niet zo lang geleden is daar een hoop deining over ontstaan.' Hij stond op.

'Nou, meneer Jaggard, was dat wat u weten wilde?'

'Ik geloof van wel,' zei ik. 'Maar ik weet niet of ik er iets mee kan doen. Bedankt voor uw tijd, professor.'

Hij glimlachte. 'Als u meer informatie wilt hebben, raad ik u aan het Penny te vragen.' Hij keek haar aan. 'Ik raad je aan vandaag vrij te nemen, Penny. Je hebt een akelige schok gehad – je ziet er niet zo best uit.'

Ze rilde. 'De gedachte dat er mensen in de wereld zijn die je zo iets willen aandoen is verontrustend.'

'Ik breng je thuis,' zei ik zacht. 'Jack Brent kan ons in jouw auto volgen.' Ze maakte geen tegenwerpingen en ik wendde me tot Lumsden. 'Ik geef u in overweging alle anonieme brieven – hoe onschuldig ze ook lijken – door te sturen naar de politie. En ook telefoontjes moeten gemeld worden.'

'Ik ben het met u eens,' zei hij. 'Ik zal ervoor zorgen.'

En vervolgens bracht ik Penny thuis.

17

Mijn verhouding met Penny werd beter al hadden we het geen van beiden over trouwen. De schok van Mayberry's vergissing had verlammend gewerkt en ik bleef in haar buurt en hielp haar en vervolgens deed mijn nabijheid de rest. Lumsden overreedde haar aan het werk te blijven en haar leven volgde een driehoeksroute – haar huis, haar werk en het ziekenhuis waar Gillian verbleef.

Mayberry werd grondig onderzocht door een ploeg psychiaters en door Mansell, de beste ondervrager van de afdeling, een vriendelijk pratende man die de sterretjes van de hemel kletste. Ze kwamen allen tot dezelfde conclusie: Mayberry was precies wat hij leek te zijn – een gek.

'En nog een lafaard ook,' zei Mansell. 'Hij wilde eerst Lumsden te pakken nemen, maar het leek hem dat een vrouw makkelijker was.'

'Waarom had hij het op het lab van Lumsden voorzien?' vroeg ik.

'Een natuurlijke keuze. Ten eerste is Lumsden erg bekend – hij is niet zo afkerig van de pers als een hoop wetenschappers. Zijn naam staat vaak in de krant. Ten tweede heeft hij niet verborgen gehouden wat hij aan het doen is. Als je een geneticus bij de hand wilde hebben, was Lumsden de eerste aan wie je zou denken.'

Mayberry vormde een volslagen blinde muur.

Wat het probleem opwierp dat Ogilvie en ik hadden voorzien. Als de aanval met zuur een willekeurige daad was geweest, waarom was Ashton dan ondergedoken? Dat sloeg nergens op.

Toen Mayberry eenmaal was uitgeschud werd de bewaking van Penny en Gillian opgeheven en mijn mensen kregen ander werk. Ogilvie had al te weinig mankracht en de ploeg die het geval-Ashton onderzocht werd teruggebracht tot één persoon – ik, en ik verknoeide een hoop tijd aan het natrekken van de verkeerde figuren. Ashtons onderduikplaats was uitstekend verborgen.

En zo verstreken de weken en maanden. Gillian ging van het ene ziekenhuis naar het andere en ten slotte kwam ze thuis waar ze zich redde met een kwart van haar normale gezichtsvermogen. Zij en Penny maakten plannen om naar de Verenigde Staten te gaan waar ze plastische chirurgie zou ondergaan om haar geschonden gezicht te laten herstellen.

Toen ik Penny een keer had overgehaald met me te gaan eten, vroeg ze: 'Wat heb je in die grote kluis van paps gevonden?'

Het was de eerste keer dat ze belangstelling toonde. 'Niets.'

'Je liegt.' Een spoor van kwaadheid.

'Ik heb nog nooit tegen je gelogen, Penny,' zei ik ernstig. 'Nog nooit. Ik heb misschien wel eens iets verzwegen, maar nooit iets onwaars gezegd. Misschien ben ik schuldig aan *suppressio veri*, maar niet aan *suggestio falsi*.'

'Je klassieke opleiding komt om de hoek kijken,' zei ze kattig, maar ze glimlachte terwijl ze het zei en haar boosheid was gezakt. 'Gek. Waarom zou paps zo'n ding laten aanbrengen als hij het niet gebruikt? Misschien heeft hij het gedaan maar vond hij het te lastig.'

'Voor zover we kunnen bekijken is die kluis nooit gebruikt,' zei ik. 'Het enige dat erin zat was muffe lucht en wat stof. Mijn baas is er helemaal door verbluft.'

'O, Malcolm, ik wou dat ik wist waarom hij verdwenen is. Het is nu al drie maanden geleden.'

Ik maakte de gebruikelijke sussende geluidjes en leidde haar aandacht af. Na een poosje vroeg ze: 'Weet je nog dat je me toen verteld hebt wat je echt voor werk doet? Je had het over ene Lord Cregar.'

'Dat klopt.'

'Hij is bij Lumsden geweest.'

Dat interesseerde me. 'O ja? Waarom?'

Ze schudde haar hoofd. 'Dat heeft Lummy niet gezegd.'

'Ging het over Mayberry?'

'O nee. De eerste keer dat hij op bezoek kwam was vóór je ons iets over Mayberry verteld had.' Ze fronste. 'Dat was twee of drie dagen nadat je de kluis geopend had.'

'Niet twee of drie weken?'

'Nee – een paar dagen. Wie is Lord Cregar?'

'Een hoge regeringspiet, geloof ik.' Ik had haar kunnen vertellen dat Cregar een kwart eeuw tevoren haar vader uit Rusland had gesmokkeld, maar dat deed ik niet. Als Ashton zijn dochters had willen laten weten van zijn Russische verleden zou hij het hun wel verteld hebben, en het was niet mijn zaak om dat te onthullen.

131

Trouwens, ik kon niets zeggen dat onder Code Zwart geregistreerd stond; dat zou gevaarlijk zijn voor mij, voor Ogilvie en misschien voor Penny zelf. Ik werd geacht er niets van te weten.

Niettemin was het merkwaardig dat Cregar bij Lumsden was geweest vóór we iets van Mayberry wisten. Was er een band tussen Ashton en Lumsden – afgezien van Penny – die we niet doorzien hadden?

Ik ving de blik van een langslopende ober op en vroeg om de rekening. Terwijl ik mijn koffie uitdronk zei ik: 'Het is waarschijnlijk niet belangrijk. Laten we maar naar Gillian gaan.'

Ogilvie liet me de volgende ochtend bij zich komen. Hij pakte een envelop, haalde er een foto uit en schoof me die over het bureau toe. 'Wie is dat?'

Hij droeg een dikke jas en een ronde bontmuts met van die oorkleppen die over de oren getrokken kunnen worden. Waar hij zich bevond sneeuwde het; er waren witte strepen op de foto die duidelijk een tijdopname was.

Ik zei: 'Dat is George Ashton.'

'Nee,' zei Ogilvie. 'Zijn naam is Fjodor Koslov en hij woont in Stockholm. Hij heeft een huisknecht, een al wat oudere knaap die Howell Williams heet.' Er gleed een tweede foto over het bureau.

Ik wierp er een blik op en zei: 'Dat is geklets. Dit is Benson. Waar heb je die te pakken gekregen?'

'Ik wil dat je je overtuigt,' zei Ogilvie. Hij pakte een stapeltje foto's en maakte er een waaier van. 'Zoals je weet hadden we een paar slechte foto's van Ashton en helemaal geen van Benson. Jij bent de enige figuur van de afdeling die ze kan identificeren.'

Op alle foto's stond Ashton of Benson en op één ervan stonden ze beiden. 'Positieve identificatie,' zei ik beslist. 'Ashton en Benson.'

Ogilvie was tevreden. 'Bepaalde aanverwante afdelingen zijn behulpzamer dan sommige andere,' merkte hij op. 'Ik heb de foto's van Ashton laten circuleren. Deze zijn teruggekomen van een zekere Henty in Stockholm. Hij schijnt goed met een camera overweg te kunnen.'

'Hij is uitstekend.' De foto's waren ongedwongen – candidcamerawerk – en zeer scherp. 'Ik hoop dat hij voorzichtig is geweest. Ze mogen niet nog een keer onderduiken.'

'Jij gaat naar Stockholm en zet het werk van Henty voort. Hij heeft opdracht om je te helpen.'

Ik keek naar de gure Londense lucht buiten en rilde. Om deze tijd van het jaar zag ik niet veel in Stockholm. 'Moet ik contact opnemen met Ashton? Moet ik het hem van Mayberry vertellen en hem overreden naar huis te gaan?'

Ogilvie dacht na. 'Nee. Hij zit te dicht in de buurt van Rusland. Hij zou er door kunnen worden overvallen als hij hoort dat de Engelse inlichtingendienst nog steeds belangstelling voor hem heeft – het zou hem tot iets doms kunnen drijven. Dertig jaar geleden had hij een lage dunk van ons en misschien is dat er niet beter op geworden. Nee, je houdt hem gewoon in het oog en probeert erachter te komen wat hij uitspookt.'

Ik pakte het velletje papier met Henty's adres en telefoonnummer in Stockholm, vroeg toen: 'Kun jij je een band tussen Cregar en professor Lumsden indenken?' Ik vertelde hem het verhaal van Penny.

Ogilvie tuurde naar het plafond. 'Af en toe hoor ik wel eens een roddel. Er zou een band kunnen bestaan, maar die heeft niets met Ashton te maken. Het *kan* niets met Ashton te maken hebben.'
'Waarom niet?'

Hij rukte zijn schijnbare aandacht los van de elektriciteitsdraden en keek me aan. 'Malcolm, je begint al te veel te weten – meer dan goed voor je is. Maar ik zal je een plezier doen omdat het, zoals ik al zei, roddels zijn. Toen deze afdeling werd opgericht is Cregar een flinke portie afgenomen zodat zijn ploeg behoorlijk werd gereduceerd en toen is hij in een andere richting aan het organiseren gegaan. Het verhaal gaat dat hij zwaar betrokken is bij CBO – dat zou zijn eventuele belangstelling voor Lumsden verklaren.'

En hoe! Chemische en bacteriologische oorlogvoering en wat Lumsden aan het doen was paste als een hand in een handschoen. 'Zit hij nog bij de veiligheidsdienst?'

'Nee, hij is hoofd van zijn afdeling en bemiddelt tussen de minister en de jongens van de wetenschap. Met zijn ervaring houdt hij natuurlijk ook de veiligheidstouwtjes in handen.'

Ik kon me Cregar voorstellen terwijl hij tevreden een voorheen onschuldige microbe bestudeerde die nu door een genetische ingreep was toegerust voor dood en verderf. 'Heeft hij iets te maken met de mensen van Porton Down?'

'Het ministerie van Defensie gaat Porton Down opheffen,' zei

Ogilvie. 'Ik weet niet waar Cregar zijn goocheltrucs op leven en dood uithaalt. Microbiologie is niet zo iets als de nucleaire wetenschap; je hebt geen deeltjesaanjager van honderd miljoen pond en een krachtcentrale voor een flinke stad nodig. Het laboratorium en de investeringen zijn allebei betrekkelijk klein, en Cregar heeft, voor zover ik weet, misschien wel her en der een dozijn laboratoria. Hij praat er niet over – met mij niet, tenminste.'

Ik dacht erover na, probeerde een band met Ashton te ontdekken, maar slaagde er niet in. Alleen Penny bleef over, en dat zei ik. Ogilvie vroeg: 'Heeft Cregar met haar gepraat?'

'Nee.'

'Ik zei al dat het niets met Ashton te maken kan hebben,' zei hij.

'Goed, jij gaat nu naar Zweden.'

Ik wilde nog iets aanroeren. 'Ik wil graag meer over Benson weten. Hij staat waarschijnlijk onder Code Zwart geregistreerd.'

Ogilvie keek me toen peinzend aan, zei niets, maar liep achter het bureau om. Toen hij terugkwam schudde hij zijn hoofd. 'Je moet je vergissen. Benson staat niet geregistreerd. Niet eens onder Code Groen.'

'Maar ik ben hem tot aan Code Paars nagegaan,' zei ik. 'Iemand heeft met de klote-computer zitten knoeien.'

Ogilvies mond verstrakte. 'Onwaarschijnlijk,' zei hij kortaf.

'Hoe onwaarschijnlijk?'

'Het is niet makkelijk om een computer te misleiden. Daar heb je een deskundige voor nodig.'

'Van deskundigen gaan er twaalf in een dozijn – en je kunt ze kopen.'

Ogilvie was duidelijk niet op zijn gemak. Traag zei hij: 'Wij zijn niet de enige afdeling die gebruik maakt van die computer. Ik dring al jaren aan op een eigen computer, maar zonder resultaat. Er zijn andere afdelingen . . .' Hij zweeg en ging zitten.

'Wie bepaalt welk materiaal aan de dossiers wordt toegevoegd – of eruit gehaald?'

'Er is een interdepartementale beoordelingscommissie die elke maand bij elkaar komt. Niemand mag er zonder toestemming van die commissie iets instoppen of uithalen.'

'Iemand heeft Benson eruit gehaald,' zei ik. 'Of, wat waarschijnlijker is, hij is geblokkeerd. Ik ben er zeker van dat iemand er een klein sub-programma ingestopt heeft dat moeilijk te vinden is – en dat als er naar Benson gevraagd wordt zegt dat er niemand met die naam is.'

'Nou, dat moet ik dan regelen,' zei Ogilvie. 'Er is vrijdag vergadering van de beoordelingscommissie waar ik ze eens iets zal vertellen.' Hij stak zijn vinger naar me uit. 'Maar daar weet jij niets van. Ga weg. Ga naar Zweden.'

Ik stond op om weg te gaan maar bleef bij de deur staan. 'Ik zàl je iets geven om over na te denken. Ik ben bij de Ashtonzaak betrokken geraakt toen ik Nellie naar Ashton vroeg. Twee uur later stond ik bij jou op het matje en stelde Cregar lastige vragen. Was Cregar ermee naar jou gekomen?'

'Ja.'

'Binnen de twee uur? Hoe wist hij wie er naar Ashton had gevraagd als de computer het hem niet verklapt heeft? Ik geloof niet dat je erg ver hoeft te zoeken naar de knaap die met de computer knoeit.'

Ik ging weg en liet Ogilvie bepaald bezorgd achter.

18

Het was in die periode van het jaar donker en koud in Stockholm. Zolang ik in Zweden was hield het niet op met sneeuwen; meestal geen zware sneeuwval, maar een aanhoudende poedersneeuw die uit loodgrijze wolken viel alsof God daarboven bezig was met een reusachtige meelzeef. Ik had een kamer in het Grand Hotel waar het warm genoeg was, en nadat ik Henty had opgebeld keek ik over de bevroren Strömmen uit naar het koninklijk paleis.

Edward-VII hield niet van Buckingham Palace en noemde het 'die vervloekte fabriek'. Er is niet bekend of hij iets over het paleis in Stockholm heeft gezegd, maar die middag leek het op een duistere, satanische fabriek.

Er waren zwanen op de Strömmen die ongemakkelijk op het ijs waggelden en dicht opeengepakt zaten om warm te blijven. Er zat een zwaan op een ijsschots die naar de Riddarfjärden dreef; ik keek hem na tot hij verdween onder de Strömbrug, draaide me toen om en voelde me opeens koud ondanks de centrale verwarming. Een winters Zweden heeft die uitwerking op me.

Henty kwam naar het hotel en we wisselden legitimatiebewijzen uit. 'We hebben niet veel te maken met jullie ploeg,' merkte hij op terwijl hij me mijn kaart teruggaf. Hij had een zwaar koloniaal accent.

'We komen niet veel buiten Engeland,' zei ik. 'Het grootste deel van ons werk is contraspionage. Dit geval ligt iets anders. Als je me bij George Ashton kunt brengen koop ik een krat Foster voor je.'

Henty knipperde met de ogen. 'Dat is lekker bier. Hoe wist je dat ik Australiër was? Ik ben er in geen twintig jaar geweest. Dat accent moet ik nu toch wel kwijt zijn.'

Ik grinnikte. 'Ja, je hebt erg goed Engels leren spreken. Waar is Ashton?'

Hij liep naar het raam en wees naar het koninklijk paleis. 'Daarachter. In Gamla Stan.'

Gamla Stan – de Oude Stad. Een doolhof van smalle straten die zich tussen de oude huizen slingeren en dé plek om in Stockholm te wonen. Er wonen ministers en filmregisseurs – als ze het kunnen betalen. Het koninklijk paleis is Gamla Stan nr. 1. Ik vroeg: 'Hoe heb je hem gevonden?'

'Ik had een paar rottige foto's van Londen gekregen en op de dag dat ik ze ontving liep ik op de Vasabron zo maar tegen die vent op.' Henty haalde zijn schouders op. 'Een toeval, dus.'

'Volgens de statistische wetten moeten we af en toe geluk hebben,' merkte ik op.

'Hij heeft een flat vlak bij de Västerlånggatten. Hij geeft zich uit voor een Rus, Fjodor Koslov – wat een vergissing is.'

'Hoezo?'

Henty fronste. 'Het is een aanwijzing – voldoende om ervoor te zorgen dat ik foto's van hem maak en naar Londen stuur. Er is iets raars aan de manier waarop hij Russisch spreekt – het klinkt niet natuurlijk.'

Ik dacht erover na. Nadat hij dertig jaar geen Russisch had gesproken zou Ashton er moeite mee hebben; het is bekend dat er mensen zijn die hun moedertaal geheel vergeten hebben. 'En woont Benson bij hem in de flat?'

'Benson? Is dat hem? Hij noemt zich hier Williams. Een oudere man; ziet er een beetje als een boef uit. En in elk geval is hij Engels.'

'Hoe kan ik hem te zien krijgen?'

Henty haalde zijn schouders op. 'Ga naar Gamla Stan en blijf bij die flat rondhangen tot ze eruit komen – of er naar binnen gaan.'

Ik schudde mijn hoofd. 'Kan ik niet doen. Ze kennen me en ik wil niet dat ze me zien. Wat is jouw status hier?'

'Ik ben loopjongen,' zei Henty met een scheef lachje. 'Ik ben de jongste partner in een im- en exportzaak. Ik heb een lijntje met de ambassade, maar dat is alleen voor noodgevallen. De diplomaten hier zijn niet zo dol op ons soort jongens, ze vinden dat wij last veroorzaken.'

'Misschien hebben ze wel gelijk,' zei ik droog. 'Wie moet ik spreken op de ambassade?'

'Een tweede secretaris, ene Cutler. Een bekakte zak.' Henty leek me een spijkerharde jongen.

'Wat voor hulp is er, behalve van de ambassade, te krijgen?'

'Hulp!' Henty grinnikte. 'Je staat oog in oog met de hulp – ik. Ik heb alleen opdracht de zaak in de gaten te houden – wij zijn niet op actie ingesteld.'

'Dan moet het dus van de ambassade komen.'

Hij kuchte, vroeg toen: 'Wie is die Ashton precies?' Ik keek hem zwijgend aan, tot hij zei: 'Als het zó moet...'

'Zo gaat het toch altijd?'

'Dat zal wel,' zei hij somber. 'Maar ik wou dat ik voor één keertje eens wist wat ik aan het doen was.'

Ik keek op mijn horloge. 'Ik heb net tijd om naar Cutler te gaan. Intussen kun jij Ashton en Benson in het oog houden. Breng hier of op de ambassade rapport aan me uit. En een heel belangrijk punt – maak ze niet kopschuw.'

'Oké – maar ik geloof niet dat je van Cutler veel wijzer zult worden.'

Ik glimlachte. 'Ik zou niet graag zien dat jij óf Cutler daar een weddenschap op afsloot.'

De ambassade bevond zich op Skarpögaten, en Cutler bleek een lange, slanke, blonde man van ongeveer mijn leeftijd te zijn, uiterst Engels. Hij was hoffelijk maar nogal afstandelijk, alsof hij werd beziggehouden door andere, en belangrijkere, overwegingen die een niet-diplomaat eenvoudig niet kon begrijpen. Deze onvolgroeide Metternich deed me sterk denken aan een winkelbediende in een van die snobistische Londense zaken.

Toen ik hem mijn kaart gaf – de speciale kaart – verstrakten zijn lippen en kil zei hij: 'U bent ver uit uw wijk, meneer Jaggard. Wat kunnen we voor u doen?' Hij klonk alsof er niets was dat hij ooit voor me zou kunnen doen.

Vriendelijk zei ik: 'We zijn iets kwijtgeraakt en dat zouden we graag terug hebben – met uw hulp. Maar het wachtwoord is tact.' Ik vertelde hem de blote, minimale feiten over Ashton en Benson. Toen ik klaar was zag hij er een tikje verbluft uit. 'Maar ik zie niet in hoe...' Hij zweeg en begon opnieuw. 'Hoor eens, meneer Jaggard, als deze man besluit met zijn huisknecht Engeland te verlaten om naar Zweden te gaan en daar onder een andere naam te leven, zie ik niet in wat wij daar aan kunnen doen. Ik geloof niet dat het volgens de Zweedse wet een vergrijp is om onder een andere naam te leven; in Engeland is het dat zeker niet. Wat wilt u precies?'

'Wat mankracht,' zei ik. 'Ik wil dat Ashton in de gaten wordt gehouden. Ik wil weten wat hij doet en waarom hij het doet.'

'Geen sprake van,' zei Cutler. 'We kunnen geen mensen missen voor dat soort politiewerk. Ik begrijp echt niet wat uw interesse voor de man is op grond van wat u me verteld hebt.'

'Meer mag u niet weten,' zei ik bot. 'Maar neem van mij aan – Ashton is een linke.'

'Ik ben bang dat ik het niet kan doen,' zei hij kil. 'Dacht u werkelijk dat we eropaf springen als een onbekende hier binnenkomt met een zo onwaarschijnlijk verhaal?'

Ik wees naar mijn kaart die nog op het vloeiblad voor hem lag. 'Ondanks dat ding?'

'Ondanks dat ding,' zei hij, maar ik geloof eigenlijk dat hij bedoelde dank zij dat ding. 'Ik sta verbaasd van jullie. Jullie denken allemaal dat je James Bond bent. Nou, ik geloof niet dat ik optreed in een mooie kleurenfilm, al doet u dat wel.'

Ik was niet van plan met hem te argumenteren. 'Mag ik even telefoneren?'

Hij fronste, probeerde een goede reden te bedenken om het me te weigeren, daarom voegde ik eraan toe: 'Ik zal het betalen.'

'Dat is niet nodig,' zei hij kortaf en duwde zijn telefoon naar me toe.

Een van onze bollebozen heeft me eens gevraagd wat de grootste machinerie van de wereld was. Na enkele verkeerde antwoorden gaf ik het op en hij zei: 'Het internationale telefoonsysteem. Er zijn 450 miljoen telefoons op de wereld, en 250 miljoen ervan werken automatisch – daar komt geen hand in een centrale aan te pas.' We mogen dan wel kankeren op de tekortkomingen van plaatselijke centrales, maar binnen de anderhalve minuut had ik Ogilvie aan de lijn.

Ik zei: 'We hebben Ashton, maar er is een probleempje. Henty is in zijn eentje en ik kan me niet te dicht in de buurt wagen.'

'Goed. Vraag de ambassade om hulp. Hij moet in de gaten gehouden worden. Ga zelf niet naar hem toe.'

'Ik zit nu in de ambassade. Geen hulp in aantocht.'

'Hoe heet het obstakel?'

'Cutler – tweede secretaris.'

'Wacht even.' Er klonk geratel en in het verre Londen hoorde ik geritsel van papier. Even later zei Ogilvie: 'Het duurt ongeveer een halfuur. Ik zal het obstakel opblazen. En raak Ashton in Gods-naam niet kwijt.'

'Ik zal ervoor zorgen,' zei ik en hing op. Ik stond op en pakte mijn kaart van Cutlers vloeiblad. 'Ik logeer in de Grand. Daar kunt u me bereiken.'

'Ik kan me geen omstandigheid voorstellen waarin ik dat zou doen,' zei hij afstandelijk.

Ik glimlachte. 'Reken maar.' Opeens had ik genoeg van hem. 'Tenzij je de komende tien jaar paperclips in Samoa wilt gaan zitten tellen.'

In het hotel lag een briefje van Henty op me te wachten. 'Kom naar me toe in het Moderna Museet op Skeppsholmen.' Ik nam een taxi en was er in vijf minuten. Henty stond voor de hoofdingang met zijn handen diep in zijn zakken en de punt van zijn neus was blauw van de kou. Hij gebaarde met zijn hoofd naar het museum. 'Jouw jongen is in de cultuur gedoken.'

Dit moest behoedzaam worden aangepakt. Ik wilde niet op Ashton stuiten.

'Is Benson er ook?'

'Alleen Ashton.'

'Mooi zo. Ga naar binnen en zoek hem – kom dan terug.'

Henty ging naar binnen, ongetwijfeld blij om weer warm te worden. Vijf minuten later was hij terug. 'Hij bekijkt de Picasso's uit de blauwe periode.' Hij gaf me een plattegrond van de zalen en zette een kruisje bij de Picasso-galerie.

Ik ging behoedzaam het museum binnen. Op die koude wintermiddag waren er niet veel mensen in de zalen, wat jammer was omdat er nu geen menigte was om in onder te duiken. Aan de andere kant kon ik nu onbelemmerd kijken. Ik pakte mijn zakdoek, klaar om in noodgevallen mijn gezicht te bedekken, sloeg een hoek om en zag Ashton in de verte. Hij bekeek belangstellend een schilderij en toen hij zich omdraaide om naar het volgende doek te lopen kon ik zijn gezicht goed zien.

Tot mijn opluchting was het inderdaad Ashton. Er zou een enorme heisa van gekomen zijn als ik Cutler zonder reden getreiterd had.

19

Cutler reageerde alsof de duivel hem op de hielen zat. Een uur later, toen ik mijn botten liet ontdooien in een warm bad en medelijden had met Henty die Ashton nog steeds volgde, ging de telefoon om aan te kondigen dat hij in de hotelfoyer wachtte. 'Vraag hem boven te komen.' Ik droogde me snel af en trok een kamerjas aan.

Hij had twee mannen bij zich die hij voorstelde als Askrigg en Debenham. Hij verontschuldigde zich niet voor zijn houding van daarstraks en we zwegen erover. De hele tijd dat ik met hem te maken had handhaafde hij zijn ijzig keurige instelling van afkeuring; ik kon het hebben zolang hij deed wat hem gezegd werd, en snel óók, en daar had ik geen klagen over. Het enige probleem was dat hij en zijn mensen te kort schoten in professionalisme.

We kwamen meteen ter zake. Ik legde hun het probleem voor en Askrigg zei: 'Een volledige surveillance van twee mensen is een karwei voor zes man.'

'Minstens,' gaf ik toe. 'En daar zijn ik en Henty niet bij. Ashton en Benson kennen mij, dus dat gaat niet. Wat Henty betreft, die heeft genoeg gedaan. Hij heeft Ashton voor ons gevonden en loopt sindsdien met bevroren ballen rond omdat hij hem in de gaten heeft gehouden. Ik trek hem terug zodat hij kan uitrusten en daarna hou ik hem als reserve.'

'Zes man,' zei Cutler weifelend. 'Nou ja, die zullen we wel kunnen vinden. Wat hebben we op het oog?'

'Ik wil alles van die twee weten. Waar ze naar toe gaan, wat ze eten, wie ze ontmoeten, of ze een bepaalde routine volgen, wat er gebeurt wanneer ze van die routine afwijken, naar wie ze schrijven – noem maar op, ik wil het weten.'

'Het lijkt me een hoop moeite voor een betrekkelijk onbelangrijke industrieel,' snoof Cutler.

Ik grinnikte en citeerde: ' "Vraag nooit waarom, sterf en zie niet om." Wat zou kunnen gebeuren omdat ze waarschijnlijk gewapend zijn.'

Hierop volgde een korte stilte waarin Cutler wat zat te schuiven. In zijn opvatting gingen diplomatie en vuurwapens niet samen. Ik zei: 'En nog iets: ik wil Ashtons flat van binnen bekijken, maar eerst moeten we hun routine nagaan zodat we het juiste moment kunnen kiezen.'

'Inbraak!' zei Cutler op holle toon. 'Daar mag de ambassade niet bij betrokken raken.'

'Dat gebeurt ook niet,' zei ik kortaf. 'Laat dat maar aan mij over. Goed, laten we aan de slag gaan.'

En op die manier werden Ashton en Benson in het oog gehouden en elke beweging werd opgemerkt. Het was zowel vermoeiend als frustrerend, zoals de meeste van dat soort operaties zijn. De twee mannen leidden een voorbeeldig leven. Ashton het leven van een heer in ruste; hij bezocht musea en galerieën, de schouwburg en de bioscoop, en bracht veel tijd door in boekhandels waar hij veel kocht, fictie en anderszins, voornamelijk biografieën. De boeken waren in een aantal talen waarbij Engels, Duits en Russisch overheersten. En al die tijd deed hij niets dan redelijkerwijs met werken kon worden aangeduid. Het was verbijsterend.

Benson was de volmaakte huisknecht. Hij deed de inkopen, verzorgde de wasserij en stomerij, en kookte bij de gelegenheden dat Ashton niet buiten de deur at. Hij had een café gevonden waar hij drie, vier keer per week naar toe ging, een *ölstuga* die wat intellectueler was dan de anderen omdat er geschaakt werd. Benson speelde enkele partijen en ging dan betrekkelijk vroeg weer weg. Geen van beiden schreef of ontving brieven.

Geen van beiden scheen bekenden te hebben, ze wisselden hoogstens wat woorden met dagelijkse passanten.

Geen van beiden deed iets ongewoons met één grote en indringende uitzondering. Alleen al hun aanwezigheid in Stockholm was ongewoon.

In het begin van de derde week, toen hun routine was vastgesteld, braken Henty en ik in de flat in. Ashton was naar de bioscoop en Benson speelde Bobby Fisher met een halve liter Carlsberg aan zijn elleboog en we hadden een uur of nog langer de tijd. We doorzochten de flat van boven tot onder en vonden weinig van belang.

De hoofdprijs was het paspoort van Ashton. Het was uitgegeven in Israël, drie jaar tevoren, en stond op naam van Fjodor Antonovitsj Koslov die in 1914 was geboren in Odessa. Ik fotografeerde alle bladzijden, ook die niet beschreven waren, en legde het terug waar ik het gevonden had. Een tweede vondst was het chequeboekje met souches. Ook dat fotografeerde ik grondig. Ashton gaf zijn geld vlot uit; zijn uitgaven beliepen bijna £ 500 per week.

De telefoon ging. Henty nam de hoorn op en zei voorzichtig: *'Vilket nummer vili ni ha?'* Er volgde een stilte. 'Oké.' Hij legde de hoorn neer. 'Benson heeft het café verlaten; hij is op de terugweg.'

Ik keek om me heen in de kamer. 'Alles op orde?'

'Ik dacht van wel.'

'Laten we dan gaan.' We gingen het huis uit en bleven in Henty's auto zitten tot Benson terugkwam. We wachtten tot hij naar binnen was, controleerden zijn escorte en vertrokken.

De volgende ochtend vroeg gaf ik Cutler de filmrolletjes en vroeg om negatieven en twee stel afdrukken. Ik kreeg ze binnen het uur en bestudeerde ze uitgebreid vóór mijn afgesproken telefoongesprek met Ogilvie. Het moest wel vooral afgesproken worden omdat hij een spraakomvormer moest hebben die overeenkwam met die van de ambassade.

Ik somde in het kort de positie tot dan toe op, zei toen: 'Een eventuele doorbraak moet door iets ongewoons – iets vreemds – komen en daar zijn er niet veel van. We hebben het Israëlische paspoort – ik zou graag willen weten of dat kosjer is. Ik zal je de foto's met de diplomatieke post sturen.'

'Je zegt dat het drie jaar geleden is verstrekt?'

'Klopt. Dat moet ongeveer in dezelfde tijd geweest zijn dat hier een bankrekening op de naam Koslov is geopend. De flat is een jaar later gehuurd, ook op naam van Koslov; hij was onderverhuurd tot vier maanden geleden tot Ashton erin trok. Onze vriend had alles voorbereid. Ik heb over bijna twee maanden de chequesouches nagegaan. Ashton doet zichzelf niets te kort.'

'Hoe gedraagt hij zich? Psychologisch gezien, bedoel ik.'

'Ik heb hem maar drie keer gezien en dan nog op afstand.' Ik dacht even na. 'Mijn indruk is dat hij meer ontspannen is dan toen ik hem het laatst in Engeland zag; minder onder druk.' Er scheen verder niet veel te zeggen te zijn. 'Wat moet ik nu doen?'

'Doorgaan,' zei Ogilvie kortaf.

Ik zuchtte. 'Dit kan wel weken duren – maanden. Als ik hem zelf eens benaderde? Ik hoef mijn camouflage niet te verbreken. Ik kan me laten toevoegen aan een handelsconferentie die volgende week plaatsvindt.'

'Niet doen,' zei Ogilvie. 'Hij is slimmer dan iedereen denkt. Hou hem alleen maar in de gaten; er gebeurt wel iets.'

Jawel, meneer Micawber, dacht ik, maar zei het niet. Wat ik zei was: 'Ik stuur de negatieven en afdrukken meteen per diplomatieke post.'

Er verstreken nog twee weken en er gebeurde niets. Ashton ging rustig zijn eigen weg en deed niets bijzonders. Ik bekeek hem nog eens uitgebreid en hij scheen het er op een wat linkse manier van te nemen. Dit was misschien de eerste vakantie die hij ooit had gehad zonder zorgen om het bedrijf dat hij had opgebouwd. Benson scharrelde de meeste ochtenden rond in de winkels en op de markten van Gamla Stan en deed zijn bepaald niet zuinige inkopen en we begonnen een aardig beeld te krijgen van de culinaire smaak van de *ménage* Ashton. En we schoten er geen bliksem mee op. Henty voerde zijn eigen werk uit waar ik maar niet te diepgaand naar vroeg. Ik weet wel dat hij bij de een of andere militaire inlichtingendienst werkte want hij vertrok voor een week en ging naar Lapland in het noorden waar het Zweedse leger wintermanoeuvres hield. Toen hij terugkwam sprak ik hem even en hij zei dat hij het druk zou hebben met het schrijven van een rapport.

Vier dagen later kwam hij bij me met verontrustend nieuws. 'Weet je dat er nog een ploegje meedoet aan het spel?'

Ik keek hem strak aan. 'Hoe bedoel je?'

'Ik ben een nieuwsgierig Aagje,' zei hij. 'Gisteravond ben ik in mijn uitgebreide vrije tijd gaan kijken of de jongens van Cutler het wel goed deden. Ashton trekt een hele trein voort – onze knaap volgt Ashton en een andere knaap volgt die van ons.' Ik wilde iets zeggen, maar hij stak zijn hand op. 'Dus ben ik Benson nagegaan en bij hem gebeurt hetzelfde.'

'Daar heeft Cutler niets van gezegd.'

'Hoe zou hij het moeten weten?' vroeg Henty minachtend. 'Of die andere jongens. Het zijn amateurs.'

Ik stelde de kritieke vraag. 'Wie?'

Henty haalde zijn schouders op. 'Ik zou zeggen de Zweedse inlichtingendienst. Die knapen zijn goed. Ze zijn geïnteresseerd in

144

iedereen met een Russische naam en nog meer geïnteresseerd als ze erachter komen dat hij onder surveillance is. Ze zullen zo langzamerhand het verband met de Engelse ambassade wel gelegd hebben.'

'Verdomme!' zei ik. 'We kunnen het beter niet tegen Cutler zeggen, anders krijgt hij een diplomatieke rolberoerte. Het lijkt me dat wij er nu moeten instappen.'

De volgende ochtend, toen Ashton zijn ochtendwandeling ging maken, waren we ter plekke. Ashton kwam te voorschijn en kreeg zijn eerste schaduw achter zich aan, Askrigg. Henty stootte me aan en wees naar de onbekende die de stoet aanvulde. 'Dat is onze grapjas. Ik steek de straat over en volg hem. Blijf jij aan deze kant en loop evenwijdig mee op zodat je ons allebei in het oog kunt houden.'

Lieve God, die Henty was goed! Ik probeerde zowel hem als de man die hij volgde in het oog te houden, maar Henty was vaak onzichtbaar ook al wist ik dat hij daar liep. Hij danste op en neer, liet de onderlinge afstand groter worden, dan weer kleiner, verdween in winkels en verscheen weer op onverwachte plekken en deed, kortom, zijn best om helemaal niet aanwezig te zijn. Twee of drie keer bevond hij zich zelfs vóór de man die hij schaduwde.

Het was een van Ashtons boekochtenden. Hij bezocht twee boekwinkels en bleef in beide ongeveer drie kwartier, toen ging hij met zijn buit naar een koffiehuis en bekeek zijn aankopen bij een kop koffie met gebak. Het was nogal gek. Het koffiehuis stond op de hoek van een huizenblok. Askrigg wachtte buiten terwijl schuin aan de overkant van de straat zijn volger met zijn voeten stampte om warm te blijven en ogenschijnlijk een etalage bekeek. Op de derde hoek stond Henty die min of meer hetzelfde deed, terwijl ik wacht hield op de vierde hoek. Mijn wake kreeg iets lachwekkends door de aard van de winkel waar ik zo gespannen naar keek. Henty stond voor een fotowinkel. De mijne verkocht doorzichtige lingerie van het soort dat beoogt de hartstocht op te wekken.

Ashton kwam naar buiten en de trein zette zich weer in beweging en hij voerde ons terug naar waar we begonnen waren, maar hij ging huiswaarts via de Vasabron bij wijze van afwisseling. Tot dusver was de hele zaak een mislukking, maar het zou beter worden. Onze man ging een sigarenwinkel binnen en ik volgde hem. Terwijl ik een pakje sigaretten kocht hoorde ik hem op zachte toon door de telefoon spreken. Ik kon niet horen wat hij zei, maar de intonatie was Engels noch Zweeds.

Hij verliet de winkel en liep de straat uit terwijl ik aan de overkant volgde. Honderd meter verderop stak hij over, daarom deed ik dat ook; toen wijzigde hij zijn koers. Hij voerde een, naar hij hoopte, onopvallende controle van Ashtons flat uit.

Een kwartier later deed zich de gebeurtenis voor waarop we hadden gewacht – zijn aflossing arriveerde. De twee mannen bleven enkele ogenblikken staan praten met in de koude lucht dampende adem, toen zette mijn mannetje er kwiek de pas in en ik volgde. Hij sloeg de hoek om die langs de achterkant van het koninklijke paleis voerde, en toen ik hem weer in het oog kreeg stond hij te marchanderen met een taxichauffeur.

Ik probeerde te bedenken hoe ik in het Zweeds 'Volg die auto!' moest zeggen toen Henty in zijn auto naast me opdook. Ik stapte in en Henty zei tevreden: 'Ik dacht dat hij dat wel zou doen. Voor vandaag hebben we allemaal genoeg gelopen.' Ik zei al dat hij goed was.

Dus volgden we de taxi door Stockholm, wat niet bijzonder moeilijk was, en evenmin was het ver. De taxi stopte voor een gebouw en onze man rekende af en ging naar binnen. Henty reed door zonder vaart te minderen. 'Dát is dát!' zei hij veelbetekenend. Ik draaide me om en keek achter me. 'Hoezo? Wat is dat voor een gebouw?'

'De godverdommese Russische ambassade.'

20

Ik verwachtte dat mijn rapport hieromtrent actie zou betekenen maar ik verwachtte niet dat het Ogilvie naar Stockholm zou brengen. Ik belde hem om drie uur 's middags en kort voor middernacht was hij in mijn kamer, en vier andere mensen van de afdeling waren over het hotel verspreid. Ogilvie pompte me droog, en ik besloot met te zeggen: 'Henty en ik hebben vanavond hetzelfde gedaan met de man die Benson volgde. Hij ging terug naar een flat in Upplandsgaten. Toen we het natrokken bleek hij een handelsattaché van de Russische ambassade te zijn.'

Ogilvie was ongewoon nerveus en besluiteloos. Hij beende heen en weer als een tijger in zijn kooi, met zijn handen op zijn rug; toen liet hij zich in een stoel ploffen. 'Verdomme nog aan toe!' zei hij explosief. 'Er zijn twee mogelijkheden.'

Ik wachtte, maar Ogilvie ging niet door op die mogelijkheden, daarom vroeg ik schroomvallig: 'Wat zijn de moeilijkheden?'

'Luister, Ashton heeft ons niet gegeven wat we hadden verwacht toen we hem uit Rusland haalden. O, hij heeft een hoop gedaan, maar op een zuiver zakelijke manier – niet de diepgaande wetenschappelijke ideeën waar we behoefte aan hadden. Dus waarom zou het ons iets kunnen schelen als hij geintjes uithaalt in Stockholm en de aandacht van de Russen trekt?'

Op een kille en berekenende manier beschouwd, was dat een goede vraag. Ogilvie zei: 'Ik zou hem in zijn sop laten gaar koken – en door de Russen laten oppikken – als er niet twee dingen waren. Het eerste is dat ik niet *weet* waarom hij gevlucht is, en het rotte is dat het antwoord gewoon onbelangrijk kan zijn. Het is waarschijnlijk alleen maar intellectuele nieuwsgierigheid van mijn kant en je mag van de belastingbetaler niet verlangen dat hij die financiert. Deze operatie kost een fortuin.'

Hij stond op en begon weer te ijsberen. 'Het tweede ding is dat ik die lege kluis niet van me kan afzetten. Waarom heeft hij die laten inbouwen als hij niet van plan was om hem te gebruiken? Heb je daar over nagedacht, Malcolm?'

'Ja, maar ik ben niet verder gekomen.'

Ogilvie zuchtte. 'De afgelopen maanden heb ik Ashtons dossier gelezen en herlezen tot ik er scheel van werd. Ik heb geprobeerd me in de gedachtengang van de man te verplaatsen. Wist je dat hij had voorgesteld om de identiteit van een dode Engelse militair over te nemen?'

'Nee. Ik dacht dat dat een idee van Cregar was.'

'Dat was Tsjeljoeskin. Terwijl ik zijn dossier zat te lezen begon ik in te zien dat hij als een goochelaar met afleidingsmanoeuvres werkt. Kijk maar hoe hij uit Rusland is weggekomen. Ik raak er meer en meer van overtuigd dat die kluis ook een afleidingsmanoeuvre is.'

'Een tikkeltje kostbaar,' zei ik.

'Daar hoeft Ashton zich geen zorgen over te maken – hij zwemt in het geld. Als hij iets heeft, heeft hij het ergens anders.'

Ik was geprikkeld. 'Waarom heeft hij die kluis om te beginnen dan laten maken?'

'Om degenen die hem openmaakte te laten weten dat dit het eind van de reis was. Dat er geen geheimen waren. Zoals ik al zei – een afleidingsmanoeuvre.'

'Dat is allemaal een beetje fantastisch,' zei ik. Ik was moe omdat het laat was en ik de hele dag hard gewerkt had. Te voet door de glibberige straten van Stockholm draven was niet mijn opvatting van een verzetje en ik had er genoeg van mee te leven met Ogilvies fantasieën met betrekking tot Ashton. Ik probeerde ter zake te komen door te vragen: 'Wat doen we nu met Ashton?' Hij was de baas en hij moest de beslissing nemen.

'Hoe zijn de Russen hier achter Ashton gekomen?'

'Hoe moet ik dat weten?' Ik haalde mijn schouders op. 'Ik heb zo'n gevoel dat ze lucht hebben gekregen van een met geld smijtende landgenoot die in Moskou onbekend is en dat ze daarom besloten hebben hem van nabij in de gaten te houden. Tot hun verbazing ontdekten ze dat de Engelse inlichtingendienst in hem geïnteresseerd is. Dat zou ze meteen aan het denken zetten.'

'Het kan, omdat ze zo achterdochtig zijn, ook zo zijn dat ze bij wijze van routine de Engelse ambassade in het oog hebben gehouden en gewaarschuwd werden door de ongebruikelijke activiteiten van Cutler en zijn mensen, die niet de slimst denkbare jongens zijn.' Ogilvie haalde zijn schouders op. 'Het doet er eigenlijk weinig toe hoe ze erachter zijn gekomen; het feit ligt er dát het zo is. Ze hebben Koslov ontdekt, maar, denk ik, nog niet het verband met Ashton gelegd – en zeker niet met Tsjeljoeksin.'

'Daar komt het zo ongeveer op neer. Ze komen van zijn leven niet achter Tsjeljoeskin. Wie zou het in zijn hoofd halen dertig jaar terug te gaan?'

'Hun dossiers gaan verder terug en ze moeten de vingerafdrukken van Tsjeljoeskin hebben. Als ze ooit een vergelijking maken met de afdrukken van Koslov, weten ze dat het niet Tsjeljoeskin was die in die brand is omgekomen. Dat zouden ze interessant vinden.'

'Maar is het waarschijnlijk?'

'Ik weet het niet.' Hij keek kwaad in mijn richting, maar ik geloof niet dat hij me zag; hij keek door me heen. 'Dat Israëlische paspoort is echt,' zei hij. 'Maar het is drie jaar geleden gestolen. De echte Koslov is een professor in de oude talen aan de universiteit van Tel Aviv. Hij is daar nu, bezig met het ontcijferen van in het Aramees geschreven rollen.'

'Weten de Israëli's van onze Koslov? Dat zou lastig kunnen worden.'

'Ik dacht het niet,' zei hij afwezig. Toen schudde hij geërgerd zijn hoofd. 'Jij ziet niet veel in mijn theorieën over Ashton, wel?'

'Nee, niet veel.'

De kwade blik verdiepte zich. 'Ik ook niet,' bekende hij. 'Het is gewoon één en al onzekerheid. Goed. Er zijn twee dingen die we kunnen doen. We kunnen ons terugtrekken en Ashton op eigen houtje laten zwemmen of verzuipen; of we kunnen hem er zelf uithalen.' Ogilvie keek me vol verwachting aan.

Ik zei: 'Dat is een beleidsbeslissing die ik niet kan nemen. Maar ik heb een paar opmerkingen. Ten eerste, de belangstelling van de Russen voor Ashton is aangewakkerd door ons en daarom beschouw ik ons als verantwoordelijk voor hem. Wat de rest aangaat – wat ik tot dusver van Ashton heb gezien bevalt me en, als God het wil, ga ik met zijn dochter trouwen.

Ik heb een persoonlijke reden om hem eruit te willen halen die niets te maken heeft met raden naar wat hij in dat merkwaardige brein van hem heeft gedaan.'

Ogilvie knikte ernstig. 'Klinkt redelijk. Dan komt het dus op mij neer. Als hij echt iets heeft en we laten hem aan de Russen over bega ik een ernstige fout. Als we hem eruit halen, waarbij we een

internationaal incident riskeren door de methodes die we misschien moeten toepassen, en hij blijkt niets te hebben, bega ik een
ernstige fout. Maar de eerste fout zou ernstiger zijn dan de tweede,
dus het antwoord is dat we hem eruit halen. De beslissing is
genomen.'

21

Ogilvie was gekomen met Brent, Gregory, Michaelis en, tot mijn verrassing, Larry Godwin, die er heel opgewekt uitzag omdat hij niet alleen weg was van zijn bureau maar in het buitenland was. We hadden een vroegochtendlijke bespreking om de details van de operatie door te nemen.

Tevoren had ik het nogmaals met Ogilvie opgenomen. 'Als ik nou eens naar Ashton ga en hem vertel dat de Russen achter hem aanzitten? Dan komt hij wel in beweging.'

'In welke richting?' vroeg Ogilvie. 'Als hij ook maar één ogenblik dacht dat de Engelse inlichtingendienst probeert hem te manipuleren zou ik niet graag zijn daden voorspellen. Hij zou het misschien zelfs beter vinden om terug te gaan naar Rusland. Heimwee is een Russische neurose.'

'Zelfs na dertig jaar?'

Ogilvie haalde zijn schouders op. 'De Russen zijn vreemde mensen. En heb je nagedacht over zijn houding tegenover jou? Hij zou meteen de verkeerde conclusie trekken – ik neem het risico van die explosie niet. Nee, het moet op een andere manier gebeuren.'

Ogilvie riep de vergadering tot de orde en schetste het probleem, keek vervolgens afwachtend om zich heen. Er hing een lange stilte terwijl iedereen nadacht. Gregory zei: 'We moeten hem van de Russen scheiden eer we iets anders kunnen doen.'

'Moeten we ervan uitgaan dat hij naar Rusland zou kunnen overlopen?' vroeg Brent.

'Niet als we voorzichtig zijn,' zei Ogilvie. 'Maar het is een mogelijkheid. Mijn eigen idee is dat hij misschien zelfs bang voor de Russen zou zijn als hij wist dat ze hem in de gaten hielden.'

Brent wierp een vraag in mijn richting. 'Hoe goed zijn de Russen hier?'

'Helemaal niet slecht,' zei ik. 'En een stuk beter dan dat ploegje van Cutler.'

'Dan is het onwaarschijnlijk dat ze een fout zullen maken,' zei hij somber. 'Ik dacht dat als hij wist dat de Russen achter hem aanzaten hij 'm misschien zou smeren. Dat zou ons de gelegenheid geven om er een stokje voor te steken.'

Ogilvie zei: 'Malcolm en ik hebben dat al besproken en afgewezen.'

'Wacht even,' zei ik en wendde me tot Larry. 'Hoe goed spreek jij Russisch?'

'Niet slecht,' zei hij bescheiden.

'Het moet beter dan niet slecht zijn,' waarschuwde ik. 'Het zit erin dat je een geboren Rus voor de gek moet houden.' Ik vertelde hem niet dat Ashton een Rus *was*.

Hij grinnikte. 'Welk streekaccent wil je hebben?'

Ogilvie had het door. 'Jaja,' zei hij nadenkend. 'Als de Russen geen fouten maken doen wij het voor ze. Daar ga ik mee akkoord.'

We bespraken het geruime tijd, toen zei Michaelis: 'We moeten een ondersteuningsplan hebben. Als we hem er tegen zijn wil uithalen moeten we vervoer, een veilig huis en misschien een arts hebben.'

Dat leidde tot een nieuwe lange discussie waarin plannen werden gesmeed en rollen verdeeld. Iemand ontvoeren kan gecompliceerd werk zijn. 'Hoe zit het met Benson?' vroeg Gregory. 'Maakt hij deel uit van de handel?'

'Dat lijkt me wel,' zei Ogilvie. 'Ik ben geïnteresseerd te raken in Benson. Maar het hoofddoel is Ashton. Als het ooit tot een keus komt tussen Ashton en Benson, laten we Benson vallen.' Hij wendde zich tot Michaelis. 'Hoe lang heb je nodig?'

'Als we Plan Drie nemen hebben we geen huis nodig en binnen een uur kan ik een gesloten bestelwagen huren. Maar dan moet ik naar Hälsingborg of Malmö om de boot te regelen en dat kost tijd. Zeg drie dagen.'

'Hoe lang is het varen naar Denemarken?'

'Nog geen uur; je kunt bijna over die zeeëngte spugen. Maar iemand zal een ontvangstcomité in Denemarken moeten organiseren.'

'Dat doe ik.' Ogilvie stond op en zei op besliste toon: 'Drie dagen, dus; en we zeggen er niets over tegen Cutler.'

Drie dagen later begon de operatie zoals gepland en het begon goed. De situatie in Gamla Stan was bepaald belachelijk aan het worden: twee mensen van Cutler brachten hun tijd door in antiekwinkels om klaar te zijn voor Ashton en Benson en ze waren zich er niet van bewust dat ze in het oog werden gehouden door twee Russen die zich er, op hun beurt, niet van bewust waren dat ze onder surveillance van de afdeling stonden. Het had een Peter Sellers-komedie kunnen zijn.

Onze mensen waren elk uitgerust met een miniatuur walkie-talkie en ze hadden strenge opdracht niet in de lucht te komen tenzij het absoluut noodzakelijk was om een waarschuwing te geven. We hadden niet de behoefte de Zweden te alarmeren dat er een geheime operatie onderweg was; als zij gingen meedoen zouden er zoveel geheim agenten in die smalle straten krioelen dat er geen ruimte meer was voor toeristen.

Ik zat in mijn auto die zo strategisch was opgesteld dat ik de bruggen van Gamla Stan naar de binnenstad bestreek en tegelijk was ik luisterpost. Ogilvie bleef in zijn hotelkamer naast de telefoon zitten.

Om halfelf kwam er iemand in de lucht. 'Pimpelmees Twee. Roodborstje loopt in noordelijke richting over Västerlanggaten.'

Ashton was op weg in mijn richting, daarom draaide ik me om en keek naar hem uit. Even later sloeg hij de hoek om en ging de straat naast het koninklijk paleis in. Hij passeerde me op ruim drie meter met kwieke pas. Ik keek hem na tot hij over Norrbro afsloeg naar Helgeandsholmen, startte toen de motor. Voor me uit zag ik Larry optrekken van zijn parkeerplaats en in de richting van Norrbro afslaan. Zijn taak was het vóór Ashton te komen.

Ik volgde, passeerde Ashton die al een schaduw op zijn staart had, stak Norrbro over en reed een paar keer rond Gustav Adolfs Torg om me ervan te overtuigen dat alles in orde was. Ik zag dat Gregory zijn parkeerplaats verliet om ruimte voor Larry te maken; het was belangrijk dat Larry op het juiste ogenblik op de juiste plaats was. Michaelis hield een plek verder naar het westen vast voor het geval Ashton had besloten via de Vasabron naar de stad te gaan. Ik schakelde mijn zender in en zei tegen hem: 'Pimpelmees Vier voor Pimpelmees Drie; je kunt ermee ophouden.'

Op dat moment hield ik er ook mee op omdat er niets meer te doen viel – alles hing nu af van Larry. Ik reed het stukje naar het Grand Hotel, parkeerde de wagen en ging naar de kamer van Ogilvie. Onder zijn schijnbare kalmte was hij zenuwachtig. Na enkele minuten gebabbeld te hebben vroeg hij abrupt: 'Denk je dat Godwin het aan kan? Hij heeft niet veel ervaring.'

'En die krijgt hij nooit als hij de kans niet krijgt.' Ik glimlachte. 'Hij redt het wel. Elk ogenblik kan hij nu zijn vermaarde imitatie van een onervaren KGB-man geven. Vanuit dat standpunt bezien is zijn onervarenheid een aanwinst.'

De tijd verstreek. Om halfeen liet Ogilvie smörgasbord naar zijn kamer komen. 'We kunnen net zo goed wat eten. Als er iets gebeurt moet je voorlopig in volle draf eten.'

Om vijf voor één ging de telefoon. Ogilvie gaf mij een koptelefoon eer hij de hoorn opnam. Het was Brent die zei: 'Roodborstje zit te lunchen in de Opera – net als ik en alle andere betrokkenen. Hij ziet er wat nerveus uit.'

'Hoe heeft Godwin het eerste contact eraf gebracht?'

'Roodborstje ging die boekwinkel op de hoek van de Nybroplan binnen. Godwin stond naast hem toen hij zijn scheenbeen tegen een plank stootte; Larry vloekte hel en hemel bij elkaar in het Russisch en Roodborstje sprong een gat in de lucht. Toen is Larry zoals afgesproken verdwenen.'

'En toen?'

'Roodborstje heeft wat rondgelopen en is toen hier naar toe gegaan. Ik heb gewacht tot hij zat en toen Larry het seintje gegeven om binnen te komen. Hij nam een tafeltje vlak vóór Roodborstje die bezorgd keek toen hij hem zag. Larry heeft net een knallende ruzie met een ober gehad in erg slecht Zweeds met een Russisch accent – heel luidruchtig allemaal.

Roodborstje begint het bepaald benauwd te krijgen.'

'Hoe reageren de anderen erop?'

'De echte Russen kijken hun ogen uit. Die jongen van Cutler . . . wacht even.' Na een poosje gniffelde Brent. 'Die jongen van Cutler is nu op weg naar de telefoon. Ik denk dat hij gaat melden dat de Russen er zijn. Ik denk dat ik hem mijn telefoon maar geef.'

'Blijf in de buurt,' zei Ogilvie. 'Plak je vast aan Ashton.' Hij legde de hoorn neer en keek op. 'Het gaat beginnen.'

'Alles is klaar,' zei ik sussend. Ik pakte de telefoon en vroeg de telefoniste om gesprekken voor mij over te zetten op de kamer van Ogilvie. We hoefden niet lang te wachten. De telefoon ging en ik nam op. Cutler zei: 'Jaggard, er is misschien een belangrijke ontwikkeling.'

'O,' zei ik ernstig. 'En die is?'

'Mijn man achter Ashton denkt dat de Russen belangstelling hebben.'

'Voor Ashton?'

'Precies.'

'O. Dat is niet zo best! Waar is Ashton nu?'

'Hij zit te lunchen in de Opera. Zal ik iemand achter de Rus aansturen? Daar is misschien nog tijd voor.'

Ogilvie hield de koptelefoon tegen zijn oor gedrukt en schudde heftig zijn hoofd. Ik grinnikte en zei: 'Dat lijkt me niet. Het lijkt me eerlijk gezegd het beste als je zo snel mogelijk al je mensen terugtrekt. Je wilt toch niet dat de Russen te weten komen dat je Ashton door hebt, wel?'

'Mijn God, nee!' zei Cutler snel. 'De ambassade mag er niet in verwikkeld worden. Ik zal meteen doen wat je zegt.' Hij hing op, naar het scheen opgelucht.

Ogilvie gromde. 'Die vent is een idioot. Maar goed dat hij eruit stapt.'

'Het geeft wat speelruimte,' zei ik en trok mijn jasje aan. 'Ik ga naar Gamla Stan voor het begin van het tweede bedrijf. Als Larry zijn werk goed doet, kunnen we een stevige reactie van Ashton verwachten.' Ik zweeg even. 'Het bevalt me niet om het op deze manier te doen, zoals je weet. Ik zou veel liever willen dat we met hem gingen praten.'

'Dat weet ik,' zei Ogilvie somber. 'Maar jouw voorkeur telt niet. Schiet op, Malcolm.'

Dus schoot ik op. Ik ging naar Gamla Stan en trof Henty in een bar-restaurant aan de Västerlanggaten waar we haring aten en aquavit dronken. Hij had de flat in het oog gehouden, daarom vroeg ik: 'Waar is Benson?'

'Veilig thuis. Zijn Rus is nog steeds in zijn buurt maar die knaap van Cutler is verdwenen. Misschien heeft Benson hem afgeschud.'

'Nee. Cutler doet niet meer met ons mee.' Ik vertelde wat er gebeurd was. Henty grinnikte. 'Dan kan er elk ogenblik een doorbraak komen.' Hij dronk zijn bier uit en stond op. 'Ik ga maar eens terug.'

'Ik ga met je mee.' Terwijl we naar buiten liepen zei ik: 'Jij bent onze Zweedse deskundige. Stel dat Ashton probeert weg te komen – hoe zou hij dat dan kunnen doen?'

'Door de lucht vanuit Bromma of Arlanda, hangt ervan af waar hij naar toe wil. Hij kan ook de trein nemen. Hij heeft geen auto.'

155

'Niet dat we weten. Hij kan ook over zee gaan.'

Henty schudde zijn hoofd. 'Om deze tijd van het jaar betwijfel ik dat. Er is dit jaar een hoop ijs in de Oostzee – de Saltsjön was vanochtend dichtgevroren. Dat stuurt de vaarschema's in de war. Als ik Ashton was zou ik het niet riskeren; hij zou vast kunnen komen te zitten op een schip dat zich een paar uur lang niet kan verroeren.'

Het microfoontje achter mijn oor pruttelde. 'Pimpelmees Twee. Roodborstje bij paleis in richting Västerlanggaten en hij loopt snel.' Pimpelmees Twee was Brent.

Ik zei tegen Henty: 'Hij komt eraan. Ga jij vast, duikel hem op en volg die verdomde Rus. Ik wil niet dat Ashton mij te zien krijgt.' Hij versnelde zijn pas terwijl ik inhield en van de ene etalage naar de andere slenterde. Een poosje later kwam het bericht dat Ashton veilig thuis was en toen kwam Henty terug met Larry Godwin. Beiden grinnikten en Henty merkte op: 'Ashton zweet als een otter.'

Aan Larry vroeg ik: 'Wat is er gebeurd?'

'Ik ben Ashton vanaf de Opera gevolgd – heel opvallend. Hij probeerde me af te schudden; het is hem ook twee keer gelukt, maar Brent zag kans me weer in de goeie koers te loodsen.'

Henty gniffelde. 'Ashton kwam over de Västerlanggaten aanbenen alsof hij deelnam aan een snelwandelwedstrijd, terwijl Godwin zijn best deed de tweede plaats te behouden. Hij vloog zijn deur in als een konijn zijn hol.'

'Heb je nog iets tegen hem gezegd, Larry?'

'Nou, zo tegen het eind heb ik geroepen: *"Grazjdaninoe Ashton – ostanovites!"*, alsof ik hem wilde tegenhouden. Hij ging alleen maar harder lopen.'

Ik glimlachte vluchtig. Ik betwijfelde of Ashton het leuk vond in het Russisch met 'burger' te worden aangesproken, vooral omdat zijn Engelse naam eraan was geplakt. 'De beurt is nu aan Ashton, maar ik betwijfel of hij vóór de avond iets zal doen. Larry, jij gaat opvallend voor de deur van Ashton patrouilleren. Doe het op goed geluk – verschijn op onregelmatige tijdstippen.'

Ik nam nog iets door met Henty, deed toen de ronde en controleerde dat alle mannen op hun plaats waren en de Russen geschaduwd werden. Daarna bracht ik telefonisch rapport uit aan Ogilvie.

Larry bereikte me ongeveer een uur later. 'Een van die klote-

Russen sprak me aan,' zei hij. 'Hij wilde weten wat ik aan het doen was.'

'In het Russisch?'

'Ja. Ik vroeg hem wat voor machtiging hij had en hij verwees me naar een kameraad Latjev op de Russische ambassade. Toen ben ik op mijn strepen gaan staan en heb gezegd dat het gezag van kameraad Latjev buiten werking was gesteld en dat als Latjev dat zelf niet wist hij nog stommer was dan Moskou dacht. Toen zei ik dat ik geen zin had mijn tijd te verknoeien en haalde de snelle verdwijntruc uit.'

'Niet slecht,' zei ik. 'Dat zal kameraad Latjev wel een poosje koest houden. Nog reacties uit de flat?'

'Een gordijn dat een beetje bewoog.'

'Oké. Goed, als Ashton 'm smeert wil ik niet dat hij jou ziet – we moeten hem niet erger in paniek brengen dan nodig is. Neem de wagen van Gregory over, vraag hem hoe het er bij hem voorstaat, en stuur hem naar mij toe.'

Het was lang en koud wachten. De sneeuw viel gestaag en toen het donker werd zweefde van de Riddarfjärden een kille mist aan over Gamla Stan die de straatlantarens in een stralenkransje zette en het zicht reduceerde. Ik bracht de tijd door met steeds maar te overwegen welke ontsnappingswegen er voor Ashton waren en me af te vragen of mijn noodplannen wel voldoende waren. Met Henty mee waren we met ons zessen, toch stellig genoeg om de twee Russen uit te schakelen en Ashton bij te benen waar hij ook naar toe ging. Toen de mist dichter werd overwoog ik de mogelijkheid om Ashton ter plaatse te pakken te nemen, maar ik verwierp het idee. Een rustige ontvoering in een grote stad is onder de gunstigste omstandigheden al moeilijk genoeg en laat zeker geen ruimte over voor improvisatie. Het was beter ons aan het plan te houden en Ashton te isoleren.

Het gebeurde om tien voor negen. Gregory meldde dat Ashton en Benson in zuidelijke richting over Lilla Nygaten liepen en beiden hadden koffers bij zich. Michaelis kwam tussenbeide en zei dat de beide Russen ook in beweging waren gekomen. Ik haalde me de plattegrond van Gamla Stan voor de geest en kwam tot de conclusie dat onze doelwitten op weg waren naar de taxistandplaats bij de Centralbron, dus gaf ik de auto's opdracht koers naar het zuiden te zetten en zich gereed te houden voor de achtervolging. Wat interessanter was, aan de andere kant van de Centralbron lag in het centrum van de stad het Centraal Station van Stockholm.

Vervolgens gaf ik Michaelis en Henty, onze beste mannetjesputters, opdracht de Russen uit het spel te halen. Ze meldden dat dit, vanwege de mist, makkelijk was en dat twee Russen de volgende ochtend hoofdpijn zouden hebben.

Daarna werd de zaak een tikje verward. Toen Ashton en Benson bij de taxistandplaats kwamen namen ze allebei een wagen. Benson ging via de Centralbron in de richting van het station en Ashton koos de tegenovergestelde richting die naar Södermalm voerde. Larry volgde Benson en Brent ging Ashton achterna. Ik gaf de rest van het team opdracht zich te verzamelen bij het station, wat onder de gegeven omstandigheden de beste kans leek te bieden.

Voor het station bleef ik in de auto zitten en ik stuurde Henty erop uit om te zien of Larry in de buurt was. Hij kwam terug met Larry die in de auto ging zitten en zei: 'Benson heeft twee kaartjes voor Göteborg gekocht.'

Ze gingen naar het westen. Vanuit mijn standpunt bezien was dat een opluchting; liever naar het westen dan het oosten. Ik vroeg: 'Hoe laat vertrekt de trein?'

Larry keek op zijn horloge. 'Over iets meer dan een halfuur. Ik heb vier kaartjes voor ons gekocht – en ik heb een spoorboekje.'

Ik bekeek het spoorboekje en dacht hardop. 'Eerste halte – Södertälje; volgende halte – Eskilstuna. Mooi zo.' Ik gaf Gregory en Henty een kaartje. 'Jullie stappen in die trein, zoeken Ashton en Benson en melden het door de radio. Dan blijven jullie in hun buurt.'

Ze gingen het station binnen en Larry vroeg: 'Wat gaan wij doen?' 'Jij en ik houden ons gedeisd.' Ik wendde me tot Michaelis. 'Kijk in het station uit naar Ashton. Overtuig je ervan dat hij in de trein is als die vertrekt, kom dan hier terug.'

Hij liep weg en ik vroeg me af hoe het Brent verging. Een poosje later meldde Gregory zich door de radio. 'We zitten in de trein – we hebben Roodborstje Twee gezien – maar Roodborstje Eén niet.' We waren Ashton kwijt. 'Blijf in zijn buurt.'

De tijd verstreek. Vijf minuten voor het vertrek van de trein werd ik onrustig en vroeg me af wat er met Ashton gebeurd was. Twee minuten voor het vertrek kwam Brent terug. 'Ik ben hem kwijtgeraakt,' zei hij op holle toon.

'Waar is hij naar toe gegaan?'

'Hij is van het ene eiland naar het andere gewipt – Södermalm – Langholmen – Kungsholmen; daar ben ik hem kwijtgeraakt. Hij leek op dat moment zo'n beetje deze richting uit te gaan daarom heb ik het er op gewaagd hier terug te komen.'

'We hebben hem niet gezien en tot nu toe zit hij niet in de trein. Benson wel; met twee kaartjes naar Göteborg.'

'Wanneer vertrekt de trein?'

Ik keek over zijn schouder en zag Michaelis op de auto afkomen. Hij schudde zijn hoofd. Ik zei: 'Hij is net vertrokken – en Ashton zat er niet in.'

'Oh, Christus! Wat doen we nou?'

'Het enige dat we kunnen doen is ons aan Benson vastklampen en een schietgebedje doen. En dat doen we op de volgende manier. Koop net zo'n spoorboekje als ik heb en controleer de halteplaatsen van die trein. Jij en Michaelis nemen de eerste halte – dat is Södertälje; je neemt contact op met Gregory en Henty in de trein en jullie groeperen je als Benson uitstapt. Je brengt ook rapport uit aan Ogilvie. Intussen gaan Larry en ik naar de volgende halte in Eskilstuna – dezelfde procedure. En op die manier wippen we de hele lijn langs tot de trein in Göteborg aankomt of er iets anders gebeurt. Gesnapt?'

'Oké.'

'Het is erg belangrijk om rapport uit te brengen aan Ogilvie want hij kan ons allemaal bereiken. Ik bel hem nu op.'

Ogilvie was bepaald niet blij maar hij zei niet veel – op dat moment. Ik vertelde hem hoe we het gingen aanpakken en hij gromde alleen maar.

'Ga verder – en hou me op de hoogte.'

Ik liep terug naar de auto, liet me op de bank zakken en zei tegen Larry: 'Naar Eskilstuna – en haal die trein in.'

Van Stockholm naar Eskilstuna is ongeveer 100 kilometer. De eerste 40 kilometer is het een autoweg en we konden redelijk opschieten, maar daarna werd het steeds meer een gewone weg met tegemoetkomend verkeer en onze gemiddelde snelheid zakte. Het was zeer donker – een maanloze avond – maar ook al was er een maan geweest dan zou het weinig geholpen hebben, want er was een dik wolkenpak waaruit aanhoudend dichte sneeuw viel.

Zoals alle moderne Zweedse auto's was de onze uitstekend toegerust voor dit soort weer. De banden hadden noppen van tungstenstaal om greep op de weg te hebben en de koplampen hadden wissers om de sneeuw weg te vegen, maar dat hield niet in dat we hard konden rijden en ik geloof dat we gemiddeld niet meer dan 70 km/u gingen en onder de omstandigheden was zelfs dat eigenlijk te snel. Larry noch ik mocht worden beschouwd als een rallyrijder en ik was bijzonder bang dat de trein sneller zou opschieten. Gelukkig zag ik op de kaart dat hij een grotere afstand moest afleggen omdat de rails in een lus liepen. Bovendien stopte hij in Södertälje.

Na een uur zei ik Larry bij een benzinestation te stoppen waar hij tankte terwijl ik Ogilvie opbelde. Toen ik terugliep naar de auto glimlachte ik en Larry vroeg: 'Goed nieuws?'

'Uitstekend. Ik neem het stuur.' Terwijl we optrokken zei ik: 'Ashton heeft een geintje proberen uit te halen. Toen Brent hem kwijtraakte was hij niet op weg naar het station in Stockholm; hij nam een taxi naar het station in Södertälje en is daar in de trein gestapt. Nu hebben we ze allebei.'

Daarom was ik heel tevreden toen we voor het station in Eskilstuna stopten en de trein langs het perron zagen staan. Ik schakelde mijn zender in en vroeg: 'Zijn er nog Pimpelmezen? Kom erin, Pimpelmezen.'

Een stem zei in mijn oor: 'Roodborstje en zijn vriend zijn uit de trein gesprongen.'

'Wat nou weer?'

Henty vroeg: 'Wat wil je dat we doen?'

'Kom uit die rottrein naar me toe. We staan voor het station.'
Terwijl ik het zei ratelde de trein en trok langzaam op. Ik begon me
af te vragen of Henty het wel gehaald had toen ik hem op de auto
zag komen afdraven.

Ik draaide het raampje open. 'Stap in en vertel me in Jezusnaam
wat er gebeurd is.'

Henty ging op de achterbank zitten. 'De trein stopte in een klein
gat, Åkers-styckebruk en vraag me niet waarom. Er gebeurde niks
tot hij weer ging rijden, toen sprongen Ashton en Benson eruit.
Gregory is ze achterna gegaan maar ik was te laat – en zoals hij
eruit sprong kan hij wel een been gebroken hebben.'

Ik pakte de wegenkaart en bekeek hem. 'Åkers-styckebruk! Dat
staat niet eens op de kaart. Heb je het aan Ogilvie gemeld?'

'Nee. Dat wilde ik net gaan doen toen jij me opriep.'

'Dan zal ik het wel moeten doen.'

Ik ging het station in, belde Stockholm en Ogilvie vroeg geprikkeld: 'Wat is er verdomme aan de hand? Ik ben net door Gregory
opgebeld uit een godvergeten gat. Hij heeft zijn been gebroken of
verstuikt en hij is Ashton kwijt. Hij denkt dat ze naar Strängnäs
zijn gegaan.'

Strängnäs lag verder terug aan de weg, we waren langs de
buitenwijken gereden. 'Daar kunnen we in een uur zijn.'

'Een uur kan te lang zijn,' snauwde hij. 'Maar schiet nu op.'

Ik rende terug naar de auto. 'Opschieten, Larry – we gaan terug.'
Hij gleed achter het stuur en ik had het portier nog niet dicht toen
hij wegstoof. Ik draaide me om en vroeg aan Henty: 'Wat kun je
me vertellen over Strängnäs? Is er iets dat we moeten weten?'

Hij knipte met zijn vingers. 'Natuurlijk! Er is daar een zijlijn die
van Åkers-styckebruk naar Strängnäs loopt – geen passagierstrei-
nen, alleen een enkele *räslbuss.*'

'Wat is dat?'

'Eén wagon op de rails, met een dieselmotor.'

'Je zegt dat het een zijlijn is. Bedoel je dat de rails ophouden in
Strängnäs?'

'Dat moet wel, anders zou hij terechtkomen in het Mälaren Meer.'
Ik dacht na. 'Dat is dus het eindpunt.'

'Voor de spoorweg, maar niet voor auto's. Er is een weg die via de
eilanden naar de noordkant van het Mälaren Meer loopt. Maar het

is al laat; ik denk niet dat ze om deze tijd van de avond nog een auto kunnen huren.'

'Zo is het,' zei ik. 'Maar geef toch maar flink gas, Larry.' Ik zag hoe de weg zich blootgaf in het duister onder het hypnotiserende ritme van de ruitewissers die de sneeuw van de voorruit veegden. De koplampen gingen helderder branden toen Larry de lampewissers inschakelde. 'Verder nog iets wat Strängnäs betreft?'

'Het heeft niet veel te betekenen,' zei Henty. 'Een bevolking van ongeveer twaalfduizend mensen; wat lichte industrie – farmaceutische fabriek, penicilline, röntgenfilm – dat soort dingen. Het is ook garnizoensplaats voor een opleidingsregiment en je hebt er het hoofdkwartier van het Militair Commando Oost.' Zijn belangstelling nam toe. 'Heeft Ashton iets te maken met de militairen?'

'Nee,' zei ik.

Henty drong aan. 'Anders zou je me het toch wel vertellen, hè? Dat is mijn terrein en ik heb je genoeg geholpen.'

'Beslist niet,' zei ik. 'Hij heeft geen militaire belangstelling, en ik ook niet. We gaan niet op jouw akkertje stropen.'

'Zolang ik dat maar weet.' Hij leek tevreden.

We gingen niet helemaal terug naar Åkersstyckebruk; het was belangrijker om Ashton te vinden dan te weten te komen hoe het er voorstond met Gregory's enkel. We bereikten de buitenwijken van Strängnäs en gleden soepel door de besneeuwde straten naar de rand van het meer en het centrum van de stad. Een paar rondjes door het centrum bewezen één ding – er was maar één hotel – dus stopten we aan de overkant van Hotel Rogge en ik stuurde Henty naar binnen om te kijken hoe de situatie was.

Hij bleef ongeveer vijf minuten weg en toen hij terugkwam zei hij: 'Ze zijn er allebei – ingeschreven onder de namen Ashton en Williams.'

'Dus hij heeft zich omgeschakeld,' zei ik. 'Gebruikt zijn eigen paspoort. Koslov is opeens te riskant geworden.'

'Ik heb ons drieën ook ingeschreven.'

'Nee; jij blijft, maar Larry en ik gaan Gregory zoeken. Ik zal Ogilvie nu opbellen en hem vragen Brent en Michaelis op te duikelen – zij kunnen de andere twee bedden hier nemen. Wij komen morgenochtend om zes uur terug en dan moeten er buiten en in het hotel voldoende mensen zijn. Waar zijn Ashton en Benson nu?'

'Niet in de lounge of de salon,' zei Henty. 'Ik denk dat ze in bed liggen.'

'Ja, ze beginnen een tikje oud te worden voor dit soort dingen,' zei ik nadenkend. 'Nu ik er over nadenk – ik ook.'

23

Gregory was zo verstandig geweest om in het station van Åkersstyckebruk te wachten tot hij werd opgehaald. Hij zei dat hij stijf, koud en moe was, en dat zijn enkel pijn deed als de hel, daarom gingen we naar een hotel. Om vijf uur de volgende ochtend waren Larry en ik op de terugweg naar Strängnäs, maar Gregory kon uitslapen omdat ik besloten had hem terug te sturen naar Stockholm. Hij was toch niet van nut voor ons omdat zijn enkel er werkelijk ernstig aan toe was, maar hij had de bevrediging te weten dat we, dank zij hem, Ashton en Benson hadden gevonden.

Even voor zes uur parkeerde ik de wagen om de hoek van Hotel Rogge, en om precies zes uur ging ik de lucht in. 'Hallo,' zei ik opgewekt, 'zijn er al Pimpelmezen wakker?'

Henty zei knorrig in mijn oor: 'Doe niet zo verdomde vrolijk.'

'Zijn de andere twee er al?'

'Ja; sinds twee uur vannacht. Ze slapen nog.'

'En Roodborstje en zijn vriend?'

'Die zijn hier ook – daar heb ik me van overtuigd – ze slapen ook nog.'

Hij zweeg even. 'En ik wou dat ik ook nog sliep.'

'Kom naar buiten. We staan net op de hoek op –' Ik rekte mijn nek om naar het straatnaambordje te kijken – 'op Källgatan.'

Hij zei niets maar het zoemen van de zender hield op, daarom schakelde ik uit. Het duurde nog een kwartier eer hij kwam en Larry en ik zaten wat te babbelen. Er viel niet veel te zeggen omdat we het onderwerp al uit en te na besproken hadden. Toen Henty zich bij ons voegde had hij zich pas geschoren en zag hij er redelijk goed uit al was hij nog wat knorrig. 'Môgge,' zei hij kortaf terwijl hij instapte.

Ik gaf hem de thermosfles over mijn schouder aan. 'Knor maar.' Hij schroefde de dop los en snoof waarderend. 'Aha, whiskykoffie!' Hij schonk zich een bekertje in en zweeg een ogenblik eer hij zei: 'Dat is beter. Hoe ziet het programma eruit?'

'Hoe laat is het ontbijt?'

'Dat weet ik niet. Zeg vanaf zeven uur – halfacht, misschien. Die plattelandshotels verschillen allemaal.'

'Ik wil dat jullie drieën in de ontbijtzaal zitten zodra die opengaat; jij aan één tafeltje; Michaelis en Brent aan een ander. Ze moeten met elkaar zitten praten en één van de twee moet via de zender een lopend commentaar over Ashton en Benson geven zodra ze komen ontbijten. Ik wil precies weten wat Ashton doet – en hoe hij reageert.'

'Dat kan,' zei Henty. 'Maar ik snap niet waarom.'

Ik zei: 'Halverwege het ontbijt stuur ik Larry naar binnen om een herhaling van zijn Russische optreden te geven.'

'Jezus! Dan bezorg je Ashton nog een hartaanval.'

'We moeten druk blijven uitoefenen,' zei ik. 'Ik wil ze niet de tijd geven om een auto te huren, en ik wil ze zo vroeg mogelijk de stad uit hebben. Waar is die gesloten bestelwagen waar Michaelis mee is gekomen?'

Henty wees de donkere straat in. 'Op het parkeerterrein van het hotel.'

'Mooi zo. Hij moet erin zitten en wegwezen zodra Ashton in beweging komt. Als het mogelijk is moet de hele handel vóór acht uur opgeknapt zijn. Ga jij nou naar binnen om de schone slapers te wekken.'

Toen Henty weg was keek Larry me nieuwsgierig aan. 'Ik weet dat je je buiten gezicht hebt gehouden,' zei hij, 'maar als ooit uitkomt wat je hebt gedaan zul je niet bepaald populair zijn bij de familie Ashton.'

'Dat weet ik,' zei ik kortaf. 'Maar Ogilvie wil dat het op deze manier gedaan wordt. En ik zorg er wel verdomde goed voor dat ik buiten gezicht blijf, niet vanwege Ogilvies redenen, maar de mijne.'

Christus! dacht ik. Als Penny dit ooit te weten komt vergeeft ze me in geen duizend jaar.

De tijd verstreek en we dronken samen de thermosfles met whisky-koffie leeg. Strängnäs begon te ontwaken en er kwam beweging in de straten en de voorbijgangers wierpen nieuwsgierige blikken op ons. Ik neem aan dat het ook wel vreemd was dat twee mannen zo vroeg in de ochtend in een geparkeerde auto zaten, daarom zei ik tegen Larry dat hij naar het hotelparkeerterrein moest rijden waar we meer afgezonderd waren.

Het ontbijt in het hotel begon om halfacht. Dat wist ik omdat Jack

Brent in de lucht kwam met een beschrijving van het ontbijt dat hij zat te eten. Hij beschreef de haring en de gekookte eieren en de kaas en de koffie en dergelijke tot ik begon te watertanden. Hij deed het met opzet, de schoft.

Omdat ik niet reageerde kreeg hij genoeg van het spelletje en schakelde uit, maar om tien voor acht zei hij: 'Daar zijn ze – Ashton en Benson. Ze gaan net zitten – twee tafeltjes verderop. Benson kijkt kribbig, maar Ashton lijkt me nogal opgewekt.'

Niemand kon weten dat Brent via een zender sprak; ogenschijnlijk zat hij geanimeerd met Michaelis te praten, maar elk woord werd opgevangen door de keelmicrofoon die onder de strop van zijn das was verborgen. De keelmicrofoon gaf de uitzending een merkwaardig doods effect; er was geen achtergrondgeluid – geen gekletter van bestek of koffiekopjes – alleen de stem van Brent en het raspen van zijn ademhaling die versterkt werden. Zelfs als hij fluisterde zou elk woord duidelijk te verstaan zijn.

Ik luisterde naar zijn beschrijving en voelde me steeds minder behaaglijk. Niet wat Ashton betreft die, volgens Brent, redelijk ontspannen leek te zijn; ik voelde me onbehaaglijk met mezelf en mijn rol in deze maskerade. Ik zou er veel voor over hebben gehad om Hotel Rogge binnen te lopen, aan Ashtons tafeltje te gaan zitten en een gesprek van man tot man met hem te hebben. Ik was ervan overtuigd dat ik hem naar Engeland terug zou kunnen halen door alleen maar met hem te praten, maar Ogilvie wilde daar niet van weten. Hij wilde niet dat onze camouflage werd blootgegeven. Ik voelde me gedeprimeerd toen ik me tot Larry wendde en zacht zei: 'Oké, ga naar binnen om te ontbijten.' Hij stapte uit de auto en ging het hotel binnen.

Brent zei: 'Ashton heeft zich net nog een kop koffie ingeschonken. Hij heeft zijn trek niet verloren, dat is zeker. Ho, ho! Larry Godwin komt net binnen. Ashton heeft hem nog niet gezien, Benson ook niet. Larry staat bij de deur te praten met de serveerster. God, de manier waarop hij zijn Zweeds vermoordt – ik kan het hier horen. Ashton ook. Hij heeft zich omgedraaid en kijkt naar Larry. Ik kan zijn gezicht niet zien. Hij heeft zich weer teruggedraaid en nu stoot hij Benson aan. Hij is zo wit als een doek. De serveerster loopt nu naar voren met Larry – wijst hem een tafeltje. Larry loopt langs de tafel van Ashton – hij draait zich om en praat tegen hem. Ashton heeft zijn koffiekopje omgegooid.

Benson kijkt verdomde grimmig; als ooit iemand in staat tot moord is geweest is het nu Benson wel. Hij is sowieso al geen prentje, maar je zou hem nu moeten zien. Ashton wil opstaan en weggaan, maar Benson houdt hem tegen.'

Ik schakelde over op een ander kanaal en Brents stem zweeg abrupt. Ik zei: 'Henty, maak een eind aan je ontbijt en ga weg. Dek de ingang van het hotel. Michaelis, jij doet hetzelfde, maar stap in je bestelwagen en dek de achterkant.'

Ik reed achteruit van het parkeerterrein, koerste een stukje Källgatan in en parkeerde op een plek waar ik de ingang van het hotel het beste kon zien. Toen ik weer overschakelde op Brent zei hij: '. . . ziet er verslagen uit en Benson praat dringend op hem in. Ik geloof dat het hem moeite kost om zich in bedwang te houden. Je zou denken dat het andersom zou zijn omdat Benson ten slotte maar de huisknecht van Ashton is. In elk geval, daar ziet het van hier af naar uit – Ashton wil 'm smeren en Benson houdt hem tegen. Larry doet niet veel – zit zijn ontbijt op te eten – maar af en toe kijkt hij in de richting van Ashton en glimlacht. Ik denk niet dat Ashton dat nog lang kan verdragen. Ik moet nu ophouden want Michaelis gaat weg en ik zou een gekke indruk maken als ik tegen mezelf zat te praten.'

Hij zweeg en het zoemen van de zender hield op. Ik drukte de sleutel van mijn zender in. 'Larry, als Ashton en Benson weggaan moet jij ze met Brent volgen.' Ik zag Henty het hotel uitkomen en de straat oversteken. Daarna kwam Michaelis en hij liep naar het parkeerterrein waar hij uit het gezicht verdween.

Tien minuten later verschenen Ashton en Benson, elk met een koffer. Ze stapten op het trottoir en Ashton keek onzeker heen en weer in de straat. Hij zei iets tegen Benson die zijn hoofd schudde, en het zag ernaar uit dat ze een meningsverschil hadden. Achter hen verscheen Larry in de hoteldeur.

Ik zei: 'Larry, maak een praatje met Ashton. Vraag hem jou te volgen. Als hij toestemt breng hem dan naar de bestelwagen en stop hem er achterin.'

'En Benson?'

'Hem ook – als het mogelijk is.'

Ashton werd zich ervan bewust dat Larry naar hem stond te kijken en trok aan Bensons arm. Benson knikte en ze begonnen te lopen maar bleven staan toen Larry iets riep. Larry haastte zich naar hen toe en begon te praten en intussen kwam Brent naar buiten en bleef vlak bij hen staan.

Ik hoorde het éénrichtingsgesprek. Larry sprak snel Russisch en twee keer knikte Ashton, maar Benson kwam tussenbeide, elke keer vergezeld van een schudden van zijn hoofd, en hij probeerde Ashton weg te krijgen.

Ten slotte slaagde hij daar in en het tweetal liep weg en liet Larry pardoes staan. Ze kwamen recht op me af, daarom dook ik weg. Terwijl ik op de bodem van de auto lag sprak ik tegen Larry. 'Wat is er gebeurd?'

'Ashton kwam bijna met me 'mee, maar Benson wilde er niet van horen. Hij heeft het verziekt.'

'Sprak Benson Russisch?'

'Nee, Engels; maar hij begreep mijn Russisch uitstekend.'

'Waar zijn ze nu?'

'Ze lopen de straat uit – ongeveer dertig meter voorbij jouw auto.'

Ik kwam te voorschijn en keek in de spiegel. Ashton en Benson liepen snel weg in de richting van het station.

Daarna werd het allemaal een beetje smerig, want we dreven hen letterlijk de stad uit. Ze zagen dat het station geblokkeerd werd door Brent en toen ze probeerden terug te gaan naar het centrum van de stad werden ze geconfronteerd met Larry en Henty. Al gauw begrepen ze dat ze een kwartet tegenstanders hadden en hoe ze zich ook wendden of keerden, ze ontdekten dat ze naar de rand van de stad werden opgejaagd. En voortdurend orkestreerde ik de bizarre dans en manipuleerde hen als marionetten. Ik had aardig de pest aan mezelf.

Ten slotte bereikten we de hoofdweg Stockholm-Eskilstuna en ze stormden naar de overkant waarbij Benson bijna geraakt werd door een snelle auto die met loeiende claxon langsstoof. Aan de overkant waren geen straten of huizen meer – alleen een eindeloos pijnbos. Ik stuurde Michaelis terug om de bestelwagen op te halen en de andere drie het bos in terwijl ik mijn wagen parkeerde eer ik hen volgde. Het leek dat de jacht bijna was afgelopen – in een Zweeds bos ben je uitermate op jezelf aangewezen.

In het ruwe terrein schoten ze sneller op dan ik had verwacht van twee oudere mannen. Ashton had al bewezen dat hij fit was, maar ik had niet gedacht dat Benson het uithoudingsvermogen zou hebben omdat hij enkele jaren ouder was dan Ashton. Eenmaal tussen de bomen kon je niet ver voor je uitzien en ze misleidden ons door voortdurend hun koers te veranderen. Twee keer raakten we hen kwijt; de eerste keer vonden we hen door puur geluk terug en de tweede keer door op hun in de steek gelaten koffers te stuiten. En steeds bleef ik leiding geven vanuit de achterhoede, dirigeerde ik de operatie per radio.

We hadden misschien drie kilometer in het bos afgelegd en het ging steeds moeizamer. Als de grond niet glad was door sneeuw en ijs was hij nog gladder door de dennenaalden. Het terrein steeg en daalde, niet veel maar voldoende om je op de hellingen ademloos te maken. Ik bleef op de top van zo'n helling staan op het moment dat Brent in mijn oor vroeg: 'Wat was dat verdomme?'

'Wat?'

'Luister.'

Ik luisterde, probeerde mijn zwoegende ademhaling te bedwingen, en hoorde in de verte schoten ratelen. Ze schenen van voor ons uit te komen, dieper het bos in.

'Er is iemand aan het jagen,' zei Larry.

Ongelovig zei Brent: 'Met een mitrailleur?!'

'Stil!' zei ik. 'Is Ashton gezien?'

'Ik kijk van hier in een klein dal,' zei Henty. 'Heel weinig bomen. Ik kan Ashton en Benson zien – ze zijn ongeveer vierhonderd meter verder.'

'Allemaal goed en wel, maar waar zit jíj?'

'Blijf maar doorlopen,' zei Henty. 'Het is een lang dal – je kunt het niet missen.'

'Allemaal op weg dan,' zei ik. Opnieuw hoorde ik schieten, ditmaal een sporadisch geratel van onregelmatige enkelvoudige schoten. Het was zeker geen machinepistool zoals Brent had geopperd. Het had een vuurgevecht in het Wilde Westen kunnen zijn en ik was benieuwd wat er aan de hand was. Jagers schoten stellig niet zo.

Ik ging verder en kwam na een poosje op een heuvel vanwaar ik uitkeek op het dal. Henty had gelijk; er waren betrekkelijk weinig bomen en daarom was de sneeuw er dikker. In de verte zag ik Ashton en Benson heel langzaam lopen; misschien werden ze belemmerd door de sneeuw, maar het leek me dat de jacht hen had uitgeput. Henty bevond zich onder me in het dal, en Brent en Larry daalden gezamenlijk de heuvel af en benaderden onze prooi onder een schuine hoek.

Opnieuw werd er geschoten en, mijn God, ditmaal *was* het mitrailleurvuur, en uit meer dan één mitrailleur. Toen volgden er diepere knallen, gevolgd door doffe explosies. In de verte, niet zo erg ver weg trouwens, zag ik aan de overkant van het dal rook boven de bomen drijven.

Henty was blijven staan. Hij keek om naar mij en zwaaide en zei door de radio: 'Ik weet wat het is. Dit is een militair oefenterrein. Ze houden oorlogsspelletjes.'

'Met scherpe munitie?'

'Daar klinkt het wel naar. Dat waren mortieren.'

Ik begon te rennen en hobbelde en gleed de helling af. Toen ik beneden was zag ik dat Brent en Larry op nog geen vijftig meter van Ashton waren en hem snel inhaalden. Ashton veranderde van richting en ik brulde: 'Brent – Larry – inhouden!'

Ze aarzelden even maar gingen verder, gegrepen door de jachtlust. Ik brulde weer: 'Inhouden! Jaag ze niet het vuur in.'

Ze bleven staan, maar ik rende verder. Ik wilde zelf met Ashton praten, ongeacht wat Ogilvie had gezegd. Dit was een smerig spel waar een eind aan gemaakt moest worden eer iemand gedood werd. Ashton klom aan de andere kant van het dal naar boven, op weg naar de bomen op de top van de helling, maar hij ging heel langzaam. Benson was nergens te zien. Ik rende tot ik dacht dat mijn borstkas zou ontploffen en haalde Ashton in.

Eindelijk was ik dichtbij genoeg om te roepen: 'Ashton – George Ashton – blijf staan!'

Hij draaide zijn hoofd om en keek naar me terwijl er opnieuw een salvo werd gegeven en er weer mortiergranaten ontploften. Ik zette de bontmuts die ik op had af en gooide hem weg zodat hij me goed kon zien. Zijn ogen sperden zich open in verbazing en hij aarzelde in zijn opwaartse klim, bleef toen staan en draaide zich om. Brent en Larry kwamen van links naderbij en Henty van rechts.

Ik wilde weer naar hem roepen toen er opnieuw een enkelvoudig schot viel, ditmaal van heel dichtbij, en Ashton strompelde naar voren alsof hij gestruikeld was. Ik was nog geen tien meter van hem vandaan en hoorde hem naar adem snakken. Toen klonk er nog een schot en hij tolde om en viel en rolde de helling af en bleef aan mijn voeten liggen.

Ik was me er van bewust dat Henty me voorbij was gelopen en ik zag een ogenblik een pistool in zijn vuist, toen boog ik me over

Ashton. Hij hoestte een keer en er druppelde bloed uit zijn mondhoek. Zijn ogen stonden nog verbaasd bij de aanblik van mij, en hij zei: 'Mal... colm... wat...'

Ik zei: 'Rustig maar, George', en stak mijn hand in zijn jas. Ik voelde warm vocht.

Hij grabbelde in zijn zak en zei: 'De... de...' Zijn hand kwam met gebalde vuist omhoog voor mijn gezicht. 'De... de...' Toen zakte hij terug met geopende ogen en met nog grotere verbazing keek hij naar de hemel. Er viel een sneeuwvlok die zich aan zijn linker oogbal hechtte, maar hij knipperde niet.

In de verte dreunden de mortieren en ratelden mitrailleurs, en opnieuw klonken er van dichtbij enkelvoudige schoten. Ik keek neer op Ashton en vloekte zacht. Brent knerpte door de sneeuw naar me toe. 'Dood?'

Ik trok mijn hand terug en keek naar het bloed. Voor ik mijn hand schoonveegde aan de sneeuw zei ik: 'Voel zijn pols.'

Ik stond op toen Brent knielde en dacht aan de heilloze troep die we – *ik* – van de operatie hadden gemaakt. De sneeuw rondom het lichaam van Ashton veranderde van wit in rood. Brent keek naar me op. 'Ja, hij is dood. Aan de hoeveelheid bloed te zien moet hij in een slagader geraakt zijn. Daarom ging het zo snel.'

Ik had me nog nooit zo rot gevoeld. We hadden Ashton naar de vuurwapens opgejaagd zoals drijvers het een dier doen. Het was zo stom geweest. Ik voelde me op dat moment weinig menselijk.

Henty kwam knerpend de helling af met achteloos een pistool in zijn rechterhand. 'Ik heb hem,' zei hij zakelijk.

Ik rook vaag kruit toen hij naderbij kwam. 'Wie heb je, in godsnaam?' 'Benson.'

Ik keek hem aan. *'Je hebt Benson doodgeschoten!'*

Hij keek me verbaasd aan. 'Nou, hij heeft Ashton toch doodgeschoten?'

Ik was verbijsterd. 'O ja?'

'Natuurlijk. Ik heb het hem zien doen.' Henty draaide zich om en keek tegen de helling op. 'Misschien kon jij het onder deze hoek niet zien – maar ik wel.'

Ik kon het niet bevatten. *'Benson* heeft Ashton doodgeschoten!'

'Hij kreeg mij ook bijna te pakken,' zei Henty. 'Hij schoot op me zodra ik daarboven kwam. En als er iemand op mij schiet, schiet ik terug.'

Het was nooit bij me opgekomen Henty te vragen of hij gewapend was. Volgens instructies van Ogilvie was geen van ons gewapend, maar Henty was van een andere afdeling. Ik stond hem nog steeds aan te gapen toen er boven ons een knarsend geratel klonk en een tank zijn neus over de top richtte en naar het dal afdaalde. Zijn neus was een 105 mm-kanon dat er uitzag als een 16-incher toen de koepel zwenkte en ons kleine groepje onder schot nam. Maar ze zouden niet de moeite genomen hebben dat kanon af te schieten; het machinegeweer in de koepel van die Centurion was in staat ons veel economischer onderhanden te nemen.

Toen de tank bleef staan liet ik me naast Ashtons lichaam op mijn knieën vallen. De koepel ging open en er verscheen een hoofd, gevolgd door een bovenlichaam. De officier schoof zijn sneeuwbril omhoog en bekeek ons met enigszins uitpuilende ogen. Henty kwam in beweging en de officier blafte: *'Stanna!'* Met een zucht gooide Henty zijn pistool in de sneeuw.

Ik opende Ashtons gebalde vuist om te kijken wat hij uit zijn zak had gehaald. Het was een verfrommelde dienstregeling van de lijn Stockholm-Göteborg.

24

Ik weet niet wat voor druk er op hoger niveau werd uitgeoefend maar de Zweden behandelden me voortdurend met beleefdheid – ijzige beleefdheid. Als ik er ook maar een seconde over had nagedacht zou die kille correctheid beangstigender zijn geweest dan wat ook, maar in die periode dacht ik niet na – ik was van binnen dood en mijn hersens waren stijf bevroren.

De Zweden hadden twee dode en vier levende mannen aangetroffen op militair terrein. Een van de dode mannen had twee paspoorten, het ene gestolen en het andere echt; de ander had drie paspoorten, allemaal vals. De paspoorten van de vier levende mannen waren allemaal echt. Er werd beweerd dat een van de dode mannen de andere had doodgeschoten en dat hij op zijn beurt was doodgeschoten door een van de levende mannen, een Australiër die in Zweden woonde en werkte. Hij had een vergunning voor een vuurwapen.

Het was allemaal erg smerig.

Ogilvie stond er, uiteraard, buiten, evenals Michaelis en Gregory. Michaelis had op de weg met de bestelwagen staan wachten, maar toen een infanteriepeloton in volledige gevechtslinie uit het bos was gekomen en systematisch mijn auto begon te slopen was hij tactvol vertrokken. Hij reed terug naar Strängnäs en belde Ogilvie die hem terugriep naar Stockholm. En wat Ogilvie van de ambassade te horen kreeg deed hem besluiten dat het klimaat in Londen gunstiger was dan de kilheid van Stockholm. Het drietal was die avond terug in Londen en Cutler zei: 'Ik heb het wel gezegd.'

Wij vieren werden naar de kazerne in Strängnäs gebracht, het hoofdkwartier van het Koninklijke Södermanlandregiment en het hoofdkwartier van Militair Commando Oost. Hier werden we gefouilleerd en er werden wenkbrauwen opgetrokken bij de aanblik van onze verbindingsuitrusting. Zonder twijfel werden er uitgebreide conclusies getrokken. We werden niet slecht behandeld; we kregen te eten en als wat we aten representatief was voor legervoedsel, heeft het Zweedse leger het aanzienlijk beter dan het

Engelse leger. Maar we mochten niet praten; een verbod dat werd onderstreept door twee stevige Zweden die met machinepistolen waren bewapend.

Daarna werd ik naar een lege kamer gebracht en toen ik net dacht dat het verhoor zou beginnen, kwam er een man in burger binnen die onaardig tegen de militairen deed. Tenminste, die indruk kreeg ik naar aanleiding van het gebrom van stemmen in de kamer naast me. Toen kwamen een kolonel en een burger naar me toe en nadat ze me gezien hadden gingen ze weg zonder een woord te zeggen, en ik werd overgebracht naar een cel waar ik de volgende drie weken doorbracht, afgezien van een uur luchten per dag. In die tijd zag ik de anderen in het geheel niet en de Zweden wilden me nog niet eens vertellen hoe laat het was, dus had ik me behoorlijk eenzaam moeten voelen, maar dat was ik niet. Ik was helemaal niets.

Ik werd op een nacht om drie uur gewekt, naar een badhuis gebracht en mocht een douche nemen. Toen ik eruit kwam vond ik mijn eigen kleren terug – de legeroverall die ik had gedragen was verdwenen. Ik kleedde me aan, controleerde mijn portefeuille, trof al mijn eigendommen aan, en deed mijn horloge om. De enige dingen die ontbraken waren mijn paspoort en de radio.

Ik werd kwiek over het donkere en besneeuwde exercitieterrein gemarcheerd en naar een kamer gebracht waar een man in burger me opwachtte. Maar hij was geen burger, want hij zei: 'Ik ben kapitein Morelius.' Hij had waakzame grijze ogen en een pistool in een holster onder zijn jasje.

'U gaat met me mee.'

We gingen weer naar buiten en liepen naar een Volvo met chauffeur, en kapitein Morelius zei geen woord meer tot we ruim drie uur later op het platform van het Arlandavliegveld stonden. Toen wees hij naar een Trident van British Airways en zei: 'Daar staat uw toestel, meneer Jaggard. U begrijpt natuurlijk wel dat u niet welkom meer bent in Zweden.' En dat was alles wat hij zei.

We liepen naar de vliegtuigtrap en hij gaf een ticket aan een steward die me mee naar binnen nam en me een stoel in de eerste klas wees. Toen lieten ze het gewone volk binnen en twintig minuten later waren we in de lucht. Ik werd goed bediend door de steward die gedacht moet hebben dat ik een VIP was, en ik waardeerde de eerste borrel die ik in bijna een maand had gehad. Toen we op Heathrow landden vroeg ik me af hoe ik verder zou komen zonder paspoort; ik had bepaald geen zin in langdurige verklaringen. Maar Ogilvie wachtte me op en we liepen om de paspoortcontrole en de douane heen. Toen we in zijn auto zaten vroeg hij: 'Gaat het je goed, Malcolm?'

'Ja,' zei ik. 'Het spijt me.'

'Maak je geen zorgen,' zei hij. 'De uitleg komt later wel.'

Terwijl we de stad binnenreden praatte hij over van alles behalve over wat er in Zweden was gebeurd. Hij bracht me op de hoogte van het nieuws, kwetterde over een nieuwe show die zijn première had gehad, en hield zich in het algemeen bij vlot gebabbel. Toen hij voor mijn flat stopte zei hij: 'Ga wat slapen. Ik zie je morgen op kantoor.'

Ik stapte uit. 'Wacht! Hoe is het met Penny?'

'Tamelijk goed, geloof ik. Ze is in Schotland.'

'Weet ze ervan?'

Hij knikte, pakte zijn portefeuille en haalde er een krankeknipsel uit. 'Dat mag je houden,' zei hij en schakelde en reed weg.

Ik ging mijn flat binnen en de vertrouwdheid ervan leek vreemd. Ik stond rond te kijken en besefte toen dat ik het krankeknipsel in mijn hand had. Het kwam uit *The Times* en luidde:

GEDOOD IN ZWEDEN

Twee Engelsen, George Ashton (56) en Howard Greatorex Benson (64) zijn gisteren in de buurt van Strängnäs (Zweden) omgekomen toen ze zich begaven op een schietterrein van het Zweedse leger. Beide mannen waren onmiddellijk dood toen ze door een granaat werden getroffen.

Een woordvoerder van het Zweedse leger zei dat het terrein voldoende was afgezet en dat alle wegen die erheen leiden van borden waren voorzien. Aankondigingen van aanstaande oefeningen met scherpe munitie waren zoals gebruikelijk gedaan in de plaatselijke dagbladen en op de radio.

De datum van het bericht was vijf dagen nadat Ashton en Benson waren omgekomen.

25

Toen ik mijn kantoor binnenging zat Larry Godwin achter zijn bureau de *Pravda* te lezen en hij keek alsof hij nooit was weggeweest. Hij keek op. 'Hallo, Malcolm.' Hij lachte niet en ik evenmin. We wisten allebei dat er niets te lachen viel.

'Wanneer ben je teruggekomen?'

'Drie dagen geleden – de dag na Jack Brent.'

'Henty?'

Hij schudde zijn hoofd. 'Die heb ik niet gezien.'

'Hoe hebben ze jou behandeld?'

'Niet slecht. Maar ik voelde me een beetje geïsoleerd.'

'Heeft Ogilvie al met je gesproken?'

Larry trok een grimas. 'Hij heeft me leeggegoten zoals je een flesje bier leeggiet. Ik wed dat het nu jouw beurt is.'

Ik knikte, pakte de telefoon en zei tegen Ogilvies secretaresse dat ik er was. Toen ging ik zitten en overdacht mijn toekomst en door alle mist kon ik niets zien. Larry zei: 'Er is iemand geweest die wist aan welke touwtjes hij moest trekken. Ik moet je zeggen, ik keek niet bepaald verlangend uit naar een tijdje in een Zweedse gevangenis. Ze zouden ons in hun versie van Siberië gestopt hebben – ergens in het koude noorden.'

'Ja,' zei ik afwezig. Ik vroeg me af welk 'voor wat hoort wat' de Zweden hadden geëist voor onze vrijlating en hun zwijgen.

Ogilvie belde me twintig minuten later. 'Ga zitten, Malcolm.' Hij boog zich naar zijn intercom. 'De rest van de ochtend geen telefoontjes meer, alsjeblieft,' zei hij onheilspellend, keek me toen aan. 'Het lijkt me dat we heel wat te bepraten hebben. Hoe voel je je?'

Ik had het idee dat hij dit echt wilde weten, daarom zei ik: 'Een beetje leeg.'

'Hebben de Zweden je goed behandeld?'

'Ik mag niet klagen.'

'Mooi zo. Laten we ter zake komen. Wie heeft Ashton doodgeschoten?'

'Uit de eerste hand zou ik het niet weten. Toen het gebeurde dacht ik dat hij door een paar kogels van de Zweden was geraakt – er werd flink geschoten. Toen vertelde Henty me dat Benson hem had neergeschoten.'

'Maar je hebt het Benson niet zien doen.'

'Dat klopt.'

Ogilvie knikte. 'Dat komt overeen met wat Godwin en Brent me verteld hebben. Goed, wie heeft Benson doodgeschoten?'

'Henty zei dat hij dat gedaan had. Hij zei dat hij Benson op Ashton zag schieten en dat hij daarom zijn eigen pistool trok en hem achterna ging. Blijkbaar bevond Benson zich op de heuvel tussen de bomen. Hij zei dat Benson ook op hem schoot en dat hij daarom terugschoot en hem doodde. Ik wist niet eens dat Henty gewapend was.'

'Heb je erover nagedacht waarom Benson Ashton zou hebben doodgeschoten? Het is niet normaal dat een oude huisknecht dat zijn baas aandoet.'

Een humorloze gedachte schoot door mijn hoofd: in de nog niet zo inventieve eerste Engelse detectiveverhalen was het altijd de butler die de moord pleegde. Ik zei: 'Ik kan wel een reden bedenken, maar die heeft niets te maken met Bensons positie als bediende.'

'En?'

'Henty liep rechts van mij en Brent en Godwin kwamen onder een schuine hoek van links. Ashton bevond zich net boven ons, maar een groot rotsblok schermde mij af van de top van de helling. Ik kon Benson niet zien en ik denk niet dat hij mij zag. Maar hij zag Larry wel en Larry was een Rus, weet je nog. Toen Ashton bleef staan en zich omdraaide en aanstalten maakte om naar beneden te gaan, heeft Benson hem neergeschoten.'

'Om te voorkomen dat hij in handen van de Russen zou vallen. Juist, ja.'

Ik zei: 'En dat wil zeggen dat hij meer was dan een huisknecht.'

'Mogelijk,' zei Ogilvie. 'Maar ik ben de geschiedenis van Howard Greatorex Benson nagegaan en de man is zo zuiver als pasgevallen sneeuw. In 1912 in Exeter geboren, zoon van een advocaat; normale schoolopleiding maar voor de universiteit gestraald, tot teleurstelling van zijn vader. Is kantoorbediende geweest bij een zaak in Plymouth en werd ten slotte de chef van een nogal kleine afdeling. Is in 1940 in het leger gegaan – werd ten slotte sergeant bij de administratie – hij was het ideale type van de fourageur. Nadat hij in 1946 was gedemobiliseerd is hij voor Ashton gaan werken als chef de bureau. Daar kreeg hij te maken met het Peter Principe: hij was goed zolang de zaak klein bleef, maar na de uitbreidingen werd het hem te veel. Vergeet niet dat hij niet verder dan sergeant was gekomen – hij was een man van bescheiden niveau. Daarom heeft Ashton hem aangesteld als manusje-van-alles wat ideaal voor Benson scheen te zijn. Het werk kon hem niet boven het hoofd groeien en hij was blij om van dienst te kunnen zijn. Ashton heeft waarschijnlijk waar voor zijn geld gekregen. Hij is nooit getrouwd geweest. Wat vind je daar allemaal van?'

'Heb je dat uit de computer gehaald?'

'Nee. De computer is nog steeds van streek. Hij vertelt me nu dat Benson niet in de gegevensopslag kan zijn opgenomen.'

'Dan vergist hij zich,' zei ik vlak. 'Hij kwam te voorschijn toen ik het Nellie vroeg.'

Ogilvie keek me twijfelend aan, vroeg toen: 'Maar wat denk je van zijn achtergrond zoals ik je die verteld heb?'

'Uit niets blijkt dat hij reden had om Ashton dood te schieten. Uit niets blijkt dat hij om te beginnen een vuurwapen bij zich zou hebben. Had hij een wapenvergunning?'

'Nee.'

'Heb je het pistool kunnen nagaan?'

Ogilvie haalde zijn schouders op. 'Hoe kan dat nou? De Zweden hebben het.' Hij dacht even na, opende toen een notitieboek op kwartoformaat en schroefde de dop van zijn pen. 'Ik wilde het eerst over de hoofdzaken hebben, maar nu moet jij me gedetailleerd alles vertellen wat er gebeurd is vanaf het moment dat Ashton en Benson hun flat in Stockholm verlieten.'

Dat vergde de rest van de ochtend. Om kwart voor één schroefde Ogilvie zijn pen dicht. 'Dat is het dan. Je mag naar huis gaan.'

'Ben ik geschorst?'

Hij keek me vanonder samengeknepen wenkbrauwen aan. 'Er zijn nogal wat mensen die graag zouden zien dat je ontslagen werd. Anderen zien meer in overplaatsing naar de Hebriden om op te treden tegen industriële spionage bij Harris Tweed; ze hebben het over een dienstperiode van twintig jaar. Heb je enig idee van de problemen die die onderneming van ons veroorzaakt heeft?'

'Ik heb een goed voorstellingsvermogen.'

Hij snoof. 'O ja? Nou, stel je dan eens voor hoe de Zweden erover denken, en stel je je hun reactie voor toen we op hoog niveau druk gingen uitoefenen. Het is tot in het kabinet geweest, zie je, en de ministers zijn helemaal niet blij. Ze hebben het over een stelletje broddelende amateurs.'

Ik deed mijn mond open om iets te zeggen, maar hij stak zijn hand op.

'Nee, je bent niet geschorst. Wat je hebt gedaan is op mijn instructies gebeurd, en ik zie niet in hoe je het onder de gegeven omstandigheden anders had kunnen doen. Geen van ons had verwacht dat Benson Ashton dood zou schieten, dus als iemand blaam treft ben ik het, als hoofd van de afdeling. Maar deze afdeling staat nu onder de opperste druk. Er is morgenochtend om elf uur een interdepartementale vergadering waarop de duimschroeven zullen worden aangedraaid. Jij moet er bij zijn. Dus ga je nu weg en komt hier morgen om kwart over tien uitgerust en fris terug, erop ingesteld dat je het moeilijk zult krijgen. Begrepen?'

'Ja.'

'En je zou me een genoegen doen als je de commissie niet vertelt dat je wist van het Ashton-dossier in Code Zwart. We hebben al genoeg moeilijkheden.'

Ik stond op. 'Goed, maar één ding zou ik willen weten – wat is er met de lijken gebeurd?'

'Van Ashton en Benson? Er is een kerkdienst geweest in Marlow en ze zijn naast elkaar begraven op het kerkhof daar.'

'Hoe heeft Penny het verwerkt?'

'Zoals je zou kunnen verwachten. Beide dochters hebben een flinke klap gehad. Ik was er zelf natuurlijk niet bij, maar ik heb gehoord hoe het gegaan is. Ik heb aan juffrouw Ashton kunnen laten weten dat jij in Amerika was maar dat je binnenkort terug verwacht werd. Dat leek me raadzaam.'

Raadzaam en tactvol. 'Bedankt,' zei ik.

'Ga nou en zet je gedachten voor morgen op een rijtje.' Ik liep naar de deur en hij voegde eraan toe: 'En Malcolm: ongeacht hoe die vergadering verloopt, je moet weten dat er nog veel onverklaarbaars is aan de zaak-Ashton – en dat alles uitgelegd zal worden. Ik begin erg kwaad te worden over dit geval.'

Terwijl ik wegliep bedacht ik me dat een kwade Ogilvie bepaald formidabel kon zijn.

Ik werd gedurende lange tijd aan mijn eigen gedachten overgelaten terwijl de commissievergadering aan de gang was; het was kwart over twaalf eer een portier de wachtkamer binnenkwam en zei: 'Wilt u me maar volgen, meneer Jaggard?' Ik volgde hem en hij bracht me naar een grote, lichte kamer die uitkeek op een binnenhof ergens in Westminster.

Er stond een lange walnoothouten tafel waaromheen een groep mannen zat, allen goed gekleed en wel doorvoed, en allen aan het eind van hun middelbare leeftijd. Het had de jaarvergadering van de directie van een bank kunnen zijn, ware het niet dat een van hen het uniform van politiecommissaris droeg en een tweede een van rode epauletten voorziene kolonel van de Generale Staf was. Ogilvie schuifelde in zijn stoel toen ik binnenkwam en wees dat ik de lege stoel naast hem moest nemen.

De voorzitter van de vergadering was een minister met wiens politieke richting ik het niet eens was en wiens persoonlijkheid ik altijd als uiterst weifelend had beschouwd. Die ochtend vertoonde hij geen spoor van weifelingen en hij leidde de vergadering als een compagnies-sergeant-majoor. Hij zei: 'Meneer Jaggard, we hebben de recente Zweedse operatie besproken waarbij u betrokken was en gezien bepaalde meningsverschillen heeft meneer Ogilvie voorgesteld dat u voor ons zou verschijnen om zelf antwoord op onze vragen te geven.'

Ik knikte, maar de kolonel snoof. 'Meningsverschillen is zacht uitgedrukt.'

'Dat heeft niets te maken met meneer Jaggard, kolonel Morton,' zei de minister.

'O nee?' Morton wendde zich rechtstreeks tot mij. 'Bent u zich ervan bewust, jongeman, dat u mijn beste man in Scandinavië hebt verspeeld? Zijn dekmantel is aan flarden gescheurd.'

Ik kwam tot de conclusie dat Morton de baas van Henty was.

De minister tikte met zijn pen op de tafel en Morton zweeg. 'De vragen die we zullen stellen zijn heel simpel en we verwachten duidelijke, ondubbelzinnige antwoorden. Is dat begrepen?'

'Ja.'

'Uitstekend. Wie heeft Ashton gedood?'

'Ik heb niet gezien wie hem heeft neergeschoten. Henty heeft me verteld dat het Benson was.'

Er kwam beweging aan de andere kant van de tafel. 'Maar u wéét

180

niet dat hij het gedaan heeft, behalve uit de tweede hand.'
Ik draaide me om en keek Lord Cregar aan. 'Dat klopt. Maar ik had en heb geen reden om Henty niet te geloven. Hij vertelde me het meteen nadat het gebeurd was.'
'Nadat hij Benson doodgeschoten had?'
'Dat klopt.'
Cregar keek me aan en glimlachte dun. 'Kunt u me, aan de hand van wat u van Benson weet, en ik neem aan dat u de man hebt laten nagaan, ook maar één reden geven waarom Benson de man zou doden die hij dertig jaar lang zo trouw had gediend?'
'Ik kan me geen deugdelijke reden voorstellen,' zei ik.
Hij krulde zijn lippen enigszins verachtelijk. 'Kunt u zich een ondeugdelijke reden voorstellen?'
Ogilvie zei bits: 'Meneer Jaggard is hier niet om antwoord te geven op stomme vragen.'
De minister zei scherp: 'Het zal beter verlopen als we de vragen eenvoudig houden, zoals ik had voorgesteld.'
'Uitstekend,' zei Cregar. 'Hier komt een eenvoudige vraag. Waarom hebt u Henty opdracht gegeven om Benson dood te schieten?'
'Dat heb ik niet gedaan,' zei ik. 'Ik wist niet eens dat hij gewapend was. De rest van ons was het niet: in opdracht van meneer Ogilvie. Henty was van een andere afdeling.'
Kolonel Morton vroeg: 'Bedoelt u dat Henty op eigen initiatief heeft gehandeld?'
'Inderdaad. Het is allemaal gebeurd binnen, pak weg, twintig seconden. Op het moment dat Benson gedood werd probeerde ik Ashton te helpen.'
Morton boog zich naar voren. 'Denk nu goed na, meneer Jaggard. Mijn mensen hebben niet de gewoonte lijken slordig in het landschap te laten slingeren. Welke reden gaf Henty op voor het doden van Benson?'
'Zelfverdediging. Hij zei dat Benson op hem schoot en dat hij daarom terugschoot.'
Kolonel Morton leunde achterover en leek tevreden, maar Cregar zei tegen het gezelschap in het algemeen: 'Deze man, die Benson, lijkt steeds meer buiten zijn gewone doen op te treden. Hier hebben we een pensioenklant die voor Billy the Kid speelt. Ik vind het ongeloofwaardig.'
Ogilvie stak zijn vingers in een vestzak en legde met een klik iets op

de tafel. 'Dit is een 9 mm-parabellumpatroon die gevonden is in Bensons kamer in Marlow. Die past in het pistool dat naast het lichaam van Benson gevonden is. En we weten dat de kogel die uit het lichaam van Ashton is gehaald uit dat pistool kwam. Dat hebben we van de Zweden gehoord.'

'Precies,' zei Cregar. 'Het enige dat u weet is wat de Zweden u verteld hebben. Wat is dat waard?'

'Wou u zegen dat Benson Ashton niet doodgeschoten heeft?' vroeg Morton. Er klonk een gemelijke toon in zijn stem.

'Het lijkt me hoogstonwaarschijnlijk,' zei Cregar.

'Ik neem geen mensen in dienst die zo stom zijn dat ze tegen me liegen,' zei Morton met een stem waarmee diamanten gekloofd konden worden. 'Henty heeft gezegd dat hij heeft gezien hoe Ashton door Benson gedood werd en ik geloof hem. Alle getuigen-verklaringen die we tot nu toe hebben gehoord spreken dat niet tegen.'

Ogilvie zei: 'Tenzij lord Cregar wil beweren dat mijn afdeling, de afdeling van kolonel Morton en de Zweedse legerinlichtingendienst onder één hoedje spelen om de schuld voor de dood van Ashton op Benson te schuiven teneinde op die manier de moordenaar te dekken.' Zijn stem was vervuld van ongeloof.

De geüniformeerde commissaris gniffelde en Cregar werd rood. 'Nee,' snauwde hij. 'Ik probeer alleen maar tot de kern van een verdomd geheimzinnig geval te komen. Waarom, bijvoorbeeld, *zou* Benson Ashton doodschieten?'

'Hij is niet hier om het hem te vragen,' zei de minister op koele toon. 'Ik stel voor dat we ophouden met deze jacht in het wilde weg en ons beperken tot meneer Jaggard.'

De commissaris boog zich naar voren en sprak langs Ogilvie heen tegen mij. 'Mijn naam is Pearson – Speciale Afdeling. Deze Zweedse operatie valt buiten mijn tuintje, maar om beroepsmatige redenen ben ik geïnteresseerd. Ik heb begrepen dat meneer Ogilvie niet wilde dat Ashton te weten zou komen dat de Engelse inlichtin-gendienst hem in het oog hield. Weet u ook waarom?'

Dat was een lastige vraag, want ik werd niet geacht te weten wie Ashton werkelijk was. Ik zei: 'Ik stel voor dat u die vraag aan meneer Ogilvie stelt.'

'Juist ja,' zei de minister. 'Het gaat om informatie waar meneer Jaggard niet over beschikt.'

'Uitstekend,' zei Pearson. 'Niettemin wilde hij Ashton uit Zweden weghalen omdat de Russen belangstelling hadden gekregen, dus zette hij Ashton onder druk door een man zich te laten uitgeven voor een Rus om op die manier "Ashton uit Zweden te exploderen", zoals hij het noemde. Wat ik niet begrijp is waarom die ontvoeringspoging in Strängnäs nodig was. Waarom hebt u het geprobeerd?'

Ik zei: 'Ze hadden treinkaartjes van Stockholm naar Göteborg genomen. Dat vond ik best. Ik was van plan ze in het oog te houden en als ze in Göteborg een boot namen te zien waar ze naar toe gingen. Het belangrijkste was ze uit de buurt van de Russen in Zweden weg te krijgen. Maar toen ze van ons wegglipten en naar Strängnäs gingen, werd het ingewikkelder dan een discrete escorte-operatie. Er waren krachtiger maatregelen nodig die door meneer Ogilvie gesanctioneerd werden.'

'Juist,' zei Pearson. 'Dat was het punt dat ik verkeerd begrepen had.'

'Ik heb ook iets verkeerd begrepen,' zei Cregar. 'Moeten we aannemen dat uw instructies inhielden dat u zichzelf niet aan Ashton mocht blootgeven?'

'Ja.'

'Maar naar wat ik gehoord heb hebt u dat wel gedaan. Er is ons vanochtend door meneer Ogilvie verteld dat u zich nadrukkelijk aan hem hebt laten zien. Pas toen hij u zag kwam hij terug. Is dat niet zo?'

'Dat klopt.'

'U hebt uw orders dus in de wind geslagen.'

Ik zei niets omdat hij geen vraag had gesteld, en hij blafte: 'Nou, is dat niet zo?'

'Ja.'

'Juist. U geeft het toe. En met alle respect voor kolonel Mortons vertrouwen in de waarheidsliefde van zijn staf, ben ik niet overtuigd door de nogal mistige getuigenverklaringen die hier zijn afgelegd dat Ashton door Benson is doodgeschoten; maar het feit blijft dat Ashton wel degelijk door iemand is doodgeschoten en het is zeer waarschijnlijk dat hij is doodgeschoten *omdat* hij terug wilde komen. Met andere woorden, hij is dood omdat u een order in de wind had geslagen om u niet bloot te geven.' Zijn stem was snijdend. 'Waarom hebt u die order in de wind geslagen?'

Ik ziedde van woede maar zag kans mijn stem gelijkmatig te houden. 'Het idee was niet om Ashton te doden maar om hem levend terug te brengen. Op dat moment begaf hij zich in groot gevaar. In dat deel van het bos werd hevig geschoten – mitrailleurs en mortieren, te zamen met geweervuur. Ik wist niet wat er precies aan de hand was. Het leek me noodzakelijk hem tegen te houden en hij bleef staan en wilde terugkomen. Dat hij door Benson werd neergeschoten kwam als een volslagen verrassing.'

'Maar u weet niet dat hij door Benson is neergeschoten,' wierp Cregar tegen.

De minister tikte met zijn pen. 'Dat punt hebben we al behandeld, lord Cregar.'

'Uitstekend.' Cregar bekeek me en vroeg poeslief: 'Zou u ook niet zeggen dat uw aanpak van deze hele operatie, vanaf het allereerste begin, gekenmerkt wordt door een, zullen we zeggen, tekort aan deskundigheid?'

Ogilvie stoof op. 'Wat meneer Jaggard heeft gedaan is op mijn rechtstreekse instructies gebeurd. U hebt niet het recht of het gezag mijn staf op die manier te kritiseren. Leg uw kritiek aan mij voor, meneer.'

'Goed, dat zal ik doen,' zei Cregar. 'Vanaf het allereerste begin heb ik er bezwaar tegen gemaakt dat u Jaggard aan deze zaak zette, en alle . . .'

'Zo herinner ik het me niet,' snauwde Ogilvie.

Cregar overstemde hem '. . . en alle gebeurtenissen sindsdien hebben me gelijk gegeven. Hij heeft Ashton onder zijn neus laten wegglippen op een moment dat hij vrij toegang tot Ashtons huis had. Dat maakte de Zweedse operatie noodzakelijk die hij ook verknoeid heeft, en voorgoed verknoeid, als ik het zeggen mag, want Ashton is nu dood. En als u beweert dat alles wat hij heeft gedaan op uw rechtstreekse instructies is gebeurd, mag ik u erop wijzen dat u hem net hebt horen toegeven dat hij uw orders in de wind heeft geslagen.'

'Op een kritiek moment heeft hij eigen initiatief getoond.'

'En met wat voor resultaat? De dood van Ashton,' zei Cregar op vernietigende toon. 'U hebt het al eerder gehad over het eigen initiatief van deze man. Ik was toen niet onder de indruk en ik ben nu nog minder onder de indruk.'

'Zo is het wel genoeg,' zei de minister kil. 'We gaan er niet verder op in. Zijn er nog meer vragen voor meneer Jaggard? Vragen die zowel eenvoudig als relevant zijn, graag.' Niemand zei iets, daarom merkte hij op: 'Wel, meneer Jaggard. Dat is alles.'

Op zachte toon zei Ogilvie: 'Wacht buiten op me.'

Terwijl ik naar de deur liep zei Cregar: 'Nou, dat is het eind van de zaak-Ashton – na dertig lange jaren. Hij was, uiteraard, een mislukkeling; heeft nooit aan de verwachtingen voldaan. Ik stel voor dat we de zaak laten vallen en uitkijken naar iets dat meer produktief is. Ik dacht . . .'

Wat Cregar dacht werd afgekapt door de deur die achter me dichtging.

Twintig minuten later kwamen ze uit de vergadering. Ogilvie stak zijn hoofd in de wachtkamer. 'Laten we gaan lunchen,' stelde hij voor. Hij scheen niet bijzonder terneergeslagen te zijn door wat er was gebeurd, maar hij liet nooit veel emotie blijken.

Toen we door Whitehall liepen vroeg hij: 'Wat denk je?'

Ik toverde moeizaam een lachje te voorschijn. 'Ik denk dat Cregar me niet mag.'

'Heb je nog gehoord wat hij zei toen je wegging?'

'Ja, iets van de zaak-Ashton die nu afgelopen is.'

'Ja. Ashton is begraven en daarmee de zaak-Ashton. Hij vergist zich, weet je.'

'Hoezo?'

'Omdat vanaf nu totdat alles opgehelderd en uitgedokterd is jij full-time aan de zaak-Ashton gaat werken.' Hij zweeg even, zei toen peinzend: 'Ik ben benieuwd wat we zullen vinden.'

26

Na wat er tijdens de vergadering was gezegd kwam Ogilvies beslissing als een grote verrassing. De ongunstigste mogelijkheid waaraan ik had gedacht was dat ik ontslagen zou worden; van de afdeling weggestuurd nadat mijn speciale kaart door de snippermachine was gehaald. Het gunstigste dat zich aan me voordeed was degradatie of een zijwaartse promotie. Ik had het idee dat Ogilvie het niet helemaal als een grapje had bedoeld toen hij het over de Hebriden had. Dat hij doorging met de zaak-Ashton en mij de leiding gaf schokte me. Ik was benieuwd hoe hij dat er bij de minister zou doorslepen.

Hij vertelde het me. 'De minister krijgt er geen snars van te horen.' Hij wierp me een winters lachje toe. 'Het voordeel van organisaties zoals de onze is dat we echt zijn toegerust om in het geheim te werken.'

Dit gesprek vond plaats in de beslotenheid van zijn werkkamer. Hij had geweigerd om ook maar iets over de zaak te zeggen nadat hij zijn verrassing had geplaatst en het gesprek tijdens de lunch was onbeduidend geweest. Terug in zijn werkkamer vatte hij de kern aan.

'Wat ik op het punt sta te doen is onethisch en mogelijk is het muiterij,' zei hij. 'Maar in dit geval geloof ik dat het verantwoord is.'

'Waarom?' vroeg ik ronduit. Als ik hierbij betrokken raakte wilde ik weten waar het werkelijk om ging.

'Omdat iemand een goocheltruc heeft uitgehaald. Deze afdeling is bedonderd en bezwendeld. Wie het bedrog heeft gepleegd mag jij uitzoeken – wat mij betreft kan het Ashton zelf geweest zijn. Maar ik wil weten wie het gepleegd heeft, en waarom.'

'Waarom kies je mij? Zoals Cregar duidelijk gemaakt heeft heb ik het tot nu toe niet zo best gedaan.'

Ogilvie trok zijn wenkbrauwen op. 'Dacht je van niet? Je hebt mij tevreden gesteld, en ik ben de enige die er iets toe doet. Er zijn verschillende redenen waarom ik jou gekozen heb. In de eerste plaats ben je een volslagen onverwachte keuze. In de tweede plaats ben jij nog altijd de man met een voetje binnen de deur van de Ashtons. In de derde plaats heb ik volledig vertrouwen in je.'

Ik stond op en liep naar het raam. Een paar duiven gingen op de vensterbank op in een amoureus spelletje, maar ze vlogen weg toen ik naderbij kwam. Ik draaide me om en zei: 'Ik stel je in de derde plaats op prijs, maar ik ben niet zo gelukkig met je in de tweede plaats. Zoals je weet ben ik door zuiver toeval midden in de zaak-Ashton terechtgekomen en sindsdien is mijn particuliere leven ondraaglijk ondersteboven gegooid. Ik heb een man zo juist de dood in gepest en dacht je dat ik dan *persona grata* bij zijn dochters zou zijn?'

'Penelope Ashton weet niets van jouw aandeel.'

'Daar gaat het niet om en dat weet je,' zei ik op scherpe toon. 'Je bent te intelligent om niet te weten wat ik bedoel. Je vraagt me met een leugen te leven tegenover de vrouw met wie ik hoop te trouwen – dat wil zeggen, als zij nog met mij wil trouwen.'

'Ik begrijp het probleem,' zei Ogilvie rustig. 'Denk niet dat ik het niet begrijp. Maar . . .'

'En vraag mij niet het ter wille van de afdeling te doen,' zei ik. 'Ik hoop dat mijn loyaliteiten op een hoger plan liggen.'

Ogilvie trok met zijn wenkbrauwen. 'Je land, misschien?'

'Zelfs dat niet.'

'Dus jij gelooft, net als E. M. Foster, dat als je moest kiezen tussen je land verraden en je vriend verraden je het lef zou hebben je land te verraden. Gaat het daar om?'

'Ik ben me er niet van bewust dat mijn land verraden hier iets mee te maken heeft,' zei ik stijf.

'O, ik weet niet,' zei Ogilvie peinzend. 'Verraad treedt in vele vormen op. Passiviteit kan net zozeer verraad betekenen als activiteit, vooral bij iemand die jouw soort werk uit eigen vrije wil heeft gekozen. Als jij iemand ziet lopen op een brug waarvan je weet dat hij onveilig is en je waarschuwt hem niet zodat hij doodvalt, ben je volgens de wet schuldig aan doodslag. Hetzelfde geldt voor verraad.'

'Dat zijn maar woorden,' zei ik kil. 'Jij hebt het over landverraad terwijl ik alleen maar een interdepartementale ruzie zie waarin je eigendunk een deuk heeft opgelopen. Jij hebt net zo de pest aan Cregar als hij aan jou.'

Ogilvie keek op. 'Wat heeft Cregar hiermee te maken? Weet je iets bepaalds?'

'Hij probeert toch steeds zijn neus erin te steken? Vanaf het allereerste begin al.'

'O, is dat alles?' zei Ogilvie vermoeid. 'Dat is de aard van het beestje. Hij is een geboren doelpuntenmaker; dat is goed voor zijn enorme ego. Ik zou wat Cregar betreft geen voorbarige conclusies trekken.' Hij stond op en keek me aan. 'Maar ik vind het echt jammer dat je een dergelijk oordeel over mij hebt. Ik dacht dat ik beter verdiend had.'

'O, Christus!' zei ik. 'Neem me niet kwalijk; ik bedoelde het niet echt zo. Het komt alleen omdat ik door die toestand met Penny helemaal in de war ben. De gedachte dat ik met haar moet praten – tegen haar moet liegen – zit me geweldig dwars.'

'Jammer genoeg is dat een deel van het werk. We zijn leugenaars van beroep, jij en ik. We zeggen tegen de buitenwereld dat we bij McCulloch en Ross, economische en industriële adviseurs, werken, en dat is een leugen. Dacht je dat mijn vrouw en dochtertjes echt wisten wat ik doe? Ik lieg elke minuut van de dag tegen hen, alleen al door te bestaan. Penny Ashton weet tenminste wat je bent.'

'Niet helemaal,' zei ik bitter.

'Jij bent niet schuldig aan de dood van Ashton.'

Ik verhief mijn stem. 'O nee? Ik heb hem erin gejaagd.'

'Maar jij hebt hem niet gedood! Wie wel?'

'Benson, verdomme!'

Ogilvie verhief zijn stem ook en riep: 'Zoek uit waarom, in Godsnaam! Doe het niet voor mij, en zelfs niet voor jezelf. Haar hele leven heeft dat meisje van jou in hetzelfde huis gewoond als de man die haar vader ten slotte vermoord heeft. Zoek uit waarom hij het gedaan heeft – misschien doe je het dan wel voor haar bestwil.'

We hielden ons beiden opeens in en er hing een stilte in de kamer. Zacht zei ik: 'Misschien zeg je daar wat – eindelijk.'

Hij ging zitten. 'Het is moeilijk jou te overtuigen. Wou je zeggen dat het me gelukt is?'

'Ik dacht van wel.'

Hij zuchtte. 'Ga dan zitten en luister naar me.' Ik gehoorzaamde en hij zei: 'Je blijft een poosje in ongenade. Dat zal iedereen verwachten, de minister inbegrepen. Een soort degradatie ligt voor de hand, dus maak ik een koerier van je. Dat geeft je de vrijheid om je in dit land te bewegen, en zelfs daarbuiten.' Hij glimlachte. 'Maar ik zou voorzichtig zijn met naar Zweden te gaan.'

Dat zou ik. Kapitein Morelius zou bepaald spraakzaam worden, zelfs zozeer dat hij drie zinnen achter elkaar zou zeggen. En ik wist wat die zinnen zouden zijn.

'We hebben hier flink wat kabaal gemaakt,' zei Ogilvie. 'Knallende ruzie. Nou, dat geeft extra-waarheidsgehalte aan een voor het overige bleek en weinig overtuigend verhaal. Er is één speciaal ding aan het werken in een spionage-organisatie – het nieuws doet snel de ronde. Je kunt rekenen op opmerkingen van je collega's; kun je daar tegen?'

Ik haalde mijn schouders op. 'Ik heb me nooit zo druk gemaakt om wat de mensen van me denken.'

'Ja,' stemde hij in. 'Dat heeft Cregar ontdekt toen hij je voor het eerst ontmoette. Goed, bij dit karwei heb je volkomen autonomie. Je doet het op jouw manier, maar het wordt een solo-operatie; je krijgt alle hulp die ik je geven kan, behalve mensen. Je meldt je resultaten aan mij en aan niemand anders. En ik verwácht resultaten.'

Hij opende een la en pakte een dunne dossiermap. 'Wat Penny Ashton betreft, ik heb een onderbouw aangebracht waar je misschien iets mee kunt doen. Voor zover zij weet ben je de afgelopen weken in Amerika geweest. Ik hoop dat je haar niet vanuit Zweden geschreven hebt.'

'Nee.'

'Mooi zo. Er is haar tactvol verteld dat je was uitgestuurd op een geheimzinnig karwei dat het je onmogelijk maakte haar te schrijven.

Wetende wat ze van je werk denkt te weten zal dat haar logisch lijken. Maar via de afdeling ben je op de hoogte gesteld van de dood van haar vader en je hebt dit telegram gestuurd.'

Hij schoof een velletje papier over het bureau. Het was een echte doorslag van een Western Union-telegram dat in Los Angeles verstuurd was. De inhoud was afgezaagd en conventioneel, maar het kon ermee door. Ogilvie zei: 'Via een bloemisterij in Los Angeles en Interflora heb je ook voor kransen op de begrafenis gezorgd. De kwitantie van de bloemisterij zit in deze map, samen met andere kleinigheden die iemand tijdens een reis verzamelt en bij zich houdt. Er zijn schouwburgkaartjes van voorstellingen die op het ogenblik in Los Angeles gegeven worden, wat kleine Amerikaanse bankbiljetten, luciferboekjes van hotels, enzovoort. Maak je zakken leeg.'

Het verzoek overviel me en ik aarzelde. 'Kom op,' zei hij. 'Leg alles op mijn bureau.'

Ik haakte mijn zakken leeg. Terwijl ik mijn portefeuille te voorschijn haalde, zocht Ogilvie tussen het kleingeld dat ik had geproduceerd. 'Zie je wel,' zei hij triomfantelijk en hield een muntstuk op. 'Een Zweedse kroon tussen je Engelse geld. Die had je kunnen verraden. Ik wed dat je ook nog wat Zweedse dingen in je portefeuille hebt. Weg ermee.'

Hij had gelijk. Er was een rekening van de bar van het Grand Hotel die nog aan mijn onkostennota bevestigd moest worden, en een lijst van wisselkoersen tussen ponden en kronen die was gemaakt toen ik probeerde de grillen van het zakkende pond bij te houden. Ik verruilde ze voor de Americana en zei: 'Je was dus toch zeker van me.'

'Vrij zeker,' zei hij droog. 'Je bent gisteren uit de States teruggekomen. Hier is je vliegbiljet – laat het maar op een opvallende plaats slingeren. Penny Ashton komt, voor zover ik weet, morgen terug uit Schotland. Je hebt geen Zweedse kleren gekocht?'

'Nee.'

'In dat koffertje daar zitten wat overhemden en sokken. En een paar pakjes sigaretten. Allemaal echt Amerikaans. Goed, nu ga je naar jouw kamer en rommelt wat nukkig rond. Je bent net door de gehaktmolen gehaald en dat voel je nog. Ik neem aan dat Harrison je over een uur of zo wil spreken. Probeer niet hem te glad af te zijn; gun hem zijn triomfje. Vergeet niet dat je een geslagen man bent, Malcolm – en veel succes.'

Ik ging terug naar mijn kamer en liet me achter mijn bureau vallen. Larry ritselde met zijn krant en ontweek mijn blik, maar na een poosje zei hij: 'Ik heb gehoord dat je de hele ochtend bij de bolleboffen bent geweest.'

'Ja,' zei ik kortaf.

'Was Cregar er ook?'

'Ja.'

'Erg?'

'Je hoort het gauw genoeg.' 'Ik denk niet dat ik hier nog lang blijf.'

'O.' Larry zweeg een poosje, sloeg toen een pagina om en zei: 'Dat spijt me, Malcolm. Het was jouw schuld niet.'

'Iemand moet voor de bijl gaan.'

'Mmm. Nee, wat ik bedoel is dat het me spijt van jou en Penny. Dat zal moeilijk worden.'

Ik glimlachte tegen hem. 'Bedankt, Larry. Je hebt gelijk, maar ik denk dat het wel goed zal komen.'

Ogilvie had gelijk met zijn voorspelling. Binnen het uur belde Harrison en zei dat ik me bij hem moest melden. Ik ging naar binnen, probeerde terneergeslagen te kijken en noemde hem eens een keer niet Joe. Evenmin ging ik zitten.

Hij liet me staan. 'Ik heb van meneer Ogilvie begrepen dat je deze afdeling gaat verlaten.'

'Dat heb ik ook begrepen.'

'Je moet je morgen melden bij meneer Kerr.' Zijn ogen glinsterden van moeizaam onderdrukte pret. Hij had altijd al gevonden dat ik naast mijn schoenen liep en nu werd ik gedegradeerd tot loopjongen – zo komt hoogmoed voor de val. 'Dit is een lastige situatie, begrijp je,' zei hij gemelijk. 'Ik ben bang dat ik je moet vragen je bureau uit te ruimen voordat je vandaag weggaat. Er komt natuurlijk iemand anders.'

'Natuurlijk,' zei ik op kleurloze toon. 'Dat zal ik doen.'

'Goed zo,' zei hij, en zweeg. Eén ogenblik dacht ik dat hij een preekje zou houden over het beteren van mijn leven, maar het enige dat hij zei was: 'Je kunt gaan, Jaggard.'

Ik ging en ruimde mijn bureau uit.

27

De volgende ochtend ging ik naar Kerr. Hij was een van de afdelingshoofden, maar zijn afdeling was de enige die winst maakte omdat men er, onder meer, het beheer voerde over de legitieme kant van McCulloch en Ross, de buitenkant die het publiek kende. En er werd een stevige winst geboekt, wat ook wel mocht, want als er verlies zou zijn geleden met alle professionele vaardigheden van de andere afdelingen op de achtergrond, had Kerr ontslagen moeten worden. Er vielen nog andere dingen onder Kerr, zoals de koeriers – de loopjongens.

Hij scheen niet goed te weten hoe hij me moest aanpakken. 'Ah, juist ja – Jaggard. Hier heb ik dacht ik wel iets voor je.' Hij gaf me een grote dikke envelop die zwaar verzegeld was. 'Ik heb gehoord dat jij wel weet waar die naar toe moet. Het schijnt dat . . . eh . . . de bezorging wel wat tijd kan kosten, zodat je een poosje afwezig zult zijn.'

'Dat klopt.'

'Juist,' zei hij somber. 'Heb je een bureau nodig – een werkkamer?'

'Nee, dat lijkt me niet.'

'Gelukkig. We hebben weinig ruimte.' Hij glimlachte. 'Blij je hier . . . eh . . . te hebben,' zei hij onzeker. Ik weet niet wat Ogilvie hem verteld had, maar hij was duidelijk in de war van mijn huidige status.

Ik opende de envelop in mijn auto en trof £ 1000 in gebruikte briefjes van vijf aan. Dat was attent van Ogilvie, maar in deze operatie kon ik nauwelijks op normale wijze een onkostennota indienen. Ik deed het geld in het speciaal aangebrachte kastje onder de passagiersstoel en reed naar het politiebureau in Marlow waar ik naar Honnister vroeg. Hij kwam in de wachtkamer naar me toe. 'Je bent een poosje niet geweest,' zei hij, bijna beschuldigend. 'Ik heb geprobeerd je te bereiken.'

'Ik ben een paar weken in Amerika geweest. Waarvoor wilde je me spreken?'

'O, zo maar een babbeltje,' zei hij vaag. 'Jij was zeker weg toen

Ashton en Benson in Zweden zijn doodgeschoten.'
'Ja, maar ik heb er van gehoord.'
'Gek, dat Ashton 'm zo gesmeerd was.' Er glinsterde iets in zijn oog. 'Om dan zo rottig dood te gaan. Dat zet je aan het denken.' Ik haalde een pakje sigaretten te voorschijn en bood hem er een aan. 'En wat denk je dan?'
'Nou, iemand als Ashton maakt een fortuin met hard werken en dan, als hij nog niet te oud is om er plezier van te hebben, gaat hij opeens dood.'
Hij keek naar het pakje in mijn hand. 'Nee, ik hou niet van Amerikaanse saffies. Ze nemen goeie Virginiatabak, mengen daar Turkse doorheen, dan bakken en braden ze het en leggen ze het onder een ultraviolette straal tot er geen kraak of smaak meer aan is.'
Ik haalde mijn schouders op. 'Iedereen gaat dood. En je kunt het toch niet met je meenemen, al heb ik gehoord dat Howard Hughes het heeft geprobeerd.'
'Heb je Penelope Ashton nog gesproken?'
'Nog niet.' Ik stak een sigaret op, al vind ik ze ook niet lekker. 'Ik ga straks naar haar huis. Ik heb gehoord dat ze vandaag terug verwacht wordt. Als ze er niet is zie ik Gillian in elk geval.'
'En dan ziet zij jou,' zei Honnister. 'Maar op het nippertje. Ik heb Crammond geproken. Hij zegt dat Mayberry nog niet is voorgeleid en dat het waarschijnlijk ook niet zal gebeuren. Hij is niet toerekeningsvatbaar.'
'Ja, dat weet ik.'
Honnister keek naar de brigadier van dienst en richtte zich toen op van de balie. 'Laten we wat gaan drinken,' stelde hij voor. Ik stemde snel in want het betekende dat hij in vertrouwen wilde praten en ik had informatie nodig. Op weg naar het café zei hij: 'Je bent niet gekomen om zo maar wat te kletsen. Waar zit je achteraan?'
Ik zei: 'Toen we aan het onderzoek begonnen hebben we ons op Ashton geconcentreerd en niet zo op Benson gelet, hoewel ik een moment gedacht heb dat hij het zoutzuur had kunnen gooien.'
'Niks voor een oude familiebediende.'
Dat was het met kogels doorboren van zijn baas evenmin – maar dat zei ik niet hardop. 'Heb je hem nagegaan?'
We gingen de Coach and Horses binnen. 'Een beetje; voldoende om

te weten dat hij onschuldig was.' Tegen de kastelein zei Honnister: 'Dag, Monte; een dubbele whisky en een grote pils.'

'Die zijn voor mij,' zei ik.

'Geeft niet – ik heb een onkostennota.'

Ik glimlachte. 'Ik ook.' Ik betaalde en we gingen aan een tafeltje zitten. Toevallig was het hetzelfde tafeltje als waaraan ik Penny ten huwelijk had gevraagd; het leek eeuwen geleden. Het was vroeg, even voor de middag, en het was rustig in het café. Ik zei: 'Ik heb belangstelling voor Benson gekregen.'

Honnister begroef zijn neus in het bier. Toen hij weer bovenkwam om naar lucht te happen, zei hij: 'Er is iets vreemds aan de hand met de familie Ashton. Dit is op de voor-wat-hoort-wat-toer, dat snap je.'

'Ik zal je vertellen wat ik mag vertellen.'

Hij gromde. 'Daar heb ik veel aan.' Hij stak zijn hand op. 'Goed, ik weet dat je lippen verzegeld zijn en dat soort gelul, en dat ik maar een stomme plattelandssmeris ben die van niks weet – maar vertel me één ding: was Ashton ontvoerd?'

Ik glimlachte om Honnisters beschrijving van hemzelf die volstrekt onjuist was. 'Nee, hij is op eigen gelegenheid weggegaan. Hij vroeg met nadruk om de politie erbuiten te houden.'

'Dus dacht hij dat we ermee bezig waren. Dat is op zichzelf al interessant. En Benson is met hem meegegaan. Wat wil je van hem weten?'

'Alles wat je me van hem vertellen kunt dat ik nog niet weet. Ik kan alle beetjes gebruiken.'

'Vrijgezel – nooit getrouwd geweest. Had sinds de middeleeuwen voor Ashton gewerkt – butler, huisknecht, manusje-van-alles, chauffeur – noem maar op. Toen hij doodging was hij vierenzestig, als je *The Times* mag geloven.'

'Nog familie – broers of zusters?'

'Helemaal geen familie.' Honnister grinnikte. 'Zodra ik dat bericht in *The Times* zag ben ik aan de slag gegaan. De jeuk aan mijn nieuwsgierigheidspuistje maakte me gek. Benson had wat geld, ongeveer vijftienduizend pond, die hij heeft nagelaten aan Dr. Barnardo's Jongenstehuizen.'

'Verder nog iets?' vroeg ik gedeprimeerd.

'Ooit meegedaan aan een oorlog?' vroeg Honnister onverwacht.

'Nee.'

194

'Wel eens slachtoffers van een gewelddadige dood gezien?'
'Een paar.'
'Ik ook, vanwege mijn beroep. Ik heb ook de resultaten gezien van bommen en granaatvuur. Het was een tikje lastig om het te zien nadat ze in handen van een patholoog waren geweest, maar ik zou zeggen dat Ashton twee keer in de rug geschoten was en dat Benson van voren door het hoofd was geschoten. Door een granaatontploffing getroffen, me reet!'
Je hebt de lijken gezien!'
'Daar heb ik wel voor gezorgd – onofficieel, uiteraard. Ik ben hier naar het lijkenhuis gegaan. Ik zei al dat mijn puistje jeukte.'
'Charlie, je houdt daar je mond over, anders kom je tot aan je neus in de moeilijkheden. Dat meen ik echt.'
'Ik heb je al eerder gezegd dat ik een geheim kan bewaren,' zei hij gelijkmoedig. 'Trouwens, Zweden valt buiten mijn parochie, dus ik kan er toch niets aan doen. Als ze tenminste in Zweden doodgegaan zijn,' voegde hij er als een gedachte-achteraf aan toe.
'Ja, ze zijn in Zweden doodgegaan,' zei Ik. 'Dat klopt. En ze zijn inderdaad omgekomen op een Zweeds militair oefenterrein waar manoeuvres aan de gang waren.' Ik zweeg even. 'Waarschijnlijk heeft *The Times* onjuiste inlichtingen gekregen.'
'Ammenooitniet,' zei Honnister nadrukkelijk.
Ik haalde mijn schouders op. 'Heeft hier verder nog iemand de lijken gezien?'
'Niet dat ik weet. De doodkisten kwamen hier verzegeld en met de overlijdensberichten erbij, die waarschijnlijk ondertekend waren door een van die makke artsen van jouw afdeling. Christus, over medische ethiek gesproken! Hoe dan ook, ze liggen nu onder de grond.'
'Weet je nog meer van Benson?'
'Niet veel. Hij leidde een rustig leven. Hij had een vriendin in Slough, maar daar was hij een jaar of vijf geleden mee gestopt.'
'Hoe heet ze?'
'Daar schiet je niets mee op,' zei hij. 'Ze is anderhalf jaar geleden aan kanker gestorven. Benson betaalde haar verzorging in een particuliere kliniek – vanwege vroeger, lijkt me. Verder kan ik je niks vertellen. Er was weinig bijzonders aan Benson; hij was een soort ouwe-vrijsterachtige man zonder opmerkelijke dingen. Op één punt na.'

'Wat was dat?'

'Zijn gezicht. Hij moet eens een enorm pak op zijn lazer gehad hebben. De natuur had hem zo niet gemaakt – dat hebben mensenhanden gedaan.'

'Jawel,' zei ik. Ik had er schoon genoeg van om steeds op blinde muren te stuiten. Ik dacht erover na en kwam tot de conclusie dat mijn beste kans was om Bensons legertijd na te gaan, maar ik was niet hoopvol dat dat iets zou opleveren.

'Nog een whisky?'

'Nee, bedankt, Charlie. Ik ga naar de Ashtons.'

'Doe ze mijn groeten,' zei hij.

Ik reed naar het huis van de Ashtons en kwam er, tot mijn verrassing, Michaelis tegen die net vertrok. Onder zijn arm droeg hij een losbladig boek, ongeveer zo dik als twee bijbels. 'Wat doe jíj hier?'

Hij grinnikte. 'Tjoeke-tjoeke spelen. Je weet dat het mijn hobby is, en juffrouw Ashton heeft me toestemming gegeven op de zolder te rommelen als ik daar zin in heb. Het is een fascinerend complex.'

Het leek me niet te gezocht dat een agent van de contraspionage dol zou zijn op speelgoedtreinen. Ik wees naar het dikke boek. 'Wat is dat?'

'O, dat is echt erg boeiend,' zei hij. 'Ik zal het je laten zien.' Hij legde het boek op de motorkap van mijn auto. De vergulde letters 'LMS' waren zichtbaar op de leren band. 'Dit zijn de dienstregelingen van de oude LMS – de Londen, Midland and Scottish spoorweg zoals hij vóór de nationalisering heette. In wezen zijn de spoorwegen in 1939 genationaliseerd en je had toen alleen nog stoomtreinen.'

Hij sloeg het boek open en ik zag vele rijen met cijfers. 'Ashton had de dienstregelingen van de LMS overgeschreven, maar ik ben er nog niet achter met welk jaar hij bezig was, daarom neem ik dit mee naar huis om ze te vergelijken met een paar oude Bradshaws die ik heb. Ashtons systeem op zolder is niet bepaald gebruikelijk voor de modelbouwwereld – de meeste mensen kunnen zich niet veroorloven wat hij had. Ik heb je verteld over die microprocessors die hij kan programmeren. Deze cijfers geven de instellingen die nodig zijn voor het controlepaneel om gedeelten van de LMS-dienstregeling na te bootsen. Hij heeft ook boeken van andere vooroorlogse spoorwegmaatschappijen – de London and North-Eastern, de Great Western, enzovoort. Het is verdomde vreemd.'

'En of,' zei ik. 'Van welke juffrouw Ashton had je toestemming?'

'Van Gillian. Ik heb in het ziekenhuis veel met haar gepraat, eerst over haar vader, maar van het één kwam het ander. Ze was erg eenzaam, snap je, zo helemaal in het verband. Ik las haar boeken en kranten voor. Hoe dan ook, ik kreeg het over modeltreinen en ze kwam erachter dat ik geïnteresseerd was en toen zei ze dat ik er hier mee mocht komen spelen.'

'Juist, ja.'

'Gillian is een erg aardig meisje,' zei hij. 'We konden goed met elkaar opschieten.' Hij zweeg even. 'Ik zit niet de hele tijd op zolder.'

Ik bekeek Michaelis met andere ogen. Ik realiseerde me dat hij ongetrouwd was, net als ik en als met ons alles goed verliep, stond ik waarschijnlijk te praten met mijn aanstaande zwager. 'Is Gillian nu thuis?'

'Ja en ze verwacht Penny voor de lunch.' Hij sloeg het boek dicht. 'Ik heb via-via gehoord wat je is overkomen. Ik vind het een schande. Wie kon nou verdomme weten . . .'

Ik onderbrak hem. 'Hoe minder erover gepraat wordt hoe beter, zelfs onder vier ogen. Zeg er helemaal niets over – nooit. Op die manier kan je niets per ongeluk ontglippen.' Ik keek op mijn horloge. 'Als je zo bevriend bent met Gillian, waarom blijf je dan niet lunchen?'

Hij schudde zijn hoofd. 'Ik wil Penny niet onder ogen komen, daarom heb ik een smoes verzonnen. Zie je, Penny heeft Gillian niet van ons verteld – van de afdeling, bedoel ik. Ze weet er niets van en dat maakt het makkelijker. Maar ik heb Penny nog niet gezien sinds we terug zijn uit Zweden en ik durf haar nog niet onder ogen te komen na wat er gebeurd is. Ik heb zo'n eng gevoel dat ze mijn gedachten zou kunnen lezen.'

'Ja,' gaf ik toe. 'Het is verdomde lastig.'

'Jij bent er meer bij betrokken dan ik,' zei hij. 'Hoe voel jij je wat dat betreft?'

'Net als jij, maar misschien nog wel erger. Nou, ik ga eens naar Gillian. Ik zie je nog wel.'

'Ja,' zei Michaelis. 'Dat hoop ik.'

28

Ik had vergeten dat Gillian niet bepaald plezierig was om naar te kijken en ze bezorgde me een hernieuwde schok. Haar gezicht was gerimpeld en strak getrokken door de littekens en haar rechterooglid zat bijna dicht. De eerste paar ogenblikken waren erg onbehaaglijk; er deed zich de dubbele gêne voor van leed betuigen met de dood van haar vader en me over haar afzichtelijke uiterlijk heen te zetten, en ik hoopte dat mijn gezicht niet weerspiegelde wat ik voelde. Maar ze stelde me op mijn gemak, gaf me een whisky en nam zelf een sherry.

Ze had weinig over haar vader te zeggen behalve dat ze een verwarde droefheid en een volslagen onwetendheid omtrent zijn motieven vertoonde. 'Wat moet ik zeggen? Er *valt* niets te zeggen, behalve dat ik verdriet heb en volslagen verbijsterd ben.'

Wat haarzelf betrof had ze zich neergelegd bij wat haar was overkomen en ze was bereid erover te praten. 'Natuurlijk zal het na de plastische chirurgie beter zijn. Ik heb gehoord dat de beste man daarvoor in Amerika zit, en Penny wil dat ik ernaar toe ga. Maar mijn gezicht is nu niet zo aardig, en ik ga niet veel uit.' Ze glimlachte scheef. 'Ik zag dat je buiten met Peter Michaelis stond te praten. Ken je hem?'

Behoedzaam zei ik: 'Ik heb hem in het ziekenhuis leren kennen.'

'O ja, natuurlijk.' Ze glimlachte weer en in haar goede oog blonk een blijde glans. 'Je beschouwt politiemensen nooit als gewone mensen – het zijn maar schaduwen die over de televisie razen en mensen arresteren. Peter is zó aardig.'

Ik gaf toe dat het politieleven, enz. 'Het moet een rem zijn op hun sociale leven.'

'Hij heeft het me daarstraks over Mayberry verteld. Het schijnt dat de man gek is. Penny heeft me verteld over . . . over de vergissing.'

'Dan weet je het dus.'

'Ze heeft gewacht tot ik een paar dagen thuis was. Ze zal wel gelijk gehad hebben om het tot dan voor zich te houden. Ik was niet in een toestand om nog meer schokken te verwerken. Maar wat

verschrikkelijk is het voor haar. Ik heb flink op haar moeten inpraten om haar over te halen verder te werken met professor Lumsden.'
'Ik ben blij dat je dat gedaan hebt.'
Gillian keek me strak aan. 'Er is iets mis tussen jou en Penny, niet? Ik geloof dat ze zich er ongelukkig door voelt. Wat is er, Malcolm?'
'Ik weet niet of de problemen wel helemaal met mij te maken hebben,' zei ik. 'Ik geloof eerder dat ze ongelukkig is over wat er met jou gebeurd is, en daarna met je vader.'
'Nee,' zei ze peinzend. 'Ze schijnt jou erbij te betrekken, en ik weet niet waarom. Ze wil er niet over praten, en dat is niets voor haar.'
Ze draaide haar hoofd naar het raam toen er een auto stopte. 'Daar is ze. Je blijft natuurlijk lunchen.'
'Graag.'
Ik was blij om te ontdekken dat Penny blij was me te zien. 'O, Malcolm!' riep ze en haastte zich naar me toe. Ik ving haar halverwege de kamer op, nam haar in mijn armen en kuste haar. 'Het spijt me erg van je vader.'
Ze keek langs me naar Gillian en zei zacht: 'Daar wil ik het straks met je over hebben.'
Ik knikte. 'Uitstekend.'
'Een sherry,' zei ze. 'Een sherry om even bij te komen. Lummy en ik hebben ons vanochtend de kelen schor gepraat.'
Daarna gingen we lunchen en we babbelden opgewekt en gingen controversiële onderwerpen uit de weg. We bespraken Gillians aanstaande reis naar Amerika, en Penny vroeg me naar mijn ervaringen daar. 'Ik heb gehoord waar je zat,' zei ze terzijde.
Later zei ze: 'Gillian en ik hebben besloten het huis te verkopen. Het is veel te groot voor ons tweeën, dus hebben we besloten te verhuizen naar een behoorlijke flat in de stad. Daar is Gillian dichter bij de schouwburgen en muziektheaters en ik hoef niet naar het lab te forensen.'
'Dat klinkt verstandig,' zei ik. 'Wanneer gaan jullie verhuizen?'
'Ik ga met Gillian mee naar Amerika,' zei ze. 'We kiezen de mooiste meubelen hier uit en de rest wordt geveild, het antieke spul bij Sotheby en de rest vanuit het huis. Maar dan zitten wij in Amerika. Ik zou er niet tegen kunnen om hier te blijven en de verkoop te zien. Dus denk ik dat de veiling over een week of drie

plaatsvindt. Vanmiddag tref ik de laatste voorbereidingen.'

En dat betekende het einde voor Michaelis' pret met de model-spoorweg. Ik was benieuwd of hij een bod zou willen uitbrengen. Na de lunch zei Gillian dat ze moe was en in haar kamer ging rusten, maar ik geloof eerder dat ze ons alleen wilde laten. Penny en ik gingen voor het laaiende vuur zitten met een pot koffie en ik kon zien dat ze zich klaarmaakte voor een ernstig gesprek. 'Malcolm,' vroeg ze, 'wat is de waarheid wat paps betreft?'

Ik bood haar een Amerikaanse sigaret aan die ze aannam. 'Ik denk niet dat iemand dat ooit zal weten.'

'Is hij doodgegaan zoals gezegd is? Jij móét het weten, door wat je bent, ook al zat je op dat moment in Amerika. Ten slotte was jij bezig met een onderzoek naar hem.'

'Mijn inlichtingen zijn dat hij zich op een Zweeds militair terrein bevond waar met scherp geschoten werd toen hij omkwam.'

'En is dat de waarheid?' vroeg ze strak. 'Je zou tegen mij toch niet liegen?'

'Dat is de waarheid.' Maar niet de hele waarheid, Jaggard, jij schoft.

Ze zweeg een poosje en tuurde in de vlammen. 'Ik begrijp het niet,' zei ze ten slotte. 'Ik begrijp er niets van. Wat was hij in Zweden aan het doen?'

'Niet veel, schijnbaar, van wat ik begrepen heb. Hij woonde rustig in Stockholm met Benson die voor hem zorgde. Hij las veel en ging af en toe naar een concert. Een rustig en bedaard leven.'

'Hoe weet je dat allemaal?'

'Dat heeft de afdeling uiteraard nagegaan.'

'Uiteraard,' zei ze uitdrukkingloos. 'Ik ga naar Zweden. Ik wil het zelf uitzoeken. Ga je met me mee?'

Dat was een moeilijke vraag! Ik kon me de gezichtsuitdrukking voorstellen van de kolonel van het Koninklijke Södermanlandregi-ment als ik mijn neus weer in Strängnäs vertoonde. Ik had volstrekt geen voorstellingsvermogen nodig om de koude grijze ogen te zien van kapitein Morelius van de inlichtingendienst van het Zweedse leger.

'Dat zal niet gemakkelijk gaan,' zei ik. 'Ik ben net overgeplaatst en ik kan mijn eigen tijdsindeling niet bepalen.'

'Overgeplaatst van je afdeling?'

'Nee, gewoon binnen de afdeling, maar vanaf nu kan het zijn dat ik aan kantoor gebonden ben. Maar ik zal zien wat ik kan doen.' Wat in het geheel niets zou zijn. 'Luister, Penny, wat denk je ervan als ik het zo regel dat je met mijn baas kunt praten? Hij kan je alles vertellen wat er bekend is over het verblijf van je vader in Zweden.' En hij kan mijn vervloekte leugens namens mij vertellen, dacht ik woest.

Ze dacht erover na, zei toen: 'Uitstekend. Maar dat betekent niet dat ik niet naar Zweden ga.'

'Ik zal ervoor zorgen.' Ik stond op om ons nog eens koffie in te schenken. 'Penny, wat is er met ons aan de hand? Ik wil nog altijd met je trouwen, maar elke keer als ik dat onderwerp aanroer deins je terug. Ik hou erg veel van je en het wordt verdomde frustrerend. Ben je van gedachten veranderd?'

Ze riep: 'O, Malcolm, het spijt me; heus. Alles staat ineens zo op zijn kop. Eerst Gillian, toen paps – en toen jij. Ik ben begonnen naar mensen te kijken en me af te vragen of wat ik denk werkelijk zo is. Zelfs Lummy valt eronder – ik geloof dat hij zich zorgen over me begint te maken. Hij denkt dat ik paranoïde aan het worden ben.'

'Voor mij is het ook zo makkelijk niet geweest,' zei ik. 'Ik wilde niets met de zaak-Ashton te maken hebben.'

'De zaak-Ashton,' herhaalde ze. 'Wordt het zo genoemd?' Toen ik knikte zei ze: 'Dat ontneemt er de menselijkheid aan, vind je niet? Als het een "zaak" is, is het makkelijk het vlees en bloed te vergeten omdat een zaak voornamelijk bestaat uit briefjes en paperassen. Hoe zou jij het vinden als over jou gepraat werd als de zaak-Jaggard?'

'Vervelend,' zei ik somber.

Penny pakte mijn hand. 'Malcolm, je moet me de tijd gunnen. Ik denk – nee – ik *weet* dat ik van je hou, maar ik ben nog wat in de war; en ik kan niet zeggen dat ik zo blij ben om wat jij met je leven doet. Dat is nog iets waar ik over moet nadenken.'

'Mijn God!' zei ik. 'Zoals jij het zegt klinkt het alsof ik baby's rauw opeet. Ik ben gewoon een saaie contraspionageman die gespecialiseerd is in de industrie en die ervoor zorgt dat er niet te veel geheimen worden gestolen.'

'Bedoel je wapens?'

Ik schudde mijn hoofd. 'Niet per se. Dat is ons loket niet – en we hebben evenmin belangstelling voor het nieuwste tandpastasnufje.

Maar als een machinefabriek een paar miljoen in research heeft gestoken en te voorschijn is gekomen met iets revolutionairs, willen we niet dat de een of andere buitenlandse peer het jat en met voorsprong de concurrentie begint. En vergeet niet dat de buitenlandse peren uit het oosten door de staat gesteund worden.'
'Maar op dat soort dingen berust toch een patent?'
'Patenten zijn verklikkers. Het werkelijk belangrijke spul is niet gepatenteerd, zeker niet in de elektronica. Als je een nieuw elektronisch plaatje maakt dat het werk van elfduizend transistors doet, dan kan de oppositie dat ding onder de microscoop leggen en zien wat je gedaan hebt, maar hóé je het gedaan hebt is een heel andere zaak en onze jongens zullen het niet verklappen. En ze gaan de zaak zeker niet onthullen in een openbaar gemaakt patent.'
'Ik snap het,' zei ze. 'Maar dat betekent alleen maar dat je een soort politieman bent.'
'Het grootste gedeelte van de tijd wel,' zei ik. 'Ons probleem is dat diefstal van informatie op zichzelf in dit land niet illegaal is. Stel dat ik uit jouw lab een vel papier gap en ik word betrapt, dan zou ik schuldig bevonden worden aan de diefstal van een vel papier van twee cent, en ik zou er de bijpassende boete voor moeten betalen. Het feit dat op dat papier een formule staat geschreven die een paar miljoen pond waard is telt niet mee.'
Ze verhief haar stem. 'Maar dat is belachelijk.'
'Ben ik met je eens,' zei ik. 'Wil je iets echt belachelijks horen? Een paar jaar geleden werd een knaap betrapt op het aftappen van de telefoonlijn van een postkantoor. De enige aanklacht waarop ze hem konden pakken was de diefstal van een hoeveelheid elektriciteit, het eigendom van de PTT. Het was ongeveer één miljoenste watt.' Penny lachte en ik zei: 'Hoe dan ook, dat is mijn werk, en het lijkt mij helemaal niet zo verschrikkelijk.'
'Mij ook niet, nu je het uitgelegd hebt. Maar wat had paps daar mee te maken?'
Ik zei: 'Misschien besef je niet hoe belangrijk jouw vader was. De katalysatoren die hij aan het ontwikkelen was betekenden een revolutie voor de economie van de olie-industrie en hielpen daardoor de economie van het land. Als zo'n man vermist wordt, willen wij weten of iemand hem onder druk heeft gezet, en zo ja, waarom. Als hij wegloopt van een feeks van een vrouw, is dat natuurlijk zijn zaak en dan laten we het vallen.'

202

'En tot wat voor conclusie zijn jullie gekomen met betrekking tot paps?'

'In het begin legden we verband met de aanval op Gillian,' zei ik. 'Maar dat is een doodlopende steeg; we weten dat Mayberry in zijn eentje opereerde. Zoals het er nu voorstaat en de afdeling het heeft kunnen uitmaken, woonde je vader rustig in Stockholm en hield hij blijkbaar uitgebreid vakantie. Daar konden we niets aan doen.'

'Nee,' zei Penny. 'We zijn nog geen politiestaat. Wat wordt er nu verder gedaan?'

Ik haalde mijn schouders op. 'De hersenbrigade aan de top heeft besloten de zaak te laten rusten.'

'Juist.' Ze staarde lange tijd in het vuur, schudde toen haar hoofd. 'Maar toch moet je me de tijd gunnen, Malcolm. Laat me naar Amerika gaan. Ik wil hier weg en nadenken. Ik wil . . .'

Ik stak mijn hand op. 'Begrepen – geen geruzie meer. Ander onderwerp. Wat heb je in Schotland gedaan?' Ik was blij genoeg een ander onderwerp aan te snijden; ik had de waarheid al te veel gemanipuleerd.

'O, dat. Ik ben er geweest als adviseuse bij de herinrichting van een laboratorium. Het heeft me dwarsgezeten omdat zij alleen maar bereid zijn door te gaan tot P3 en ik P4 had voorgesteld. Ik heb het vanochtend met Lumsden besproken en hij vindt dat ik er een tikje . . . nou ja, paranoïde over doe.'

'Ik kan je niet bijbenen,' zei ik. 'Wat is P3? Om nog maar te zwijgen van P4.'

'O, dat vergat ik.' Ze gebaarde naar de kamer. 'Ik was zo gewend de dingen hier met paps te bespreken dat ik had vergeten dat jij een leek bent.' Ze keek me weifelend aan. 'Het is nogal technisch,' waarschuwde ze.

'Dat geeft niet. Ik heb een technische baan.'

'Dan kan ik maar het beste beginnen met de grote ruzie,' zei ze. 'Een Amerikaans geneticus, Paul Berg . . .'

Het schijnt dat Berg de zaak had aangeslingerd. Hij vond dat de genetici met de genen aan het stoeien waren op dezelfde manier waarop de natuurkundigen in de jaren twintig en dertig met het atoom hadden gestoeid, en de potentiële gevaren waren nog verschrikkelijker. Hij wees op enkele van die gevaren.

Het schijnt dat het meest geliefde laboratoriumdier van de genetici de bacterie *Escherichia coli* is en dat het het meest bestudeerde organisme op aarde is – men weet meer van de *E. coli* dan van enig ander levend ding. Het lag voor de hand dat dit schepsel gebruikt zou worden voor genetische experimenten.

'Er zit maar één kink in de kabel,' zei Penny. '*E. coli* is een natuurlijke bewoner van de menselijke ingewanden, en ik bedoel niet één of twee – ik bedoel met miljoenen tegelijk. Dus als je met *E. coli* gaat knoeien, ben je met iets potentieel gevaarlijks bezig.'

'Zoals?' vroeg ik.

'Je herinnert je Lumsdens voorbeeld van een genetische overdracht van *Rhizobium* om verbeterd graan te maken. Ik zei dat we moeten oppassen om niet nog een andere, gevaarlijkere gene over te dragen. Denk nu eens na. Stel dat je, bij toeval of met opzet, in *E. coli* de gene aanbracht die het mannelijk hormoon bepaalt, testosterone. En stel dat die kweek van *E. coli* uit het laboratorium ontsnapte en zich onder de mensen begaf. Het zou ook het darmkanaal van vrouwen binnendringen, snap je. Je hebt kans dat ze een baard zouden krijgen maar geen baby's meer konden krijgen.'

'Christus!' zei ik. 'Dat zou een catastrofe zijn.'

'Berg en een paar van zijn bezorgde vrienden belegden een internationale conferentie in Asilomar in Californië in 1975. Die werd druk bezocht door genetici uit de hele wereld maar er ontstond grote onenigheid. Geleidelijk werd een gedragslijn bepaald met betrekking tot het in de hand houden van de biologie. Bepaalde gevaarlijke experimenten zouden verboden worden in afwachting van de ontwikkeling van een kweek van *E. coli* die niet in staat zou zijn buiten het laboratorium in leven te blijven en geen kans zou krijgen de menselijke ingewanden te gaan bevolken. De specificatie hierbij was dat de overlevingskans van de nieuwe kweek niet meer mocht zijn dan één op het miljard.'

Ik glimlachte. 'Dat lijkt me zekerheid te geven.'

'Maar dat is niet zo,' zei Penny ernstig, 'gezien het aantal *E. coli*, maar het komt in de buurt. Ik geloof dat dat de meest belangrijke conferentie in de geschiedenis van de wetenschap is geweest. Voor de eerste keer waren wetenschappers bijeengekomen om zichzelf te reguleren zonder dat hun beperkingen werden opgelegd. Ik geloof dat we in ons achterhoofd allemaal de gedachte hadden aan het slechte voorbeeld dat door de atoomgeleerden was gegeven.'

'Vijftien maanden later werd de ontwikkeling van de nieuwe

kweek aangekondigd door de universiteit van Alabama.' Penny lachte. 'Een schrijver in *New Scientist* zei het erg goed. Hij noemde het "het eerste schepsel ter wereld dat ontworpen is om de dood boven de vrijheid te verkiezen".'

Langzaam zei ik: 'Het eerste schepsel dat *ontworpen* is . . . Dat is een angstaanjagende gedachte.'

'In zekere zin – maar we ontwerpen al vrij lang schepsels. Je dacht toch niet dat de moderne melkkoe is zoals de natuur bedoeld had?'

'Misschien, maar op mij maakt het de indruk dat het kwalitatief iets anders is. Het is één ding om de evolutie te begeleiden en iets heel anders om die maar over te slaan.'

'Je hebt gelijk,' zei ze. 'Vroeg of laat komt er één of andere knoeier of een jonge student die zich op een slim idee werpt zonder de tijd te nemen om de consequenties te bekijken van wat hij aan het doen is. Op zekere dag wordt er een ernstige vergissing begaan – maar niet als ik er iets tegen kan doen. En dat brengt ons op Schotland.'

'Hoezo?'

'Wat ik net beschreven heb is het in de hand houden van de biologie. Je hebt ook het fysieke in de hand houden om de bacteriën te beletten te ontsnappen. Laboratoria zijn geclassificeerd van P1 tot P4. P1 is het doorsnee microbiologische lab; P4 is het andere uiterste – het hele lab verkeert onder negatieve luchtdruk, er zijn luchtsluizen, douches binnen en buiten, steeds schone kleren, speciale drukpakken – al dat soort dingen.'

'En je hebt moeilijkheden met je aanbevelingen in Schotland?'

'Ze zijn bezig een bestaand P2-lab te promoveren. Met het oog op wat ze willen doen heb ik P4 aanbevolen, maar ze willen niet verder dan P3 gaan. Het probleem is dat een P4-lab verschrikkelijk kostbaar is, niet alleen wat het gebouw betreft, maar ook de bedrijfsvoering en het onderhoud.'

'Zijn er geen wettelijke voorschriften?'

'Op dit terrein niet; het is te nieuw. Als ze met erkende pathogenen werkten, ja dan wel – dan zijn er voorschriften. Maar ze gaan aan de gang met die goeie, ouwe *E. coli*, een onschadelijke bacterie. Op dit moment heb je er zelf een paar honderd miljoen in je darmkanaal. Ze blijven onschadelijk ook, tot één of andere idioot de verkeerde gene overbrengt.' Ze zuchtte.

'Het enige dat we hebben zijn richtlijnen, geen wetten.'

'Klinkt een beetje naar mijn werk – niet genoeg wetten.'

Triest gaf ze het toe en ons gesprek ging verder over andere zaken. Vlak voordat ik wegging zei ze: 'Malcolm, ik wil je zeggen dat ik vind dat je erg veel geduld met me hebt – je bent geduldig en attent. Ik ben niet zo'n vaag soort vrouw en meestal kost het me niet veel moeite een beslissing te nemen; maar de laatste tijd hebben de gebeurtenissen me nogal overweldigd.'

'Maak je geen zorgen,' zei ik op luchtige toon. 'Ik kan wachten.'

'En dan is Gillian er nog,' zei ze. 'Misschien is het dom van me geweest maar ik maakte me al zorgen over haar nog eer dit allemaal gebeurde. Ze is nooit zo aantrekkelijk geweest voor mannen en het leek erop dat ze een oude vrijster zou worden; wat jammer geweest zou zijn omdat ze een geweldige echtgenote zou zijn. Maar nu –' ze schudde haar hoofd – 'denk ik niet dat er met dat gezicht nog een kans voor haar is.'

'Daar zou ik me ook maar geen zorgen over maken,' raadde ik haar aan. 'Michaelis is erg op haar gesteld.' Ik lachte. 'Met een beetje geluk krijg je niet één maar twee spionnen in de familie.' En met die verbluffende gedachte liet ik haar alleen.

206

29

Door de aard van het Engelse weekeinde kwam ik niet vóór maandag op het ministerie van Oorlog terecht. Iedereen die deze eilanden wil overvallen kan men de raad geven niet vroeger dan om vier uur op vrijdagmiddag te beginnen; dan is het een zacht eitje. Ik vulde het benodigde formulier in aan de balie en werd door een portier naar het verkeerde bureau gebracht. Twee pogingen later vond ik de man die ik moest hebben, een oudere majoor die Gardner heette en die op zijn kont zittend zijn pensioen afwachtte.

Hij luisterde naar wat ik te zeggen had en keek me met sombere ogen aan.

'Beseft u dat de oorlog al dertig jaar is afgelopen?'

Ik houd niet van mensen die voor de hand liggende vragen stellen.

'Ja, dat besef ik; en toch wil ik die informatie hebben.'

Hij zuchtte, trok een vel papier naar zich toe en pakte een balpen.

'Het zal niet zo eenvoudig zijn. Weet u hoeveel miljoen man er in de oorlog zijn geweest? Misschien kunt u me beter de namen geven.'

'Misschien wel.' Ik begon te begrijpen waarom Gardner nog steeds maar een grijsharige majoor was. 'George Ashton, soldaat bij de Royal Electrical and Mechanical Engineers; gedemobiliseerd op 4 januari 1947.'

'In Londen?'

'Waarschijnlijk.'

'Kan in Earl's Court geweest zijn; dat werd als demobilisatiecentrum gebruikt. De andere man?'

'Howard Greatorex Benson, sergeant bij het Royal Army Service Corps. Ik weet niet wanneer hij gedemobiliseerd is.'

'Is dat alles wat u van die twee mannen weet?'

'Jawel.'

Gardner legde zijn pen neer en keek me stuurs aan. 'Uitstekend, ik zal nasporingen laten doen. Geeft u me maar uw adres of telefoonnummer zodat ik u bereiken kan.' Hij snoof treurig. 'Ik zou zeggen dat het ongeveer een maand kan duren.'

'Daar heb ik niets aan. Ik moet die informatie aanzienlijk veel eerder hebben.'

Hij wapperde met een lome hand. 'Er zijn zoveel dossiers,' zei hij zwakjes. 'Miljoenen.'

'Heeft u geen systeem?'

'Systeem? O jawel, we hebben een systeem – als het werkt.'

Ik begon hem nu op te vrijen en door een combinatie van zoete woordjes, het laten vallen van namen en onuitgesproken dreigementen kreeg ik hem uit zijn stoel en in actie, als men zijn snelheid die naam kon waardig keuren. Hij stond op, keek me uilig aan, en zei: 'U dacht toch niet dat we hier vijf miljoen dossiers bewaren, wel?'

Ik glimlachte. 'Zullen we met uw auto gaan of met de mijne?'

Vier uur later had ik wat ik nodig had. Op dat moment meende ik dat ik geluk had gehad, maar later kwam ik tot de conclusie dat het niets met geluk te maken had omdat het dertig jaar tevoren op deze manier gepland was.

We begonnen in het archief van Earl's Court, nu een tentoonstellingshal voor auto's en boten, maar toen een enorme zaal voor het transformeren van soldaten in burgers. Daar verruilden ze hun uniform van top tot teen voor burgerkleren – ondergoed, overhemd, sokken, schoenen, kostuum, overjas en de onvermijdelijke deukhoed van de jaren veertig. Er was ook het equivalent van een bank die geen geld aannam maar het met miljoenen uitdeelde; de gratificatie voor de soldaat, een kleine – zeer kleine – bijdrage van een dankbare natie. Op het hoogtepunt verwerkte Earl's Court 5000 man per dag, maar begin 1947 was dat teruggelopen tot niet meer dan 2000.

De ordners voor 4 januari waren betrekkelijk klein; er waren slechts 1897 man in opgenomen – het was een rustige dag geweest. Tot mijn kwaadheid waren de ordners niet alfabetisch gerangschikt maar opgenomen onder legernummer, wat betekende dat iedere naam en bladzij nagetrokken moesten worden. 'Hoe was die naam ook weer?' vroeg Gardner.

'Ashton.'

'Ashton,' mompelde hij terwijl hij de eerste bladzij van een ordner opsloeg. 'Ashton . . . Ashton . . . Ashton.' Ik denk dat hij de naam voor zichzelf moest blijven herhalen omdat hij de aandachtsspanne van een vijfjarig achtergebleven kind had.

Ik pakte een ander ordner en begon hem door te kijken. Het was alsof je een oorlogsmonument las, met het verschil dat dit de overlevenden waren; een lange lijst van Angelsaksische namen, hier en daar gekruid met een buitenlander, en het was nog vervelender dan het natrekken van een passagierslijst op Heathrow. Een halfuur later vroeg Gardner: 'Hoe was die naam ook weer?'

Ik zuchtte. 'Ashton. George Ashton.'

'Nee – die andere.'

'Benson, Howard Greatorex.'

'Die heb ik hier,' zei Gardner onbewogen.

'Benson!' Ik liep om de tafel heen en boog me over Gardners schouder. Inderdaad, zijn vinger lag onder Bensons naam en de rest van de informatie klopte. Sergeant H. G. Benson, RASC, was gedemobiliseerd op dezelfde dag en dezelfde plek als soldaat G. Ashton, REME. Het leek me niet dat toeval zo ver kon gaan.

'Dat is geluk hebben,' zei Gardner met zelfgenoegzame tevredenheid. 'Nu we zijn legernummer hebben, kunnen we zijn dossier makkelijk vinden.'

'We hebben Ashton nog niet,' zei ik en we bogen ons weer over de ordners. Ashton dook drie kwartier later op. Gardner krabbelde iets op een stukje papier en zweefde op zijn slaapwandelende wijze weg om het zoeken naar de dossiers in gang te zetten, terwijl ik ging zitten en bekeek wat we hadden gevonden.

Ik probeerde te berekenen welke kans er bestond dat twee specifieke mannen in het Engelse leger werden gedemobiliseerd op dezelfde dag en dezelfde plek, maar die wiskunde ging me boven de pet – ik kon de nullen niet bijhouden, daarom gaf ik het op.

Het was te veel gevraagd om te geloven dat het bij toeval twee mannen was overkomen die vervolgens gedurende de volgende kwart eeuw als meester en bediende hadden samengewoond. Dus als het geen toeval was, moest het zo geregeld zijn.

En wie had het zo geregeld?

Ik zat nog steeds mijn hersencellen te folteren toen Gardner een uur later terugkwam met de dossiers. Het werd even lastig toen ik zei dat ik ze wilde meenemen; hij omklemde ze alsof ik probeerde zijn kindertjes te ontvoeren. Ten slotte stemde hij er in toe dat ik een ontvangstbewijs tekende en ik vertrok triomfantelijk.

Ik bestudeerde thuis de dossiers, maar besteedde weinig aandacht aan het dossier van Ashton omdat dit niets had te maken met de Ashton die ik kende, maar ik trok Bensons dossier tot in details na. Zijn loopbaan was precies zoals Ogilvie had verteld. Hij nam in 1940 dienst in het leger en werd na zijn basisopleiding overgeplaatst naar de RASC en aanvankelijk volgden zijn promoties vrij snel – tot soldaat eerste klas, tot korporaal en toen tot sergeant wat hij de rest van de oorlog bleef. Hij bracht zijn hele diensttijd door in Engeland, werd niet overzees gestationeerd. Zijn meeste werk had te maken met de foerageafdeling en volgens de opmerkingen die door zijn meerderen in het dossier waren geschreven, was hij zeer efficiënt, hoewel er enkele klachten waren over gebrek aan initiatief en over zijn bereidheid om zaken af te schuiven. Het waren niet veel klachten, maar voldoende om verdere promotie tegen te houden.

Zijn soldijboekje vermeldde dat hij ongetrouwd was maar bijdroeg aan het onderhoud van zijn moeder. De betalingen werden gestaakt in 1943 toen ze overleed. Vanaf dat moment tot aan zijn demobilisatie vertoonde zijn spaargeld een duidelijke toename. Het leek me dat iemand die nog kon sparen van de soldij uit die tijd een rustig leven moest leiden.

Zijn medische gegevens waren al evenzeer onopvallend. In totaal bekeken leken ze beangstigend, maar nadere inspectie onthulde de gebruikelijke kwaaltjes die men in de loop der jaren kan oplopen. Er waren enkele kiezen getrokken, twee periodes in het ziekenhuis – één keer wegens griep en de andere keer toen hij een granaat op zijn linkervoet liet vallen. Gelukkig stond die niet op scherp.

Mijn aandacht werd gevangen door de laatste notitie. Benson had geklaagd over pijn in zijn linkerarm, wat voorlopig was gediagnosticeerd als reumatische aanvallen en hij had de voorgeschreven behandeling gekregen. Hij was toen drieëndertig, en reumatiek leek me wat vreemd, vooral daar Benson een zacht leventje had gehad voor een soldaat in oorlogstijd. Voor hem geen veldlopen in de stromende regen of rondploeteren in de modder; hij werkte op een warm kantoor en sliep elke nacht in een warm bed.

Blijkbaar had de legerarts het ook vreemd gevonden toen de behandeling geen succes had. Met een andere kleur inkt had hij een vraagteken gezet achter de vorige diagnose van reumatiek, en eronder gekrabbeld: 'Adviseer cardiogram.' De toevoeging was gedateerd 18 december 1946.

Ik pakte het algemene dienstdossier weer en trof nog iets merkwaardigs aan, want als laatste notitie had zijn onmiddellijke meerdere geschreven: 'Adviesdatum demobilisatie – 21 maart 1947.' Eronder had een andere hand geschreven: 'Bevestigd', gevolgd door een onleesbare handtekening. Ik leunde achterover en vroeg me af waarom, als het was voorgesteld en bevestigd dat Benson in maart 1947 gedemobiliseerd zou worden, het drie maanden eerder was gebeurd. Ik raadpleegde nogmaals de medische gegevens en belde toen Tom Packer op.

Dit verhaal is begonnen met Tom Packer omdat ik bij hem thuis Penny voor het eerst ontmoette. Ik belde hem nu op omdat hij arts was en ik wilde een bevestiging hebben van het idee dat zich aan het ontwikkelen was. Als hij niet wist wat ik wilde weten zou hij me zeker kunnen vertellen wie ik dan moest hebben.

Na enige beleefdheden te hebben uitgewisseld zei ik: 'Tom, ik wilde gratis medisch advies hebben.'

Hij gniffelde. 'Jij en de rest van de bevolking. Waar gaat het om?'

'Stel dat iemand klaagt over pijn in zijn linkerarm. Wat voor diagnose zou je dan stellen?'

'God, dat kan van alles zijn. Heb jij die pijn?'

'Dit is hypothetisch.'

'Juist. Het kan reumatiek zijn. Wat is de hypothetische leeftijd van die hypothetische knaap?'

'Drieëndertig.'

'Dan is het niet waarschijnlijk dat het reumatiek is als hij een normaal, fatsoenlijk leven heeft geleid. Ik zeg niet waarschijnlijk, maar het kán gebeuren. Maar ik heb niet veel om op verder te gaan.'

Ik zei: 'Stel dat de man is behandeld voor reumatiek en dat het niet heeft geholpen, en dat zijn arts toen vond dat er een cardiogram nodig was. Wat zou je dan denken?'

'Hoe lang is de man behandeld voor reumatiek?'

'Een ogenblikje.' Ik keek in het dossier. 'Drie maanden.'

Toms adem siste in mijn oor. 'Ik ben geneigd te vinden dat die arts van de lijst geschrapt moet worden. Wou je zeggen dat het hem drie maanden heeft gekost om een klassiek symptoom van ischemie te herkennen?'

'Wat is dat?'

'Ischemische hartaandoening – *angina pectoris*.'

Opeens voelde ik me veel opgewekter. 'Zou de man er bij in leven blijven?'

'Dat is een moeilijk te beantwoorden vraag – vol als-en. *Als* hij die pijn in zijn arm drie maanden heeft gehad en *als* het ischemisch is en *als* hij niet voor zijn hart behandeld is dan moet hij er behoorlijk ernstig aan toe zijn. Zijn toekomst hangt af van het soort leven dat hij geleid heeft, of hij veel rookt, en of hij actief is geweest of zich rustig heeft gehouden.'

Ik dacht aan sergeant Benson op de foerageafdeling van het leger. 'Laten we zeggen dat hij zich rustig heeft gehouden en laten we aannemen dat hij rookt.'

'Dan zou het me niet verbazen als ik op een ochtend hoorde dat hij dood was gebleven aan een hartaanval. Dit *is* toch hypothetisch, hè? Niet iemand die ik ken?'

'Niemand die je kent,' verzekerde ik hem. 'Maar ook niet bepaald hypothetisch. Er was een man die in 1946 in die toestand verkeerde. Hij is ongeveer een maand geleden gestorven. Wat denk je daarvan?'

'Het verbaast me, geloof ik, wel, maar de geneeskunde is geen voorspelbare sport en er kunnen de gekste dingen gebeuren. Het zou me niet waarschijnlijk geleken hebben dat hij zo oud zou worden.'

'Mij ook niet,' zei ik. 'Bedankt voor de moeite, Tom.'

'Ik stuur je de rekening,' beloofde hij en hing op.

Ik belde Penny en vroeg haar de naam van Bensons dokter. Ze was lichtelijk verbaasd maar gaf hem me toen ik zei dat mijn baas wilde dat ik een paar onafgemaakte karweitjes opknapte eer ik werd overgeplaatst. 'Het gaat alleen maar om een positieve identificatie.' De arts heette Hutchins en hij was een tikje gereserveerd. 'Medische gegevens zijn vertrouwelijk, dat begrijpt u, meneer Jaggard.'

'Ik vraag u niet vertrouwen te beschamen, dr. Hutchins,' zei ik. 'Maar de man is ten slotte dood. Het enige dat ik wil weten wanneer Benson voor het laatst een hartaanval heeft gehad.'

'Een hartaanval!' echode Hutchins verbaasd. 'Daar kan ik u zeker alles over vertellen. Het is geen inbreuk op de erecode van de kant van een arts als hij zegt dat iemand volkomen gezond is. Er was volstrekt niets aan de hand met Bensons hart; het was in betere conditie dan het mijne, en ik ben veel jonger. Hij was zo gezond als een vis.'

'Dank u, dokter,' zei ik op warme toon. 'Meer wilde ik niet weten.'

Terwijl ik de hoorn neerlegde meende ik dat ik dit op de juiste manier had aangepakt.

Ik leunde achterover en ging alle punten na.

PUNT: Sergeant Benson had aan het eind van 1946 een hartaandoening. Zijn toestand was, volgens Tom Packer, zo ernstig dat niemand verbaasd zou zijn als hij dood bleef.

HYPOTHESE: Sergeant Benson was overleden aan een hartaandoening na 18 december 1946 en vóór 4 januari 1947.

PUNT: Burger Benson werd op 4 januari 1947 in Earl's Court gedemobiliseerd en vertoonde daarna geen tekenen van een zwak hart.

HYPOTHESE: Burger Benson was een ondergeschoven plaatsvervanger voor sergeant Benson, precies zoals Tsjeljoeskin een plaatsvervanger was voor . soldaat Ashton. De methode was precies dezelfde en het was gebeurd op dezelfde dag en op dezelfde plaats, dus er bestond hoogstwaarschijnlijk een verband, vooral daar Benson de rest van zijn leven voor Ashton had gewerkt.

GEVOLGTREKKING· Omdat de toegepaste methodes identiek waren, was het hoogstwaarschijnlijk dat beide plaatsvervangingen waren gepland door hetzelfde brein. Maar Ogilvie had me verteld dat het idee van Tsjeljoeskin zelf afkomstig was. Was Benson ook een Rus geweest? Waren er twee mannen naar buiten gesmokkeld? Het paste allemaal mooi in elkaar, maar het zei me nog steeds niet wie Benson was en waarom hij Ashton had doodgeschoten.

213

30

Ogilvie was over dit alles tevreden ook al bracht het ons niet verder bij het beantwoorden van de vraag waarom Benson Ashton had gedood. We hadden in elk geval het gemeenschappelijk verband ontdekt en hij vertrouwde erop dat we – of liever ik – door hard en lang genoeg uitpluizen met de waarheid te voorschijn zouden komen. Niettemin beschermde hij zijn inzet in de weddenschap door me een intensief onderzoek te laten instellen naar het leven van sergeant Benson voor hij dienst nam in het leger. Ogilvie was een behoedzaam man.

Daarom bracht ik lange tijd door in de West Country met het bekijken van schooldossiers in Exeter en werkdossiers in Plymouth. In Bensons school vond ik een oude bruine klasfoto met Benson op de derde rij; er werd me tenminste verzekerd dat het Benson was. Het ongevormde jonge gezicht van die dertienjarige die ernstig naar de camera keek zei me niets. Op zeker ogenblik in de daaropvolgende jaren waren Bensons gelaatstrekken aanzienlijk veranderd.

In Plymouth vond ik geen foto's van een oudere Benson, maar ik sprak een paar mensen die hem voor de oorlog hadden gekend. Het oordeel was dat hij geen slechte kerel was, redelijk goed in zijn werk, maar niet erg ambitieus. Dit alles volgens de dossiers. Nee, sinds de oorlog was hij niet teruggeweest; hij had geen familie en er werd van uitgegaan dat hij niets had om naar terug te gaan.

Het kostte veel tijd en toen ik terugkwam in Londen stonden Penny en Gillian op het punt naar Amerika te vertrekken. Ik reed hen naar Heathrow en we dronken een borrel in de bar en toostten op succes met de chirurgie. 'Hoe lang blijf je weg?' vroeg ik Gillian. Ze droeg een breedgerande strohoed met een sjaal als een luifel eromheen geknoopt en een grote zonnebril – de mode kwam de maskering te hulp.

'Ik weet het niet, dat hangt ervan af hoe de operaties verlopen, lijkt me.' Ze bootste een huivering na. 'Ik kijk er niet bepaald verlangend naar uit. Maar Penny komt volgende week terug.'

214

Penny zei: 'Ik wil er alleen bij zijn tot Gillian op orde is en ik er zeker van ben dat alles goed gaat, dan kom ik terug. Lummy wil met me naar Schotland.'

'Dus je hebt zijn zekerheid ondermijnd.'

'Misschien,' zei ze vrijblijvend.

'Heb je de veiling geregeld?'

'Die is op woensdag – kijkdag op dinsdag. We hebben al een flat in de stad.' Ze pakte een notitieboekje en schreef het adres op. 'Daar kun je me vinden als ik terugkom en als ik niet in Schotland ben.' Gillian verontschuldigde zich en liep in de richting van de dames-toiletten. Ik maakte van de gelegenheid gebruik om te vragen: 'Hoe is het je met Ogilvie vergaan?' Ik had, zoals beloofd, een gesprek met Ogilvie geregeld. Het had hem niet aangestaan, maar ik had volgehouden.

Penny fronste. 'Wel goed, dacht ik. Hij heeft me zo ongeveer hetzelfde verteld als jij. Maar er was iets...'

'Wat voor iets?'

'Ik weet het niet. Het was alsof ik in een grote, lege zaal zat te praten. Je verwacht dat er een echo terugkomt en dan verbaast het je een beetje als die niet komt. Er scheen iets aan te ontbreken als Ogilvie sprak. Beter kan ik het niet uitleggen.'

Penny had gelijk – er ontbrak een heleboel aan. Haar psychische antennes stonden op scherp en ze onderkende dat er iets verkeerd was maar ze kon er niet de vinger op leggen. Onder het bewustzijnsniveau zei haar intelligentie haar dat er iets mis was maar ze had niet voldoende feiten om het te bewijzen.

Ogilvie en ik *wisten* dat er iets mis was omdat we over meer feiten beschikten, maar ook ons was op dat moment de pas afgesneden. Ik bracht hen naar de vertrekhal, ging toen naar huis en begon aan het tekenen van een uitgebreide grafiek waarop ik alles zette wat ik wist van de zaak-Ashton. Ik zette doorlopende lijnen om de *dramatis personae* met elkaar te verbinden en de feitelijke kennis te verbeelden; en ik zette stippellijnen die de hypothesen voorstelden. En die hele domme onderneming leverde me niets op.

Rond die tijd kreeg ik de kriebel in mijn brein. Misschien was het begonnen door het tekenen van de grafiek met zijn vele verbindin-gen, maar er lag iets in me begraven dat aan de oppervlakte wilde komen. Iemand had iets gezegd en iemand anders had iets anders

215

gezegd wat schijnbaar geen verband met elkaar hield, en het mannetje Ingeving dat in mijn achterhoofd woonde begon zich in zijn slaap om te draaien. Ik porde hem met opzet maar hij weigerde wakker te worden. Dat zou gebeuren als hij er zin in had en daarmee moest ik me tevreden stellen.

Dinsdags ging ik naar het huis van de Ashtons voor de kijkdag. Het was vol handelaars met harde ogen en hoopvol kijkende leken die naar koopjes snuffelden die ze niet vonden omdat alle goede spullen naar de flat in Londen of naar Sotheby waren gegaan. Toch was er genoeg om hen gelukkig te maken; de verzamelde bezittingen van een gelukkig gezinsleven dat vijftien jaar had geduurd. Ik begreep waarom Penny daar niet wilde blijven.

Ik was niet gekomen om iets te kopen, maar evenmin was ik er alleen maar uit nieuwsgierigheid. We hadden aangenomen dat Ashton iets verstopt had en al hadden we het niet gevonden, dat wilde niet zeggen dat het er niet was. Als ik zeg 'we' bedoel ik eigenlijk Ogilvie, want ik was het op dat punt niet helemaal met hem eens. Maar het was mogelijk dat hij gelijk had, en ik was hier om te zien of er wellicht verdacht uitziende figuren waren die een onmatige belangstelling toonden. Natuurlijk was het even futiel als het tekenen van de grafiek want de doorsnee handelaar kijkt toch al heimelijk en verdacht.

In de ochtend kwam ik Mary Cope tegen. 'Hallo, Mary,' zei ik. 'Je bent er dus toch nog.'

'Jawel, meneer. Ik blijf in het huis wonen tot het verkocht is. Ik heb mijn flat boven nog.' Ze bekeek de drom nieuwsgierige mensen terwijl ze zich tussen de bezittingen van de Ashtons verdrongen. 'Het is echt jammer, meneer. Alles was zo mooi vóór . . . vóór . . .'

Ze stond op het punt in tranen uit te barsten. Ik zei: 'Het is jammer, Mary, maar het is niet anders. Is er al op het huis geboden?'

'Niet dat ik weet, meneer.'

'Wat ga je doen als het verkocht is?'

'Ik ga mee naar Londen als juffrouw Penny en juffrouw Gillian terugkomen uit Amerika. Maar ik weet nog niet of Londen me zal bevallen. Maar ach, misschien wen ik eraan.'

'Dat weet ik wel zeker.'

Ze keek naar me op. 'Ik wou dat ik wist wat God er mee voor heeft als hij zo iets een familie als de Ashtons aandoet.'

216

God had er niets mee te maken, dacht ik grimmig; wat de Ashtons was overkomen was uitsluitend werk van mensenhanden. Maar ik had geen antwoord op een vraag vanuit zo'n eenvoudig geloof.

'Maar het gaat niet alleen om meneer Ashton,' zei Mary droefgeestig. 'Ik mis Benson. Hij was zo aardig – altijd grapjes maken en luchthartig doen; hij zei nooit iets naars tegen iemand. Hij maakte ons aan het lachen, meneer; en dan te bedenken dat hij en meneer Ashton op die manier zijn omgekomen en dan nog wel in een vreemd land.'

'Heeft Benson ooit iets over zichzelf gezegd, Mary?'

'Over zichzelf, meneer? Hoe bedoelt u?'

'Vertelde hij ooit anekdotes – verhalen – over zijn vroegere leven of over toen hij in het leger was?'

Ze dacht erover na, schudde toen haar hoofd. 'Nee, Benson was iemand die in het heden leefde. Hij maakte vaak grapjes over politici en wat hij in de kranten had gelezen of op de televisie gezien. Benson was een echte komediant; vaak lagen we dubbel van het lachen. Ik heb vaak tegen hem gezegd dat hij bij het toneel had moeten gaan, maar hij zei altijd dat hij te oud was.'

En echte komediant! Wát een grafschrift voor een man wiens laatste macabere grap was geweest dat hij zijn baas doodschoot. Ik zei: 'Je mag wel oppassen, Mary, anders worden de lepels nog gestolen.'

Ze lachte. 'Daar is niet veel kans op, meneer. De veilingmeester heeft overal veiligheidsmensen van Securicor neergezet.' Ze aarzelde. 'Hebt u trek in een kopje thee? Ik kan het in mijn flat zetten.'

Ik glimlachte. 'Nee, dank je, Mary. Ik geloof niet dat ik vanochtend nog lang blijf.'

Niettemin was ik er de volgende dag voor de veiling, en ik wist eigenlijk niet waarom ik gekomen was. Misschien kwam het door het gevoel dat met de verspreiding van de inhoud van het huis de waarheid omtrent de zaak-Ashton wegglipte om misschien nooit teruggevonden te worden. Ik was er in elk geval, machteloos door onwetendheid, maar ter plekke.

En tot mijn verrassing was Michaelis er ook. Ik zag hem aan het eind van de ochtend en werd me pas van hem bewust toen hij me tussen de ribben porde. De veilingmeester zat te kwebbelen over een bijzonder fraai specimen van het één of ander, daarom trokken

217

we ons terug in de werkkamer van Ashton die nu vrij kaal was. 'Doodjammer is dit,' zei hij. 'Ik ben blij dat Gillian er niet is om het aan te moeten zien. Heb je al iets gehoord?'

'Nee.'

'Ik ook niet,' zei hij somber. 'Ik heb haar geschreven maar ze heeft niet geantwoord.'

'Ze is pas vier dagen weg,' merkte ik vriendelijk op. 'Zelfs in hun beste tijd waren de posterijen niet zó goed.'

Hij grinnikte en leek me merkwaardig verlegen. 'Je vindt zeker dat ik me als een gek aanstel.'

'Helemaal niet,' zei ik. 'Niet meer dan ikzelf. Ik wens je succes.'

'Denk je dat ik een kans heb?'

'Ik zou niet weten waarom niet. Ik geloof zelfs dat je alle mogelijke kans hebt, dus kijk een beetje blijer. Wat doe je hier trouwens?'

'Die modelspoorbaan interesseert me nog steeds. Ik had overwogen om als hij in onderdelen werd verkocht op een paar dingen te bieden. Natuurlijk is, om in modelspoorwegtermen te spreken, het uit elkaar halen van zo'n ding net zo iets als het in stukjes snijden van de Mona Lisa om dan die stukjes te verkopen. Maar hij wordt niet uit elkaar gehaald, dus heb ik geen kans. Lucas Hartman is hier.'

'Wie is dat?'

'O, iedereen in het modelwereldje kent Hartman. Een Amerikaan die gek is van speelgoedtreinen. Behoorlijk rijk.'

'En je denkt dat hij de hele zaak koopt?'

'Vast wel. Hij zit er nu op zolder bij te glunderen.'

'Hoeveel denk je dat het zal opbrengen?' vroeg ik nieuwsgierig.

Michaelis haalde zijn schouders op. 'Moeilijk te zeggen. Het is niet bepaald standaardspul – er is zoveel extra's aangebouwd dat het moeilijk is er een prijs voor te bepalen.'

'Probeer het eens.'

'Voor de rails en het rollend materieel en de normale controle-instrumenten, die er allemaal zijn, zou het ongeveer £ 15 000 kosten om het van de grond af op te bouwen, dus laten we zeggen dat het op een veiling tussen de £ 7000 en £ 10 000 zou opbrengen. Wat de extra-aanbouw betreft, dat valt moeilijker te schatten. Ik zou zeggen dat het de prijs zou verdubbelen.'

'Dus je denkt dat het ergens tussen de £ 15 000 en £ 20 000 zal opbrengen.'

218

'Zo iets. De veilinghouder heeft er uiteraard een reserveringsprijs op. Hoe je het ook bekijkt, Hartman krijgt het te pakken. Hij zal de handelaars overbieden.'

'Ach, nou,' zei ik filosofisch, 'dan komt het in goede handen terecht – bij iemand die er liefde voor heeft.'

'Dat zal wel,' zei Michaelis somber. 'Uiteindelijk heeft dat verdomde ding me een nederlaag bezorgd, weet je.'

'Hoe bedoel je?'

'Nou, je weet nog wel die dienstregelingen waar ik het over had?'

'De London, Midland and Scottish, als ik me niet vergis.'

'Precies. Ik heb ze met de oude Bradshaws vergeleken en dat leverde me niets op. Ik ben nog teruggegaan tot het midden van de vorige eeuw en er klopte niets van. Het systeem schijnt niet te vergelijken te zijn met normale spoordienstregelingen.'

'Zelfs niet terwijl die dienstregelingen duidelijk het opschrift ‘LMS’ enzovoort vertoonden,' zei ik langzaam.

'Ze lijken nergens naar,' zei Michaelis. 'Ik snap er niets van.'

Voor mijn geestesoog zag ik een beeld van Ashtons gebalde vuist die zich opende en een spoorwegdienstregeling liet zien – van Stockholm naar Göteborg, en het was alsof er in mijn hoofd een bom ontplofte. 'Jezus!'

'Wat is er?' vroeg Michaelis die me aanstaarde.

'Kom op. We gaan met die verdomde veilingmeester praten.'

Ik beende de werkkamer uit en begaf me in de drukke hal waar de veiling plaatsvond. De veilingmeester had een draagbare lessenaar aan de voet van de trap gezet en terwijl ik me met mijn ellebogen een weg door de massa baande, haalde ik een visitekaartje uit mijn portefeuille. Achter me vroeg Michaelis: 'Wat heb je een haast?' Ik drukte me tegen de muur en krabbelde iets op het kaartje. 'Kan ik nu niet uitleggen.' Ik gaf hem het kaartje. 'Zorg ervoor dat de veilingmeester dit krijgt.'

Michaelis haalde zijn schouders op en worstelde zich naar de lessenaar waar hij het kaartje aan een van de assistenten van de veilingmeester gaf. Ik liep de trap op en bleef staan op een plek waar ik makkelijk gezien kon worden. De veilingmeester was in volle gang bij de verkoop van een achttiendelig Crown Derby-servies; hij pakte het kaartje dat hem voorgehouden werd, draaide het om, keek omhoog naar mij en knikte, en vervolgde toen nauwelijks ononderbroken zijn litanie.

Michaelis kwam naar me toe. 'Vanwaar die paniek?'
'We moeten de veiling van die spoorbaan voorkomen.'
'Ben ik helemaal voor,' zei hij. 'Maar waar gaat het jou om?'
De hamer van de veilingmeester kwam met een scherpe slag
omlaag. 'Verkocht!'
'Het is te gecompliceerd om het je nu te vertellen.' De veilingmees-
ter had de hamer aan één van zijn assistenten overgegeven en
kwam naar de trap toe. 'Je zult moeten wachten.'
De veilingmeester kwam de trap op. 'Wat kan ik voor u doen – eh
–' hij bekeek het kaartje – 'meneer Jaggard?'
'Ik vertegenwoordig Penelope en Gillian Ashton. De modelspoor-
baan op zolder mag niet verkocht worden.'
Hij fronste. 'Tja, dat weet ik niet zo.'
Ik vroeg: 'Kunnen we naar een rustiger plekje gaan?'
Hij knikte en wees naar boven en we gingen één van de slaapka-
mers in. Hij zei: 'U zegt dat u de zusjes Ashton vertegenwoordigt?'
'Dat klopt.'
'Kunt u dat bewijzen?'
'Niet met iets dat ik op zak heb. Maar ik kan u een geschreven
machtiging geven als u die wilt hebben.'
'Met uw handtekening?'
'Ja.'
Hij schudde zijn hoofd. 'Neem me niet kwalijk, meneer Jaggard,
maar dat is niet voldoende. Ik ben door Penelope Ashton geënga-
geerd om de inhoud van dit huis te verkopen. Zonder haar
machtiging kan ik die overeenkomst niet veranderen. Als u me een
brief van haar kunt geven is het iets anders.'
'Het is niet makkelijk haar op korte termijn te bereiken. Ze is in de
Verenigde Staten.'
'Juist, ja. Dan kan ik er niets aan doen.' Iets in mijn gezichtsuitdrukking noopte hem er toe er snel aan toe te voegen: 'Meneer
Jaggard, ik ken u niet. Ik ben veilingmeester, aangenomen om deze
veiling te leiden. Ik kan met geen mogelijkheid instructies aanvaarden van een willekeurig iemand die me hier komt vertellen wat ik
wel en niet moet doen. Trouwens, die spoorbaan is één van de
krenten van de veiling. De pers heeft er erg veel belangstelling
voor; het is een aardig onderwerpje voor een columnist.'
'Wat stelt u dan· voor? Zou u instructies aanvaarden van de
advocaat van juffrouw Ashton?'

'Haar advocaat? Ja, misschien wel.' Hij fronste verward. 'Ik vind het allemaal erg vreemd. Het schijnt, naar wat u zegt, dat juffrouw Ashton niets hiervan weet en dat het iets is dat u op eigen gelegenheid doet. Maar als ik geschreven instructies van haar advocaat krijg, dan trek ik de spoorbaan terug.'

'Dank u,' zei ik. 'Ik bel hem op. O, wat is overigens de reserverings-prijs?'

Hij was beledigd. 'Dat kan ik u echt niet zeggen,' zei hij op kille toon. 'En als u me nu wilt excuseren. Er komen een paar belangrijke stukken aan bod die ik zelf moet afhandelen.'

Hij draaide zich om en wilde weglopen en ik vroeg wanhopig: 'Kunt u me vertellen wanneer de spoorbaan aan de beurt komt?' 'Het loopt vlot.' Hij keek op zijn horloge. 'Ik zou zeggen om een uur of drie vanmiddag.' Hij liep naar buiten.

'Een telefoon,' zei ik. 'Mijn koninkrijk voor een telefoon.'

'Hiernaast staat er eentje in de slaapkamer van Ashton.' Michaelis keek me enigszins bevreemd aan. 'Die plotselinge belangstelling voor modelspoorbanen lijkt me niet koosjer.'

Opeens kreeg ik een idee. 'Waar zijn die dienstregelingen?'

'Op zolder, op een plank onder het controlepaneel. Er is een dozijn boeken.'

'Ga als de bliksem naar de zolder. Hou een oogje op die spoorbaan en vooral op die dienstregelingen. Ik wil niet dat er iets wordt weggehaald en ik wil weten of iemand speciale belangstelling toont. Schiet op.'

Ik ging naar Ashtons kamer en pakte de telefoon. Voor het eerst liet Ogilvie me in de steek; hij was niet op kantoor en niemand wist waar hij wel was en wanneer hij zou terugkomen. Hij was evenmin thuis. Ik liet bericht achter om te zeggen dat hij me zo snel mogelijk in het huis van Ashton moest bellen.

Nog meer frustraties. Meneer Veasy van Michelmore, Veasy en Templeton, was ondergedoken in het grote Wales om te praten met een gewaardeerde, maar bedlegerige cliënt. Zijn assistent wilde geen beslissing ter zake nemen, evenmin als zijn confrères. Ze zeiden wel dat ze zouden proberen telefonisch contact met Veasy op te nemen en daar moest ik me mee tevreden stellen. Ik had niet veel hoop op succes – Veasy kende me niet en ik had weinig aanzien.

Ik ging naar zolder en trof Michaelis aan die somber naar de spoorbaan tuurde. Enkele jongetjes dartelden rond en werden weggejaagd door een veiligheidsman van Securicor. 'Nog iets verdachts?'

'Alleen Hartman. Hij heeft die dienstregelingen de hele ochtend zitten bekijken.' Hij knikte in de richting van het controlepaneel. 'Daar is hij.'

Hartman was een breedgeschouderde man met een vrij klein postuur, een witte haarbos en een bruin, verweerd gezicht. Hij zag er min of meer uit zoals Einstein er zou hebben uitgezien als Einstein een Amerikaans zakenman was geweest. Op dat moment stond hij fronsend een van de dienstregelingen te bestuderen.

Ik vroeg: 'Weet je zeker dat dat Hartman is?'

'O jawel. Ik heb hem drie jaar geleden ontmoet op de tentoonstelling van modelspoorwegen. Waar ben je toch mee bezig, Malcolm?'

Ik keek naar de spoorbaan. 'Jij bent deskundig. Zijn er aan dat ding nog andere merkwaardigheden behalve die dienstregelingen?'

Michaelis tuurde naar het spinneweb van rails. 'Het is me opgevallen dat er een buitensporig groot aantal zijsporen en rangeerterreinen is.'

'Ja,' zei ik nadenkend. 'Dat moet wel.'

'Waarom?' Michaelis was verbijsterd.

'Ashton was een slimme vent,' zei ik. 'Hij wilde iets verstoppen, dus heeft hij het vlak onder onze neus gedaan. Weet je hoe een computer werkt?'

'Vaagjes.'

Ik zei: 'Stel dat je een computer instrueert: $A = 5$. Dat vertelt de computer het nummer vijf te nemen en op te bergen op een plek die met een A is gemerkt. Stel dat je de instructie geeft: $C = A + B$. Dat vertelt de computer om het nummer te nemen dat onder A valt, het op te tellen bij het nummer onder B, en het resultaat in C te stoppen.' Ik gebaarde met mijn hoofd naar de spoorbaan. 'Ik denk dat dat bouwsel daar dat doet.'

Michaelis slikte. 'Een *mechanische* computer!'

'Ja. En die dienstregelingen vormen het programma ervoor – maar God mag weten waar dat over gaat. Zeg eens, hoeveel verschillende soorten rollend materieel zijn er in het systeem aanwezig? Ik zou zeggen tien.'

'Je vergist je. Ik heb er drieënzestig geteld.'

'Jezus!' Ik dacht na. 'Nee, bij God, ik heb gelijk! Tien voor de nummer 0 tot 9; zesentwintig voor de letters van het alfabet en de rest voor wiskundige tekens en punctuering. Dat verdomde ding kan waarschijnlijk Engels spreken.'

'Volgens mij ben je getikt,' zei Michaelis.

Ik zei: 'Toen Ashton werd neergeschoten kon hij niet meer praten maar hij probeerde me iets te vertellen. Hij haalde iets uit zijn zak en probeerde het aan me te geven. Het was een spoorwegdienstregeling.'

'Dat zegt niet veel,' zei Michaelis. 'Larry had er ook eentje.'

'Maar waarom zou een man in zijn laatste ogenblikken proberen mij juist een dienstregeling te geven? Ik denk dat hij probeerde me iets te vertellen.'

'Ik snap waarom je de veiling wilt tegenhouden,' gaf Michaelis toe. 'Het is een mesjogge idee, maar misschien heb je gelijk.'

'Ik ben nog niet ver,' zei ik somber. 'Ashtons advocatenfirma houdt de boot af en Ogilvie is onvindbaar. Ik zal het nog eens proberen.'

Dat deed ik, maar zonder succes. Ik probeerde overal waar hij zou kunnen zijn – zijn clubs, het restaurant waar hij me eens had uitgenodigd, en toen weer het kantoor en zijn huis. Geen Ogilvie.

Om half drie kwam Michaelis naar me toe. 'Ze staan op het punt de spoorbaan te gaan veilen. Wat ga je nu doen?'

'Nog eens opbellen.'

Ik belde mijn bankdirecteur op die vroeg: 'En wat mag ik vanmiddag voor u doen, meneer Jaggard?'

'Ik moet later op de dag een nogal hoge cheque uitschrijven. Er is niet genoeg geld om hem te dekken, niet op mijn lopende rekening en ook niet op mijn deposito. Ik wil niet dat de cheque wordt afgewezen.'

'Juist. Voor welk bedrag is de cheque?'

'Misschien £ 20 000.' Ik dacht aan Hartman. 'Misschien wel £ 25 000. Ik weet het niet precies.'

'Dat is een boel geld, meneer Jaggard.'

Ik zei: 'U weet hoe ik er financieel voorsta en u weet dat ik het kan dekken, niet meteen maar wel over een paar weken.'

'Wat u in wezen vraagt is een overbruggingslening voor, laten we zeggen, een maand.'

'Daar komt het op neer.'

'Dat lijkt me geen moeilijkheden op te leveren. We zullen uw cheque accepteren, maar probeer hem zo laag mogelijk te houden; en komt u morgen even langs – we moeten uw handtekening hebben.'

'Dank u.' Ik legde de hoorn neer in de wetenschap dat als ik me vergiste wat de spoorbaan betrof ik een hoop geld zou verliezen. Ik zag Ogilvie nog niet in de kleine kas duiken om een ingewikkeld stuk speelgoed te kopen en de enige die er misschien blij mee zou zijn was Michaelis.

Ik ging naar de hal en zag een groepje mensen rond de lessenaar staan die naar een man luisterden. Michaelis fluisterde: 'Ze hebben de oude Hempson van de *Model Railway News* hier om de zaak op te peppen. Ik neem aan dat ze denken dat dat de prijs zal opdrijven.'

Hempson zei: '. . . kern van het systeem is het opmerkelijkste paneel dat ik ooit gezien heb, gebruikmakend van het nieuwste in de moderne technologie. Daardoor is dit voorbeeld van de kunst zo uniek en gehoopt mag worden dat het systeem als een eenheid zal worden verkocht. Het zou een ramp zijn als een zo schitterend voorbeeld uit elkaar gehaald zou worden. Ik dank u.'

Onder instemmend gemurmel stapte hij omlaag, en ik zag Hartman instemmend knikken. De veilingmeester stapte achter de lessenaar en hief zijn hamer op. 'Dames en heren, u hebt zo juist de heer Hempson gehoord die een erkend expert is, en zijn oordeel telt zwaar. Daarom ga ik u vragen om te bieden op het complete systeem. Het zou gebruikelijk zijn om het, als het ware, ter plekke te doen, maar zelfs in een huis zo groot als dit is de zolder niet ruim genoeg om zowel het tentoongestelde als de hier verzamelde menigte te bevatten. Maar u hebt allemaal de gelegenheid gehad om dit prachtige staaltje van modelmakerskunst te bezichtigen, en op de tafel daar bevindt zich een representatieve verzameling van het rollend materieel.'

Hij hief zijn hamer op. 'Wat wordt me geboden voor het complete systeem? Wie zet in op £ 20 000?'

Er klonk een zucht – een gezamenlijk uitademen. 'Kom,' zei de veilingmeester vleiend. 'U hebt zopas meneer Hempton gehoord. Wie biedt £ 20 000? Niemand? Wie biedt £ 18 000?'

Er kwam geen reactie op en geleidelijk zakte zijn aanvangsprijs tot hij een bod van £ 8000 kreeg. 'Er is £ 8000 geboden – wie biedt negen?

Vijfentachtighonderd geboden – dank u, meneer – wie biedt negen? Negen is geboden – wie biedt tien?'

Michaelis zei: 'De handelaars doen nu mee, maar die hebben geen schijn van kans. Hartman schuift ze opzij.'

Ik had Hartman, die zich niet verroerd had, in het oog gehouden. Het bieden liep met 500 tegelijk omhoog, aarzelde op £ 13 500 en ging toen met 250 tegelijk omhoog tot £ 15 000 waar het bleef hangen. 'Vijftien geboden; vijftien geboden,' riep de veilingmeester. 'Iemand meer dan vijftien?'

Hartman bewoog een vinger. 'Zestien geboden,' zei de veilingmeester.

'£ 16 000. Iemand meer dan zestien?' De handelaars waren terzijde geschoven.

Ik stak een vinger op. 'Zeventien geboden. Iemand meer dan zeventien? Achttien geboden – en negentien – en twintig. Ik heb een bod van £ 20 000. Iemand meer dan twintig?'

Er steeg een aanwassend gemompel van belangstelling op terwijl Hartman en ik het uitvochten. Bij £ 25 000 aarzelde hij voor de eerste keer en verhoogde zijn bod met £ 500. Toen wist ik dat ik hem te pakken had. Ik hief één vinger op en de veilingmeester zei. 'Zesentwintigeneenhalf – iemand meer . . . zevenentwintig, dank u meneer – achtentwintig geboden.'

En zo ging het door. Hartman gaf de moed en het bieden op bij dertig. De veilingmeester vroeg: 'Iemand meer dan ééneendertig? Iemand meer dan ééneendertig? Eénmaal.' Hamerslag. 'Andermaal.' Hamerslag. 'Verkocht aan de heer Jaggard voor £ 31 000.' Hamerslag.

Ik was nu de trotse eigenaar van een spoorweg. Het mocht dan niet British Rail zijn maar misschien zou er meer winst uit voortvloeien. Tegen Michaelis zei ik: 'Ik ben benieuwd of Ogilvie zoveel in de kleine kas heeft.'

Hartman kwam naar me toe. 'Ik vermoed dat u er erg uw zinnen op had gezet, meneer.'

'Inderdaad.'

'Misschien zou u zo vriendelijk willen zijn me de aanleg een keer te laten bestuderen. Ik ben bijzonder geïnteresseerd in die dienstregelingen.'

Ik zei: 'Het spijt me. Ik ben in deze zaak als bemiddelaar opgetreden. Maar als u me uw adres geeft zal ik het aan de eigenaar

225

doorgeven zodat die kan beslissen.'

Hij knikte. 'Daar moet ik het dan maar mee doen.'

Toen werd ik omringd door journalisten die wilden weten wie, bij zijn volle verstand, zoveel geld zou betalen voor een stuk speelgoed. Ik werd gered door Mary Cope. 'Er is telefoon voor u, meneer Jaggard.'

Ik vluchtte naar de werkkamer van Ashton. Het was Ogilvie. 'Ik heb gehoord dat je me nodig had.'

'Ja,' zei ik, en wenste dat hij een halfuur eerder had gebeld. 'De afdeling is me £ 31 000 plus bankkosten schuldig.'

'*Wat zeg je nou?*'

'Je bent nu de eigenaar van een modelspoorweg.'

Zijn taal viel niet af te drukken.

31

Ik ging die avond naar het huis van Ogilvie. Hij verwelkomde me enigszins koel en vreugdeloos en keek nieuwsgierig naar het dikke boek onder mijn arm terwijl hij me meenam naar zijn werkkamer. Ik legde het op zijn bureau en ging zitten. Ogilvie warmde zijn achterste aan het vuur en vroeg: 'Heb je echt £ 31 000 uitgegeven voor een speelgoedtrein?'

Ik glimlachte. 'Inderdaad.'

'Je bent krankzinnig,' zei hij. 'En als je denkt dat de afdeling het zal vergoeden haal ik de kwakzalvers erbij om je in een gesticht te laten stoppen. Geen enkele kloterige speelgoedtrein kan zoveel waard zijn.'

'Een Amerikaan, een zekere Hartman, vond hem £ 30 000 waard,' merkte ik op. 'Want dat is het bedrag dat hij geboden had. Je hebt het niet gezien. Dit is niet zo'n stuk speelgoed dat je voor Kerstmis voor je kind koopt en op de grond voor de open haard in elkaar zet om de trein te zien rondtjoeken. Dit is een enorm, gecompliceerd geval.'

'Het kan me niet verdommen hoe enorm en gecompliceerd het is. Waar moet ik dat in jezusnaam op het budget van de afdeling onderbrengen? De accountants zouden *mij* laten opsluiten. En waarom denk je dat de afdeling dat ding zou willen hebben?'

'Omdat het bevat waar we al de hele tijd naar zoeken. Het is een computer.' Ik tikte op het boek. 'En dit is het programma ervoor. Eén van de programma's. Er zijn er nog elf die ik in de kantoorkluis heb gelegd.'

Ik vertelde hem hoe Michaelis vruchteloos had geprobeerd de dienstregelingen te doorgronden en dat ik intuïtief een gok had gewaagd, gebaseerd op de dienstregeling in Ashtons hand. Ik zei: 'Tegenwoordig is het gewoon voor een theoreticus om een computer te gebruiken, maar Ashton wist dat we al zijn computerdossiers en -programma's zouden bekijken. Daarom heeft hij zijn eigen computer gebouwd en vermomd.'

'Het is het onwaarschijnlijkste idee dat ik ooit heb gehoord,' zei

Ogilvie. 'Michaelis is de treindeskundige. Wat denkt hij ervan?'
'Hij denkt dat ik gek ben.'
'Hij heeft het niet ver mis.' Ogilvie begon te ijsberen. 'Ik zal je zeggen wat ik denk. Als je gelijk hebt is het een zacht prijsje voor dat ding en betaalt de afdeling het je terug. Als je je vergist kost het *jou* £ 31 000.'
'Plus bankonkosten.' Ik haalde mijn schouders op. 'Ik heb mijn nek uitgestoken, dus neem ik het risico.'
'Ik haal er morgen de computerdeskundigen bij.' Hij schudde bedroefd zijn hoofd. 'Maar waar moeten we de zaak opbouwen? Als we het op kantoor doen verhaast dat mijn pensionering alleen maar. Als de minister het te horen zou krijgen zou hij denken dat ik goed seniel geworden was.'
'Er is een grote ruimte voor nodig,' zei ik. 'We kunnen het beste een pakhuis huren.'
'Daar zal ik machtiging toe geven. Ga er maar mee door. Waar is de zaak nu?'
'Nog op zolder bij de Ashtons. Michaelis houdt er vannacht de wacht bij.'
'Die zit natuurlijk enthousiast treintje te spelen.' Ogilvie schudde zijn hoofd als in verbijstering over wat zijn staf uithaalde. Hij kwam naast me aan het bureau staan en tikte op de dienstregelingen. 'En vertel me nu eens wat je denkt dat dit te betekenen heeft.'

Het vergde vier dagen om de spoorbaan te ontmantelen en weer op te bouwen in een pakhuis in Zuid-Londen. De computerjongens vonden mijn idee een dijenkletser en voor hen was de hele zaak een grote grap, maar ze verrichtten hun werk competent. Ogilvie gaf me Michaelis om me te helpen. De afdeling had nooit eerder behoefte gehad aan een spoorwegtechnicus en Michaelis ontdekte opeens dat hij was verheven tot deskundige eerste klas. Hij vond het prachtig.
De chef-computerman was een systeemanalyst die Harrington heette. Hij nam de taak ernstiger op dan de meeste anderen, maar ook hij was maar half-serieus. Hij installeerde een computer-terminal in het pakhuis en verbond die met een computer via een telefoonlijn; niet met de forse Nellie, maar met een gewone commerciële huurcomputer in de binnenstad. Toen waren we klaar om te beginnen.

Rond die tijd kreeg ik een brief van Penny. Ze schreef dat het goed ging met Gillian en dat ze haar eerste operatie voor huidtransplantatie had ondergaan. Zijzelf kwam nog niet meteen terug; Lumsden had voorgesteld dat ze een congres in Berkeley in Californië zou bijwonen, dus zou ze pas over een week of tien dagen terugkeren.

Ik liet de brief aan Michaelis zien en hij zei dat hij er eentje van Gillian had ontvangen die vlak voor de operatie was geschreven. 'Ze leek me nogal somber.'

'Maak je geen zorgen, waarschijnlijk pre-operatieve zenuwen.'

De kriebel in mijn achterhoofd was nog steeds aanwezig, dus had de begraven samenhang niets te maken met de spoorbaan. Baasje Ingeving zat nu rechtop en wreef zich in de ogen maar hij was nog steeds niet wakker. Ik wilde Penny dringend spreken omdat ik meende dat het iets was dat zij had gezegd waardoor de kriebel was ontstaan. Om die en vele andere redenen speet het me dat ze nog niet terugkwam.

Op een ochtend om tien uur sloeg Harrington de LNER-dienstregeling open.

'De eerste pagina's hebben te maken met de plaatsing van de locomotieven en het rollend materieel,' zei hij. 'Laten we eens kijken of we dit goed kunnen krijgen. Het is al stompzinnig genoeg zonder dat we zelf nog eens fouten in het systeem maken.'

Het kostte ruim een uur om alles op de juiste plaats te krijgen en dubbel te controleren. Harrington zei: 'Pagina elf tot en met pagina drieëntwintig gaan over de afstellingen op het controlepaneel.' Hij wendde zich tot mij. 'Als er iets in dat idee van jou zit, moeten al deze Roms uit en te na geanalyseerd worden.'

'Wat is een Rom?'

'Een read-only-module – dat rijtje doosjes in die contacten hier. Je collega Michaelis noemt ze microprocessors. Het zijn voorgeprogrammeerde elektronische fiches – we moeten analyseren waar ze voor geprogrammeerd zijn. Goed, laten we verder gaan met de afstellingen.'

Hij begon nummers af te roepen en een assistent drukte knoppen in en draaide aan schakelaars. Toen hij klaar was begon hij opnieuw en een tweede assistent controleerde wat de eerste had gedaan. Hij ontdekte drie fouten. 'Zie je wat ik bedoel,' zei Harrington. 'Eén fout is genoeg en je programma is onhandelbaar.'

'Ben je nu klaar om te beginnen?'
'Ik dacht het wel – voor het eerste stadium.' Hij legde zijn hand op het boek. 'We hebben hier ruim tweehonderd pagina's, dus *als* dit ding werkelijk een computer is en *als* dit een programma voorstelt, dan moet na een poosje de hele zaak tot stilstand komen en moet het paneel worden bijgesteld voor het volgende deel van het programma. Het gaat een hele tijd duren.'
'Het gaat nog langer duren als we niet beginnen,' zei ik pinnig.
Harrington grinnikte en boog zich naar voren om een hendel over te halen. Er gebeurde van alles. Treinen snorden rond de banen, wel twintig of dertig tegelijk. Enkele reden sneller dan de andere, en één keer dacht ik dat er een botsing zou komen toen twee treinen gelijktijdig op een knooppunt afreden; maar één van de twee vertraagde net voldoende om de ander door te laten en ging toen weer sneller rijden.
Zijsporen en rangeerterreinen die verlaten waren geweest begonnen vol te raken toen locomotieven het rollend materieel opduwden, ontkoppelden en weer wegtuften. Ik keek toe hoe één van de rangeerterreinen volliep en toen weer leegraakte terwijl de treinen werden losgekoppeld en weer anders samengesteld.
Harrington gromde. 'Dit deugt niet, het is veel te druk. Er gebeurt te veel tegelijkertijd. Als dit een computer is, werkt hij niet volgens reeksen, zoals een gewone digitale computer; hij werkt parallel. Het wordt een heksentoer om dat te analyseren.'
Het systeem bleef gedurende bijna twee uur druk aan de gang. Treinen schoten heen en weer, goederenwagons werden her en der geduwd, tijdelijk met rust gelaten en dan weer opgepikt op een schijnbaar willekeurige manier. Ik vond het uiterst eentonig maar Michaelis was verrukt en zelfs Harrington leek enige belangstelling te tonen. Toen bleef alles doodstil staan.
Harrington zei: 'Ik moet daar een video-camera hebben.' Hij wees naar het plafond. 'Ik wil een bepaald rangeerterrein in het oog kunnen houden en alles op de band vastleggen. En het moet in kleur zijn, want ik heb zo'n gevoel dat hier kleur bij te pas komt. Kun je daarvoor zorgen?'
'Morgenochtend heb je het,' beloofde ik. 'Maar wat denk je er voorlopig van?'
'Het is een vernuftig stuk speelgoed, maar er kan meer achter zitten,' zei hij vrijblijvend. 'We zijn er nog lang niet.'

Ik bleef niet de hele tijd in het pakhuis, maar ik ging er drie dagen later weer heen omdat Harrington me wilde spreken. Ik trof hem aan achter een bureau geflankeerd door een video-recorder en een tv-toestel. 'We hebben misschien iets gevonden,' zei hij en wees naar een verzameling rollend materieel in miniatuur op het bureau. 'Er *is* een nummerkarakteristiek.'

Ik wist niet wat hij daarmee bedoelde en zei het hem. Hij glimlachte. 'Ik bedoelde dat je gelijk had. Deze spoorbaan is een computer. Ik denk dat alle wagons met een rode band een cijfer voorstellen. Hij pakte een tankwagon op met op de zijkant het woord ESSO in rood. 'Dit moet, denk ik, bijvoorbeeld een nul voorstellen.'

Hij zette de tankwagon neer en ik telde de goederenwagons; er waren er negen, maar één ervan had geen rood merkteken.

'Moeten het er niet tien zijn?'

'Acht,' zei hij. 'Dit apparaat werkt met achttallen in plaats van tientallen. Dat is geen probleem – een heleboel computers werken intern met achttallen.' Hij pakte een kleine zwarte platte wagon op. 'En ik denk dat dit baasje een achttallige punt is – het equivalent van een decimale punt.'

'Ik mag doodvallen! Kan ik dat aan Ogilvie vertellen?'

Harrington zuchtte. 'Liever niet – nog niet. We zijn er nog niet tot onze volle tevredenheid achter welk cijfer bij welke wagon past. Afgezien daarvan zijn er in totaal drieënzestig typen rollend materieel; ik denk zo dat een aantal daarvan letters van het alfabet voorstellen om het systeem alfabetisch-numeriek te kunnen laten werken. Het kan moeilijk worden om de zaak te identificeren. Het moet redelijk gemakkelijk zijn om achter de nummers te komen; daar is alleen maar logica voor nodig. Maar letters zijn iets anders. Ik zal je laten zien wat ik bedoel.'

Hij schakelde de video-recorder en het tv-toestel in, drukte toen een knop in. Op het scherm, van bovenaf gezien, verscheen een verlaten rangeerterrein. Er kwam een trein in zicht en de locomotief stopte en ontkoppelde, tufte toen weg. Er kwam een tweede trein binnen en er gebeurde hetzelfde; en nog eens en nog eens, tot het rangeerterrein bijna vol was. Harrington drukte op een knop en het beeld bevroor.

'Dit rangeerterrein is typerend voor een dozijn in het hele systeem, allemaal volgens dezelfde specificaties gebouwd – ze kunnen een maximum van tachtig goederenwagons bevatten. Je kunt zien dat we daar geen nummers hebben – geen rode wagons.' Met zijn pen wees hij op iets anders.

'En met tamelijk regelmatige tussenpozen staan hier die blauwe wagons verspreid.'

'Wat hebben die te betekenen?'

Harrington leunde achterover. 'Als ik in normale computerterm zou spreken – wat voor jou jargon zou zijn – zou ik zeggen dat ik kijk naar een alfamerische lettertekenreeks met een maximale capaciteit van tachtig lettertekens, en dat de blauwe wagons de spaties tussen de woorden voorstellen.' Hij prikte met zijn vinger naar het scherm. 'Dat heeft iets te betekenen, maar we weten niet wat.'

Ik boog me naar voren en telde de blauwe wagons; er waren er dertien. 'Dertien woorden,' zei ik.

'Veertien,' zei Harrington. 'Aan het eind staat geen blauwe wagon. Goed, er zijn twaalf van die rangeerterreinen, dus het systeem heeft het vermogen om tegelijkertijd ongeveer honderdzestig woorden te bevatten in gewoon Engels – ongeveer een half betikt kwartovelletje. Ik weet dat het niet veel is, maar het verandert steeds naarmate het systeem draait; dat is het equivalent van een nieuw vel papier in de schrijfmachine draaien en verder tikken.' Hij glimlachte. 'Ik weet niet wie dit apparaat heeft ontworpen, maar misschien is het een nieuwe methode om een roman te schrijven.'

'Dus het enige waar je achter hoeft te komen is welke wagon voor welke letter staat.'

'Het enige!' zei Harrington op holle toon. Hij pakte een dikke stapel kleurenfoto's op. 'We hebben de reeksen gefotografeerd zoals ze zich vormen en er is iemand aan de computer bezig om een statistische analyse te maken. Tot nu toe valt het niet mee. Maar we krijgen het wel te pakken, het is gewoon een krypto-analytisch probleem. In elk geval wilde ik je laten weten dat je waanzinnige idee ten slotte toch goed is geweest.'

'Bedankt,' zei ik, blij dat ik niet £ 31 000 armer was. Plus bankkosten.

Twee dagen later belde Harrington me weer op. 'We hebben de cijfers te pakken,' zei hij. 'En we beginnen nu wiskundige formules te krijgen. Maar het alfabet ontgaat ons. De statistische verdeling van de letters is onmogelijk voor zover het gaat om Engels, Frans, Duits, Spaans en Italiaans. Zo ver zijn we gekomen. Het is nogal gek – er zijn te veel letters.'

Ik dacht erover na. 'Probeer Russisch; er zitten tweeëndertig letters in het Russische alfabet.' En de man die de spoorbaan had ontworpen was een Rus, al zei ik dat niet tegen Harrington. 'Dat is een idee. Ik bel terug.'

Vier uur later belde hij weer. 'Het is Russisch,' zei hij. 'Maar we hebben een linguïst nodig; hier kennen we niet genoeg Russisch.' 'Dan is het nu tijd om het Ogilvie te vertellen. We komen over een uur.'

Dus vertelde ik het aan Ogilvie. Ongelovig zei hij: 'Bedoel je dat die verdomde spoorbaan Russisch spreekt?'

Ik grinnikte. 'Waarom niet? Hij is gebouwd door een Rus.'

'Jij komt te voorschijn met de griezeligste dingen,' klaagde hij.

'Ik niet,' zei ik ernstig, 'Ashton. En nu kun je mijn bankdirecteur blij maken door £ 35 000 op mijn rekening te storten.'

Ogilvie kneep zijn ogen toe. 'Hij heeft jou maar £ 31 000 gekost.'

'Wie het kleine niet eert . . .' zei ik. 'Het was een riskante investering – ik vind dat ik wel een winstje heb verdiend.'

Hij knikte. 'Goed dan. Maar het zal verdomde gek staan in de boeken – betaald aan M. Jaggard, £ 35 000 voor een modelspoorweg.'

'Waarom noem je het niet bij zijn echte naam? Een computersysteem.'

Zijn gezicht klaarde op. 'Precies. Goed, laten we eens gaan kijken naar dat ongelooflijke geval.' We namen Larry Godwin mee als tolk en gingen naar het pakhuis.

Het eerste dat ik opmerkte was dat het systeem niet draaide en ik vroeg Harrington naar de reden. 'Niet nodig,' zei hij opgewekt. 'Nu we de lijst van lettertekens hebben gevonden hebben we het systeem gedupliceerd in een computer – waar het thuishoort. We hebben niet het hele programma doorgedraaid, snap je; alleen maar kleine stukjes. Het zou onmogelijk zijn geweest om de hele zaak door te draaien.'

Ik keek hem aan. 'Waarom?'

'Nou ja, niet echt onmogelijk. Maar kijk.' Hij opende het boek met de LNER-dienstregelingen en bladerde het door. 'Neem deze vijf pagina's nou. Die bevatten zich herhalende lussen. Ik schat dat het, om deze vijf pagina's door het systeem te draaien, zes dagen zou vergen, à vierentwintig uur per dag. Het hele programma zou ongeveer anderhalve maand vragen – en dit is nog één van de kleinere programma's. Om ze alle twaalf door te draaien zou ongeveer twee jaar vergen.'

Hij deed het boek dicht. 'Ik denk dat de oorspronkelijke programma's waren geschreven in en voor een echte computer en toen zijn overgezet op dit systeem. Maar vraag me niet waarom. Hoe dan ook, nu we het systeem hebben teruggebracht in een computer kunnen we werken op de snelheid van elektronen en niet op hoe snel de wielen van een model-locomotief kunnen draaien.'

Ogilvie vroeg: 'Welke computer?'

'Eentje in de binnenstad, een huurcomputer.'

Ogilvie keek mij aan.'O, dat kunnen we niet hebben. Alles wat je in die computer hebt gestopt moet er worden uitgehaald. We stoppen het in onze eigen computer.'

Snel zei ik: 'Dat zou ik niet doen. Ik vertrouw hem niet. Hij is Benson kwijtgeraakt.'

Hoewel Harrington niet kon weten waar we het over hadden begreep hij de algemene tendens. 'Dat is geen probleem.' Hij wees naar de spoorbaan. 'Als modelspoorbaan is dat ding erg uitgebreid en ingewikkeld, maar als computer is het betrekkelijk eenvoudig. Alles wat hier in zit kan gedupliceerd worden in de Hewlett-Packard bureau-computer die ik op kantoor heb. Maar ik heb een printer nodig voor de Russische lettertekens en misschien een aangepast toetsenbord.'

Ogilvie zei: 'Dat is een uiterst bevredigende oplossing.' Hij liep naar de spoorbaan en bekeek hem. 'Je hebt gelijk, dat is erg ingewikkeld. Laat me nu eens zien hoe het werkt.'

Harrington glimlachte. 'Ik dacht wel dat je dat zou vragen. Lees je Russisch?'

Ogilvie wees op Larry. 'We hebben een tolk meegenomen.'

'Ik zal het programma vanaf het begin doordraaien, het ligt klaar. Let op dat rangeerterrein daar. Als het vol is kun je het aflezen, want ik heb elke wagon voorzien van het letterteken dat hij voorstelt. Op het juiste moment zal ik het systeem stopzetten.'

Hij schakelde in en de treinen begonnen heen en weer te rijden en het rangeerterrein, dat verlaten was, raakte vol. Harrington zette het systeem stil. 'Alsjeblieft.'

Ogilvie boog zich naar voren en keek. 'Oké, Godwin. Wat staat er?'
Harrington gaf Larry een toneelkijker. 'Dit is er handig voor.'
Larry nam de kijker aan en richtte hem op de treinen. Zijn lippen
bewogen geluidloos, maar hij zei niets en ongeduldig vroeg
Ogilvie: 'En?'
'Voor zover ik het kan bekijken staat er zo iets als: "Eerste
benadering met gebruikmaking toroïdale Legendre functie van de
eerste soort."'
'Ik mag doodvallen!' zei Ogilvie.

Later, toen we weer op kantoor waren, zei ik: 'Ze gebruiken de
spoorbaan dus niet.'
'Maar goed ook,' zei Ogilvie. 'We kunnen geen twee jaar gaan
zitten wachten om erachter te komen wat het allemaal te betekenen
heeft.'
'Wat ga je ermee doen? Volgens Harrington is het een nogal
eenvoudige computer. Zonder de dienstregelingen – de programma's – is het alleen maar een wat ingewikkeld rijkeluis speeltje.'
'Ik weet niet wat ik ermee moet doen,' zei Ogilvie. 'Daar moet ik
eens over nadenken.'
'Doe me een plezier,' zei ik. 'Geef hem aan Michaelis. Hij heeft
ontdekt dat die dienstregelingen namaak waren. Hij zal dolgeluk-
kig zijn.'

32

Harrington zette de programma's op banden die geschikt waren voor zijn eigen computer en de Russische letterteken-printer begon meters Russische tekst en internationale getallen uit te braken. Toen Larry het Russisch vertaalde bleek het merkwaardig weinigzeggend te zijn – korte aantekeningen van wat de computer op een bepaald ogenblik aan het doen was, maar niet waarom hij het deed. Ik bedoel, als je een breipatroon leest en je komt op '1 recht, 2 averecht', dan zegt dat niet of je een borstrok voor een dwerg of een trui voor je breedgeschouderde rugby spelende verloofde aan het breien bent. En de analogie deugt eigenlijk niet, want als je aan het breien bent, weet je dat je aan het breien bent, terwijl een computerprogramma van alles kan doen, van het analyseren van het gebruik van de aanvoegende wijs in Shakespeares *Titus Andronicus* tot het ontwerpen van een ruimtebaan voor een lancering naar Pluto. Het was een zeer breed terrein, daarom werd een reeks uitgelezen bollebozen in de arm genomen.

Hier begreep ik allemaal niets van, daarom liet ik hen hun gang gaan. Ik had andere zaken aan mijn hoofd, waarvan de voornaamste was dat Penny me een telegram had gestuurd om me te vertellen dat ze terugkwam, met opgave van haar vluchtnummer en aankomsttijd op Heathrow. Ik voelde me meteen een stuk beter, want het betekende dat ze verwachtte dat ik haar zou afhalen en dat zou niet het geval zijn geweest als haar beslissing in mijn nadeel was uitgevallen.

Toen ik haar afhaalde was ze moe. Ze was van Los Angeles naar New York gevlogen, was daar een paar uur gebleven om Gillian op te zoeken en was toen de Atlantische Oceaan overgevlogen. Ze had last van het tijdverschil en haar maag en klieren lagen ongeveer negen uur uit koers. Ik bracht haar naar het hotel waar ik een kamer voor haar had gereserveerd; dat stelde ze op prijs omdat ze niet in een lege flat wilde trekken waar niets in de koelkast lag. Ik dronk koffie met haar voor ze naar haar kamer ging en ze vertelde me dat Gillians operaties goed verliepen en of ik die boodschap wilde doorgeven aan Michaelis. Ze glimlachte. 'Gillian wil vooral dat hij dat te horen krijgt.'

Ik grinnikte. 'We mogen het huwelijk van gelijkgestemde zielen niet in de weg staan.'

Ze vertelde me in het kort wat ze in Californië had gedaan en over een bezoek aan de medische faculteit van Harvard. 'Ze doen daar goed werk met pv40,' zei ze.

'Wat is dat?'

'Een virus – onschadelijk voor mensen.' Ze lachte. 'Ik vergeet maar steeds dat jij onbekend bent op dat terrein.'

Ik zei niets tegen haar over de modelspoorbaan, hoewel ze het op den duur moest weten. We konden niet zo maar beslag leggen op de daarin aanwezige kennis – wat dat ook mocht zijn – al zou de wettige situatie verward kunnen zijn. De afdeling had het ding gekocht, maar of de erin opgeslagen informatie onder de Wet op het Auteursrecht viel of niet was iets waar de advocaten jaren aan konden kluiven. In elk geval was het een beslissing die Ogilvie moest nemen.

Maar ze had zo juist iets gezegd dat baasje Ingeving uit bed had doen springen en hij stond nu te brullen. Ik vroeg: 'Sprak je met je vader veel over je werk?'

'Voortdurend,' zei ze.

'Het lijkt me geen onderwerp waar een man die vooral met katalysators te maken heeft erg in geïnteresseerd zou zijn,' zei ik nonchalant. 'Wist hij er veel van af?'

'Vrij veel,' zei ze. 'Paps was een man met een brede belangstelling. Hij had een paar suggesties gedaan waar Lummy goed door werd verrast toen ze in het laboratorium bleken te werken.' Ze dronk haar koffie op. 'Ik ga naar bed. Ik heb het idee dat ik de klok rond kan slapen.'

Ik bracht haar naar de lift, kuste haar voor ze naar boven ging, begaf me toen gehaast terug naar kantoor. Ogilvie was er niet, daarom ging ik naar Harrington en ik merkte dat hij kortaf en kribbig was. 'De man die die programma's heeft samengesteld was óf een gek óf een genie. Maar in geen van beide gevallen snappen we er iets van.'

Harrington wist niets van Ashton en ik verduidelijkt het niet verder dan: 'Ik denk dat je waanzin wel kunt vergeten. Wat kun je me over de programma's zeggen – als totaliteit?'

'Als totaliteit!' Hij fronste. 'Nou, ze schijnen in twee groepen uiteen te vallen – een groep van vijf en een groep van zeven. De groep van zeven is de laatste groep.'

'De laatste! Hoe weet je dat?'

'Als we ze door de computer halen is het laatste dat er uitkomt een datum. De eerste vijf schijnen volstrekt geen verband met elkaar te houden, maar de groep van zeven lijkt op de een of andere manier aan elkaar verwant te zijn. In alle programma's komt hetzelfde vreemde wiskundesysteem voor.'

Ik dacht enkele minuten diep na en maakte een paar berekeningen. 'Laat me eens raden. De eerste van de groep van zeven begint rond 1971 en de hele zooi bestrijkt een periode die, pak weg, ongeveer een half jaar geleden eindigt.'

'Niet slecht,' zei Harrington. 'Je weet zeker iets dat ik niet weet.'

'Ja,' zei ik. 'Dat dacht ik wel.'

Ik ging weer op zoek naar Ogilvie en ontdekte dat hij was teruggekeerd. Hij wierp één blik op mijn gezicht en zei: 'Je kijkt alsof je de voetbalpool hebt gewonnen. Waarom ben je zo voldaan?'

Ik grinnikte en ging zitten. 'Weet je nog dat we 's avonds laat hebben zitten piekeren over waar Ashton mee bezig zou kunnen zijn? We waren het erover eens dat hij zou blijven theoretiseren, maar we zagen maar niet waar hij over kon theoretiseren.'

'Ik weet het nog,' zei Ogilvie. 'En ik zie het nog steeds niet. Wat meer wil zegen, Harrington ziet het evenmin en die is met het materiaal zelf aan de gang.'

'Je zei dat hij niet met atomen bezig zou zijn omdat hij zich op dat terrein niet op de hoogte had gehouden.'

'Hij hield zich van geen enkel terrein op de hoogte met uitzondering van de katalytische scheikunde en wat dat betreft was hij voornamelijk bezig zijn oude ideeën te bewerken – niets nieuws.'

'Je vergist je,' zei ik botweg.

'Ik zie niet in waarvan hij zich op de hoogte had kunnen houden. We weten welke boeken hij kocht en las en daar zat niets in.'

Zacht vroeg ik: 'Wat dacht je van de boeken die Penny kocht?'

Ogilvie bleef roerloos zitten. 'Waar wil je heen?'

'Penny zei iets vlak voordat ze naar Amerika ging dat me helemaal ontging. We hadden het over de complicaties in haar werk en het meeste begreep ik niet. We waren toen bij haar thuis en ze zei dat ze er zo aan gewend was met haar vader in die kamer te zitten praten dat ze had vergeten dat ik een leek was.'

'En de implicatie is dat Ashton dat niet was?'

'Precies. Daarstraks kwam het weer aan de orde en ditmaal klikte het. Ik heb Harrington net gesproken en hij vertelt me dat er een groep van zeven met elkaar verbonden programma's is. Ik heb gegokt op de periode die ze besloegen en het was meteen raak. Ze begonnen toen Penny werk in de genetica begon. Ik denk dat Ashton zichzelf tegelijk met zijn dochter in de genetica heeft bekwaamd. Vanochtend zei Penny dat hij suggesties had gedaan die Lumsden verrasten toen ze in het laboratorium bleken te werken. Goed, Penny werkt samen met Lumsden, één van de topmensen op dat gebied. Alles wat hij wist en te weten kwam kon zij doorgeven aan Ashton. Ze las de desbetreffende tijdschriften – evenals Ashton; ze bezocht congressen en andere laboratoria – en gaf alles door aan Ashton. Het kan dat ze dat heel onbewust heeft gedaan, blij dat ze iemand in haar buurt had met wie ze over haar werk kon praten. Hij zat midden in één van de meest opwindende ontwikkelingen in de wetenschap van deze eeuw, en dan reken ik de atoomfysica ook mee. Wat is waarschijnlijker dan dat een man als Ashton over genetica zou nadenken en theoretiseren?'

'Ik snap het,' zei Ogilvie. 'Maar wat kunnen we eraan doen?'

'Penny moet er uiteraard bij komen.'

Hij schudde zijn hoofd. 'Niet meteen. Die beslissing kan ik niet zo maar nemen. Het probleem ligt juist in het feit dat ze Ashtons dochter *is*. Ze is intelligent genoeg om te vragen waarom haar vader het nodig had gevonden om te verbergen wat hij aan het doen was en dan heb je de poppen aan het dansen, want dan komt zijn verleden eraan te pas en hoe en waarom hij is gestorven. Ik betwijfel of de minister het prettig zou vinden als een woedende jongedame zijn kamer belegerde of, wat veel erger is, met journalisten ging praten. Op dit punt moet ik hem om een beslissing vragen.'

Ik zei: 'Een zaak als deze kun je onmogelijk achterhouden.'

'Wie heeft het over achterhouden?' vroeg hij geïrriteerd. 'Ik zeg alleen maar dat we het met tact moeten aanpakken. Laat het maar aan mij over. Je hebt er toch nog niets tegen haar over gezegd, wel?'

'Nee.'

'Mooi zo. Je hebt het goed gedaan, Malcolm. Aan jou de eer.'

Ik was niet uit op eer en ik had het onbehaaglijke gevoel dat Ogilvie niet helemaal oprecht tegen me was. Het was de eerste keer dat ik dat gevoel had wat hem betrof en het beviel me niet.

Volgens afspraak ontmoette ik Penny de volgende middag in University College. Toen ik door de gang naar haar kamer liep ging de deur van Lumsdens kamer open en Cregar kwam naar buiten zodat ik snel opzij moest stappen om niet tegen hem op te lopen. Hij keek me verbijsterd aan en vroeg: 'Wat doet u hier?'

Afgezien van het feit dat het hem niet aanging, was ik nog steeds kwaad over de behandeling die hij me tijdens de commissievergadering had gegeven en ik voelde de neiging hem een scherp antwoord te geven. In plaats daarvan zei ik liefjes: 'Een bezoekje brengen.'

'Dat is geen antwoord.'

'Misschien komt dat omdat de vraag me niet aanstond, net zo min als de manier waarop hij werd gesteld.'

Hij weifelde even, vroeg toen: 'U weet toch dat de zaak Ashton is afgesloten?'

'Ja.'

'Dan moet ik het u nog een keer vragen – wat doet u hier?'

Met nadruk zei ik: 'De dag moet nog aanbreken dat ik u om toestemming moet vragen om mijn verloofde te bezoeken.'

'O,' zei hij ontoereikend. 'Dat had ik vergeten.' Ik geloof werkelijk dat hij het zich niet meer herinnerde. Er veranderde iets in zijn ogen; strijdlust maakte plaats voor speculatie. 'Spijt me. Ja, u gaat met dr. Ashton trouwen, is het niet?'

Op dat moment wist ik niet of dat wel of niet zou gebeuren, maar ik zou Cregar die pret niet gunnen. 'Ja, inderdaad.'

'Wanneer vindt het huwelijk plaats?'

'Gauw, hoop ik.'

'Juist, ja.' Hij liet zijn stem dalen. 'Een goede raad. U bent zich er natuurlijk van bewust dat het erg onwenselijk zou zijn als juffrouw Ashton ooit te weten kwam wat er in Zweden is gebeurd?'

'Onder de gegeven omstandigheden ben ik de laatste die het haar zou vertellen,' zei ik bitter.

'Ja. Een trieste en vreemde zaak – heel vreemd. Ik hoop dat u mijn verontschuldigingen wilt aanvaarden voor mijn ruwe gedrag van zoëven. En ik hoop dat u mijn beste wensen voor uw aanstaande huwelijk wilt aanvaarden.'

240

'Natuurlijk – en dank u.'

'Als u me nu wilt verontschuldigen.' Hij draaide zich om en ging Lumsdens kamer weer in.

Terwijl ik de gang uitliep dacht ik na over Cregars onmiddellijke veronderstelling dat mijn aanwezigheid in University College verband hield met de zaak Ashton. Toegegeven dat hij oprecht had vergeten dat ik met Penny zou trouwen, wat voor verband kon er dan bestaan?

Ik ging met Penny naar Fortnum waar ze haar uitgeputte koelkast aanvulde. Het grootste gedeelte van de bestelling zou worden bezorgd, maar we namen genoeg mee opdat ze een eenvoudig diner voor twee personen kon klaarmaken. Die avond in de flat, toen we aan de soep begonnen, zei ze:

'Ik ga morgen naar Schotland.'

'Met Lumsden?'

'Hij heeft het druk en kan niet weg. Door de extra-tijd die ik in Amerika ben gebleven is ons schema in de war geraakt.'

'Wanneer kom je terug?'

'Binnen een week, denk ik. Hoezo?'

'Volgende week dinsdag is de première van een nieuw stuk in het Haymarkettheater waarvan ik dacht dat je het zou willen zien. Met Alec Guinness. Zal ik kaartjes bestellen?'

Ze dacht even na. 'Dan ben ik wel terug. Ja, dat zou leuk zijn. Ik ben in god weet hoe lang niet naar de schouwburg geweest.'

'Nog steeds problemen in Schotland?'

'Niet echt problemen. Het is meer een meningsverschil.'

Na het eten zette ze koffie en ze zei: 'Ik weet dat je niet van cognac houdt. Er staat een fles whisky in de kast.'

Ik glimlachte. 'Dat is attent van je.'

'Maar ik neem cognac.'

Ik schonk de glazen in en bracht ze naar de salontafel. Zij kwam met de koffie en we gingen samen op de bank zitten. Ze schonk twee zwarte koffie in en vroeg zacht: 'Wanneer zou je willen trouwen, Malcolm?'

Dat was de avond waarop het nieuwe tapijt beduidende koffievlekken opliep en het was de avond waarop we voor het eerst naar bed gingen. Het had lang genoeg geduurd.

33

De rest van de week verstreek traag. Penny ging naar Schotland en ik reserveerde twee kaartjes voor het Haymarkettheater. Ik vroeg ook inlichtingen over hoe je precies moest trouwen; het was er niet eerder van gekomen. Ik voelde me heel plezierig.

Ogilvie was weinig mededeelzaam. De volgende paar dagen was hij niet veel op kantoor en als hij er wel was wilde hij me niet zien. Hij vroeg hoe ik opschoot met het onderzoek naar Benson en gaf geen commentaar toen ik zei dat ik was vastgelopen. Twee keer daarna weigerde hij me te ontvangen toen ik om een gesprek vroeg. Dat maakte me enigszins ongerust.

Ik ging bij Harrington na hoe ver hij was gekomen en om te zien of er al genetische deskundigen waren aangetrokken – niet door het ronduit te vragen maar door tactvol om de brij heen te draaien. Er waren geen nieuwe bollebozen aan de slag en zeker geen biologen van welke aard ook. Ook dat maakte me ongerust en ik vroeg me af waarom Ogilvie zo treuzelde.

Harringtons humeur werd er niet beter op. 'Weet je wat ik heb ontdekt?' vroeg hij retorisch. 'Die grappenmaker gebruikt de viertallen van Hamilton!' In zijn mond klonk het als een afschuwelijke zonde.

'Is dat ongunstig?'

Hij keek me aan en echode: 'Ongunstig! Niemand, ik herhaal – *niemand* – heeft sinds 1915 de viertallen van Hamilton gebruikt toen de strekanalyse werd uitgevonden. Het is alsof je je met een schep en een houweel behelpt als je een bulldozer bij de hand hebt.' Ik haalde mijn schouders op. 'Als hij die dingen van Hamilton heeft gebruikt moet hij daar een goeie reden voor gehad hebben.' Harrington tuurde naar een print-out van het computerprogramma met een boze en verbijsterende uitdrukking. 'Dan zou ik wel eens willen weten wat het is.' Hij ging weer aan het werk.

Ik ook, maar mijn probleem was dat ik niet wist wat ik moest doen. Benson was een doodlopende steeg – er leek geen manier te zijn om hem aan te pakken. Ogilvie scheen zijn belangstelling verloren te hebben en daar ik op Kerrs afdeling niet met mijn duimen wilde zitten draaien, bracht ik een groot deel van de tijd door in mijn flat om achterstallige boeken te lezen en op dinsdag te wachten.

In het weekeind belde ik Penny op in de hoop dat ze terug was, maar ik kreeg geen antwoord. Ik bracht een saai weekeind door en maandagochtend belde ik Lumsden en vroeg hem of hij iets van haar had gehoord. 'Ik heb donderdag met haar gesproken,' zei hij. 'Ze hoopte vóór het weekeind terug te zijn in Londen.'

'Ze is niet gekomen.'

'Nou, misschien komt ze vandaag terug. Als ze hier komt, wil ik haar dan een boodschap geven?'

'Nou, nee, vertel haar maar dat ik haar morgenavond om zeven uur thuis afhaal.'

'Ik zal het haar zeggen,' zei Lumsden en hing op.

Ik ging naar kantoor en voelde me vagelijk ontevreden, maar ik had het geluk Ogilvie bij de lift aan te treffen. Terwijl we naar boven gingen vroeg ik botweg: 'Waarom heb je Harrington geen geneticus toegewezen om met hem samen te werken?'

'De situatie wordt nog bekeken,' zei hij minzaam.

'Ik geloof niet dat dat voldoende is.'

Hij wierp me een zijdelingse blik toe. 'Ik hoef je er niet op te wijzen dat jij hier niet het beleid bepaalt,' zei hij scherp. Op meer verzoenende toon voegde hij eraan toe: 'De waarheid is dat er een hoop druk op ons wordt uitgeoefend.'

Ik had er genoeg van mijn woorden een diplomatiek sausje te geven. 'Door wie – en waarom?' vroeg ik kortaf.

'Er is me gevraagd de computerprogramma's over te dragen aan een andere afdeling.'

'Vóór ze geïnterpreteerd zijn?'

Hij knikte. 'De druk is vrij sterk. Het is mogelijk dat de minister aan het verzoek voldoet.'

'Wie zou nou . . .?' Ik zweeg en herinnerde me iets dat Ogilvie zich had laten ontvallen. 'Vertel me nu niet dat het Cregar weer is.'

'Waarom denk je . . .' Hij wachtte even en dacht na. 'Ja, het is Cregar. Een volhoudertje, wat?'

'Jezus!' zei ik. 'Je weet wat hij ermee zal doen. Je zei dat hij zich bezighield met bacteriologische oorlogvoeringstechnieken. Als er iets belangrijks tussen zit gebruikt hij het zelf en verzwijgt hij het.'

De lift stopte en er stapte iemand in. Ogilvie zei: 'Ik geloof niet dat

243

we dit verder moeten bepraten.' Toen we op onze verdieping arriveerden beende hij kwiek weg.

Het werd dinsdag en om zeven uur 's avonds stond ik voor Penny's flat en belde aan. Er werd niet opengedaan. Ik bleef ruim een uur voor het huis in mijn auto zitten, maar ze kwam niet. Ze had me zonder een woord te zeggen laten zitten. Ik ging niet naar het theater maar naar huis en voelde me gedeprimeerd en ongelukkig. Ik geloof dat ik toen al een flauw vermoeden had dat er iets verschrikkelijk mis was. Kleine stukjes van een ingewikkelde legpuzzel schoven in mijn achterhoofd in elkaar maar nog altijd buiten bereik van de bewuste rede. De geestelijke kriebel was onverdraaglijk.

De volgende ochtend belde ik Lumsden vroeg op. Aanvankelijk beantwoordde hij mijn vragen goedgehumeurd, maar ik geloof dat hij me een lastpak vond. Nee, Penny was nog niet terug. Nee, sinds donderdag had hij haar niet meer gesproken. Nee, het was helemaal niet ongebruikelijk; het was mogelijk dat haar werk moeilijker was dan ze gedacht had.

Ik vroeg: 'Kunt u me haar telefoonnummer in Schotland geven?' Het was stil in mijn oor, toen zei Lumsden: 'Eh . . . nee – ik geloof niet dat ik dat kan doen.'

'Waarom niet? Hebt u het niet?'

'Ik heb het wel, maar ik ben bang dat het voor u niet beschikbaar is.'

Ik knipperde met mijn ogen bij deze merkwaardige uitspraak en borg de woorden in mijn geheugen voor toekomstig gebruik. 'Kunt u haar dan opbellen en haar een boodschap geven?'

Lumsden zweeg weer, zei toen onwillig: 'Dat zou ik misschien kunnen doen. Wat voor boodschap?'

'Er moet een antwoord op komen. Vraag haar waar ze de brieven van haar vader heeft gestopt. Dat moet ik weten.' Voor zover ik wist was dat volkomen nietszeggend.

'Goed,' zei hij. 'Ik zal het doorgeven.'

'Nu meteen,' drong ik aan. 'Ik wacht hier tot u me terugbelt.' Ik gaf hem mijn nummer.

Toen de ochtendpost doornam vond ik een bonnetje van een bes.eldienst; ze hadden geprobeerd een pakje te bezorgen maar ik was niet thuis – kon ik voornoemd pakje afhalen aan het depot in

Paddington? Ik deed het bonnetje in mijn portefeuille.

Lumsden belde bijna een uur later. 'Ze zegt dat ze niet weet welke brieven u speciaal bedoelt.'

'O ja? Merkwaardig. Hoe klonk ze?'

'Ik heb haar niet zelf gesproken; ze kon niet aan een buitenlijn komen. Maar de boodschap is aan haar doorgegeven.'

Ik zei: 'Professor Lumsden, wilt u haar alstublieft nog eens opbellen en deze keer persoonlijk met haar praten? Ik . . .'

Hij onderbrak me. 'Geen sprake van. Ik ga mijn tijd niet verknoeien door voor boodschappenjongen te spelen.' Er klonk een klik en hij werd afgesneden.

Ik bleef een kwartier zitten terwijl ik me afvroeg of ik niet van een mug een olifant maakte en achter schaduwen aanjoeg. Toen reed ik naar Paddington om het pakje op te halen en het verbluffe me nogal dat het mijn eigen koffer was. Kapitein Morelius had er de tijd voor genomen om mijn spullen uit Zweden op te sturen.

Ik legde de koffer in de bagageruimte van mijn auto en maakte hem open.

Er leek niets te ontbreken al was ik daar na zo lange tijd niet zeker van. Wat wel zeker was: de Zweedse inlichtingendienst zou alles onder een microscoop hebben bekeken. Maar dat gaf me een idee. Ik ging Paddington Station binnen en belde het huis van de Ashtons.

Mary Cope nam op en ik zei: 'Met Malcolm Jaggard. Hoe gaat het, Mary?'

'Heel goed, meneer,'

'Mary, is er iets bij je thuisbezorgd uit Zweden? Koffers of iets dergelijks?'

'Eh, jawel, meneer. Maandag zijn er twee koffers bezorgd. Ik heb geprobeerd juffrouw Penny op te bellen om te vragen wat ik ermee moest doen, maar ze was niet thuis – ik bedoel, niet in de flat in Londen.'

'Wat heb je ermee gedaan?'

'Ik heb ze in de rommelkamer gezet.'

'Ik kom naar je toe, Mary. Laat intussen niemand bij die koffers.'

Er waren drie verkeersopstoppingen op weg naar Marlow, maar eindelijk bereikte ik mijn doel en zag dat het hek van het huis openstond. Wie zou ook denken dat Mary Cope bescherming nodig kon hebben?'

Ze deed open toen ik had aangebeld en ik vroeg meteen: 'Heeft er nog iemand anders naar die koffers gevraagd?'

'Nou, nee, meneer.'

'Waar zijn ze?'

'Ik zal het u laten zien.' Ze ging me op de hoofdtrap voor naar boven en toen via een tweede trap naar een gang. Het huis was kaal en leeg en onze voetstappen weerklonken. Ze deed een deur open. 'Ik heb ze hier weggezet.'

Ik keek naar de twee koffers die midden in de lege kamer stonden, draaide me toen naar haar om en glimlachte. 'Je kunt me feliciteren, Mary. Penny en ik gaan trouwen.'

'O, ik wens u het aller-, allerbeste,' zei ze.

'Dus denk ik dat je ten slotte toch niet in Londen hoeft te blijven. Waarschijnlijk nemen we een huis ergens op het platteland. Maar niet zo groot als dit.'

'Zou u willen dat ik bleef?'

'Natuurlijk,' zei ik. 'Oké, nu wil ik die dingen in mijn eentje bekijken? Dat vind je toch niet erg?'

Ze keek me weifelend aan, nam toen haar besluit. In dat huis waren zoveel vreemde dingen gebeurd dat eentje meer niets uitmaakte. Ze knikte, ging naar buiten en deed de deur achter zich dicht.

Beide koffers waren op slot. Ik nam niet de moeite ze te proberen open te pikken, maar forceerde de sloten met een mes. De eerste koffer was van Ashton en bevatte de weinige spullen die hij had meegenomen op zijn vlucht uit Stockholm. De kleren die hij had gedragen zaten er ook in: de overjas, het colbert en het overhemd waren gescheurd – kogelgaten – maar er waren geen bloedvlekken. Alles was chemisch gereinigd.

Ik had meer belangstelling voor Bensons koffer. In deze ruimte van een halve kubieke meter bevond zich alles wat was overgebleven van Howard Greatorex Benson. Als ik hier niets vond was het waarschijnlijk dat de zaak Ashton nooit werkelijk zou worden opgelost.

Ik ledigde de koffer en spreidde alles uit op de grond. Overjas, kostuum, bontmuts, ondergoed, overhemd, sokken, schoenen – alles waarin hij was omgekomen. In de bontmuts zat een gat dat groot genoeg was om mijn vuist doorheen te steken. Ik onderzocht alles nauwkeurig, me ervan bewust dat kapitein Morelius hetzelfde zou hebben gedaan, en ik vond niets – geen microfilm, zo geliefd door thriller-schrijvers, geen geheime zakken in de kleding, helemaal niets ongewoons.

Er zaten een handvol Zweedse geldstukken en een dun stapeltje bankbiljetten in de portefeuille. Daarin bevonden zich ook enkele postzegels uit Engeland en Zweden, twee kranteknipsels, allebei boekbesprekingen in het Engels, en een gekrabbeld boodschappenlijstje. Daar zat niets voor me in, tenzij gerookte zalm, biscuits en mokkakoffie een verborgen betekenis hadden, wat ik betwijfelde. Ik wilde de portefeuille al terugleggen toen ik zag dat de zijden voering was gescheurd. Nadere inspectie wees uit dat deze niet was gescheurd maar opengesneden, waarschijnlijk met een scheermesje. Kapitein Morelius liet volstrekt niets aan het toeval over. Ik stak mijn vinger tussen de voering en het leer en stuitte op een stuk papier. Voorzichtig friemelde ik het naar buiten, liep toen met mijn vondst naar het raam.

Het was een brief:

AAN WIE HET AANGAAT

Howard Greatorex Benson is de brenger van deze brief.

Mocht op enigerlei wijze aan zijn goede trouw worden getwijfeld dan dient ondergetekende onmiddellijk geraadpleegd te worden alvorens nadere actie wordt ondernomen met betrekking tot de brenger.

Met een nietje was aan de brief een pasfoto bevestigd van Benson, een veel jongere Benson dan ik had gekend, maar wel met de beschadigde gelaatstrekken en het litteken op de wang. Hij leek me begin dertig. Dat werd bevestigd door de datum van de brief – 4 januari 1947. Onder aan de brief bevonden zich een adres en een telefoonnummer; het adres was in Mayfair en het nummer was van een niet meer gebruikte soort met letters en cijfers. De brief was ondertekend door James Pallson.

De kriebel in mijn achterhoofd was nu gestild, de legpuzzel was bijna voltooid. Hoewel er nog enkele minder belangrijke stukjes ontbraken, waren er voldoende stukjes om het beeld te tonen en wat ik zag beviel me niet. Ik las de brief nogmaals en vroeg me af wat kapitein Morelius eruit had opgemaakt, toen deed ik hem in mijn portefeuille en ging naar beneden.

Ik belde Ogilvie, maar hij was er niet, daarom reed ik, na afscheid te hebben genomen van Mary Cope, terug naar Londen en ging onmiddellijk naar University College. Daar ik me ervan bewust was dat Lumsden wellicht zou weigeren me te ontvangen, ontweek ik de receptioniste, liep rechtstreeks naar zijn kamer en ging zonder kloppen naar binnen.

Hij keek op en fronste geërgerd toen hij me zag. 'Wel verdomme . . . ik laat me zo niet koeioneren.'

'Even maar, professor.'

'Luister eens,' snauwde hij. 'Ik heb werk te doen en ik heb geen tijd om postiljon d'amour te spelen tussen twee verliefde mensen.'

Ik beende naar zijn bureau en duwde de telefoon naar hem toe. 'Bel Penny op.'

'Dat doe ik niet.' Hij pakte de kaart op die ik op het bureau had gegooid, zei toen: 'Juist, ja. Dus toch niet de gewone politieman. Maar ik zie niet in dat het enig verschil maakt.'

Ik vroeg: 'Waar is dat laboratorium?'

'In Schotland.'

'Waar in Schotland?'

'Het spijt me. Dat mag ik niet zeggen.'

'Wie heeft er de leiding?'

Hij haalde zijn schouders op. 'Een of ander regeringsbureau, dacht ik.'

'Wat wordt daar gedaan?'

'Ik weet het echt niet. Iets met landbouw, is me verteld.'

'Wie heeft u dat verteld?'

'Dat kan ik niet zeggen.'

'Kunt u niet of wilt u niet?' Ik keek hem even strak aan en hij trok geprikkeld met zijn gezicht. 'U gelooft die kletskoek over landbouw toch zeker niet? Dat zou de geheimzinnige manier waarop u zich gedraagt niet verklaren. Wat is er zo verdomde geheimzinnig aan landbouwkundig onderzoek? Cregar heeft u verteld dat het om landbouw ging en dat hebt u geaccepteerd als een sussertje voor uw geweten, maar u hebt er nooit in geloofd. Zó naïef bent u niet.'

'Laat mijn geweten maar aan mij over,' snauwde hij.

'U mag het houden. Wat is Penny daar aan het doen?'

'Ze geeft algemene technische bijstand.'

'Laboratoriumontwerpen voor het verwerken van pathogenen,' opperde ik.

'Zo iets.'

'Weet ze dat Cregar erachter steekt?'

'U bent degeen die met Cregar komt aandragen,' zei Lumsden. 'Ik niet.'

'Wat heeft Cregar gedaan om u zo willig te krijgen? Gedreigd om uw research-subsidie in te trekken? Of is er soms een subtiel geschreven brief van een minister binnengekomen die op hetzelfde neerkwam? Meedoen met Cregar, want anders?' Ik bekeek hem een ogenblik zwijgend. 'Dat doet er eigenlijk niet toe – maar wist Penny dat Cregar erbij betrokken is?'

'Nee,' zei hij bits.

'En ze wist niet waar het laboratorium voor bestemd was, maar ze begon argwaan te krijgen. Ze heeft ruzie met u gehad.'

'U schijnt alles te weten,' zei Lumsden vermoeid en haalde zijn schouders op. 'Voor het grootste gedeelte hebt u gelijk.'

Ik vroeg: 'Waar is ze?'

Hij keek verbaasd. 'In het laboratorium. Ik dacht dat we dat hadden vastgesteld.'

'Ze maakte zich ernstige zorgen om de beveiliging daar, is het niet?'

'Ze deed er erg emotioneel over. En Cregar zat Carter flink achter de broek. Hij wilde resultaten zien.'

'Wie is Carter?'

'Het hoofd van het laboratorium.'

Ik wees naar de telefoon. 'Ik wed honderd pond om een kromme penny dat u haar niet te spreken kunt krijgen.'

Hij aarzelde lang eer hij de hoorn opnam en een nummer draaide. Hoewel hij pietluttig deed op het stuk van geheimzinnigheid, was hij slecht in beveiliging. Terwijl hij draaide keek ik naar zijn vinger en grifte het nummer in mijn geheugen. 'Met professor Lumsden. Mag ik dr. Ashton van u? Ja, ik wacht.'

Hij legde zijn hand op de microfoon. 'Ze zijn haar halen. Ze denken dat ze in haar kamer is.'

'Ik zou er maar niet op rekenen.'

Lumsden omklemde de hoorn lange tijd, zei toen opeens: 'Ja? . . . Juist, ja . . . het vasteland. Nou, wilt u haar vragen me terug te bellen zora ze er weer is? Ik ben in mijn kamer' Hij legde de hoorn neer en zei op doffe toon: 'Ze zeggen dat ze naar het vasteland is gegaan.'

'Het is dus op een eiland.'

'Ja.' Hij keek op en zijn ogen stonden gejaagd. 'Het kan waar zijn, weet u.'

'Vergeet het maar,' zei ik. 'Er is daar iets gebeurd. U had het over uw geweten, ik zal u er alleen mee laten. Tot ziens, professor Lumsden.'

Ik beende Ogilvies kamer binnen, vroeg aan zijn secretaresse: 'Is de baas er?' en liep door zonder op antwoord te wachten. Wat mij betrof was het afgelopen met gesloten deuren.

Ogilvie was even geërgerd als Lumsden omdat ik bij hem binnendrong. 'Ik heb je niet geroepen,' zei hij kil.

'Ik weet alles van Benson,' zei ik. 'Hij was een handlanger van Cregar.'

Ogilvies ogen gingen wijdopen. 'Dat geloof ik niet.'

Ik gooide de brief voor hem neer. 'Ondertekend, verzegeld en bezorgd. Dat is geschreven op 4 januari 1947, de dag waarop Benson uit het leger werd gedemobiliseerd, en ondertekend door de Hooggeboren Heer James Pallson die nu lord Cregar is. Christus, hooggebóren. Besef je dat toen Ashton en Benson 'm naar Zweden smeerden en Cregar het heilig boontje uithing, hij steeds wist waar ze zaten. Die schoft heeft ons zitten uitlachen.'

Ogilvie schudde zijn hoofd. 'Nee, het is té ongelooflijk.'

'Wat is er zo ongelooflijk aan? De brief bewijst dat Benson de afgelopen dertig jaar de handlanger van Cregar is geweest. Ik durf te wedden dat Cregar een handeltje met Ashton had gemaakt. Ashton stond het vrij te doen wat hij wilde – zwemmen of verzuipen in de kapitalistische zee – maar alleen op voorwaarde dat hij een waakhond bij zich had: Benson. En toen de reorganisatie aanbrak en Cregar de verantwoordelijkheid voor Ashton kwijtraakte, vergat hij heel handig om jou iets over Benson te zeggen. Het verklaart ook waarom Benson uit de computerdossiers was verdwenen.'

Ogilvie haalde diep adem. 'Het past in elkaar,' gaf hij toe. 'Maar er valt nog een hoop te verklaren.'

'Je krijgt je verklaringen van Cregar,' zei ik wild. 'Vlak voordat ik hem levend vil en zijn vel op de deur van de bar nagel.'

'Jij blijft uit de buurt van Cregar,' zei hij kortaangebonden. 'Ik neem hem onderhanden.'

'Vergeet het maar. Je begrijpt het niet. Penny Ashton is verdwenen en Cregar heeft er iets mee te maken. Er zijn er meer dan jij alleen voor nodig om me uit de buurt van Cregar te houden.'

'Wat heeft dat allemaal te betekenen?' Hij was verbijsterd.

Ik vertelde het hem, vroeg toen: 'Weet jij waar dat laboratorium is?'

'Nee.'

Ik haalde een kaartje uit mijn portefeuille en gooide het op het bureau.

'Een telefoonnummer. Het postkantoor wil me er niets over vertellen omdat het geheim is. Doe iets.'

Hij keek naar het kaartje maar pakte het niet op. Langzaam zei hij: 'Ik weet niet . . .'

Ik onderbrak hem. 'Ik weet wel iets. Die brief is voldoende om Cregar te ruïneren, maar daar kan ik niet op wachten. Hou me niet tegen. Geef me alleen maar wat ik nodig heb en ik geef jou meer dan die brief – ik geef je Cregars hoofd op een dienschaal. Maar ik wacht niet lang.'

Hij keek me peinzend aan, pakte toen het kaartje en de telefoonhoorn tegelijkertijd op. Vijf minuten later zei hij twee woorden: 'Cladach Duillich.'

34

Cladach Duillich was moeilijk te bereiken. Het was een van de Summer Isles, een verspreide verzameling rotsen in een deuk van de North Minch die zich tot Ross en Cromarty uitstrekt. De streek is een geliefkoosde speelplaats van de biologische gokkers met de dood. Negen kilometer ten zuiden van Cladach Duillich ligt Gruinard Island, onbewoond en onbewoonbaar. In 1942 begingen de jongens van de biologische oorlogvoering een onbeduidend foutje en Gruinard werd doordrenkt van miltvuur – een gevaar dat een eeuw bestrijkt. Geen wonder dat de Schotten afscheiding wensen als er uit het zuiden dit soort krankzinnigheden komen. Ik vloog naar Dalcross, het vliegveld van Inverness, en huurde daar een auto waarmee ik dwars door Schotland reed naar Ullapool aan de top van Loch Broom. Het was een mooie dag; de zon scheen; de vogels zongen en het landschap was schitterend – en het liet me allemaal koud omdat ik probeerde op te schieten op een weg die in Schotland 'Smal, Klasse 1 (met passeerplaatsen)' heet. Met deprimerende zekerheid voelde ik dat me niet veel tijd meer restte.

Laat in de dag kwam ik aan in Ullapool. Gladach Duillich lag achttien kilometer verderop in de baai; zeg vier uur heen en weer met een vissersboot. Ik onderhandelde met een paar vissers maar niemand was bereid om rond die tijd uit te varen. De zon zou over een uur ondergaan, in het westen stapelden de wolken zich op en een rauwe wind joeg over het smalle meer en stuwde het water op dat staalgrijs gekleurd was. Ik maakte een voorlopige afspraak met een zekere Robbie Ferguson om me de volgende ochtend om acht uur naar het eiland te brengen, als het weer het toeliet.

Het toeristenseizoen was nog niet begonnen, daarom was het niet moeilijk een kamer in een pub te vinden. Die avond zat ik in de bar te luisteren naar de plaatselijke roddels en af en toe liet ik ook een paar woorden vallen, niet vaak maar vaak genoeg om me in het gesprek te mengen als ik besloot een onderzoekje naar Cladach Duillich in te stellen.

Het was duidelijk dat het Schotse nationalisme hoogtij vierde in de West Highlands. Er werd gesproken over nooit aanwezige Engelse landheren en 'Schotse' olie en de tweeslachtige houding van de Schotse Labourpartij, dit alles geuit op een toon van geamuseerd of nogal vermoeid cynisme, alsof deze mensen het geloof in de beloften van de politici hadden verloren. Het was niet veel, net voldoende om het gesprek over vissen en het weer te kruiden, maar als ik een habitué van het machtscentrum in Westminster was geweest, zou het genoeg zijn geweest om me de doodsstuipen te bezorgen. Het leek alsof Ullapool verder van Londen lag dan Kalgoorlie in Australië.

Ik dronk mijn bier uit en ging over op whisky, na de barkeeper te hebben gevraagd wat hij kon aanbevelen. De man naast me draaide zich om. 'De Talisker is niet slecht,' zei hij. Hij was een lange, magere man van midden vijftig met een verweerd gezicht en de zachte mond van de Highlanders. Hij sprak het plaatselijk accent met zachte tongval.

'Dan neem ik die graag. Mag ik u iets aanbieden?'

Hij wierp me een speculatieve blik toe, glimlachte toen. 'Ik zou niet weten waarom niet. U komt zeker uit het zuiden. Het is vroeg in het jaar voor uw soort mensen.'

Ik bestelde twee dubbele Taliskers. 'Wat voor soort ben ik dan?'

'Toerist, misschien?'

'Geen toerist – journalist.'

'O ja? Voor welke krant?'

'Elke krant die mijn stukken wil nemen. Ik ben free lance. Kunt u me misschien iets vertellen over Gruinard Island?'

Hij gniffelde en schudde zijn hoofd. 'Ach, niet alweer? Elk jaar krijgen we hier iemand die naar Gruinard vraagt; het Eiland des Doods noemen ze het meestal. Dat is allemaal al beschreven, man; kapotgeschreven. Daar zit niks nieuws meer in.'

Ik haalde mijn schouders op. 'Een goed verhaal blijft een goed verhaal voor iemand die het nog niet heeft gehoord. Er is een generatie aan het opgroeien waarvoor 1942 de middeleeuwen is. Ik heb kinderen meegemaakt die denken dat Hitler een Engels generaal was. Maar misschien hebt u gelijk. Verder nog iets interessants in de omgeving?'

'Wat zou een Engelse krant nu interesseren in Ullapool? Er is hier geen olie; dat is aan de oostkust.' Hij keek in zijn whiskyglas.

'Er is een helikopter die af- en aanvliegt en niemand weet waarom. Zou u daar belangstelling voor hebben?'

'Misschien,' zei ik. 'Een helikopter van een oliemaatschappij?'

'Misschien wel, misschien niet. Maar hij landt op een van de eilanden. Dat heb ik zelf gezien.'

'Welk eiland.'

'Daar in de baai – Cladach Duillich. Het is maar een kleine rots waar weinig op groeit. Ik betwijfel of daar olie zit. Ze hebben er een paar gebouwen neergezet maar geen boortorens.'

'Wie heeft die gebouwen neergezet?'

'Er wordt gezegd dat de regering het eiland heeft gehuurd van een Engelse lord. Wattie Stevenson is er een keer met zijn boot naar toe gevaren, omdat hij toch niks te doen had en om te zeggen dat als ze moeilijkheden mochten krijgen er altijd wel iemand in Ullapool was om ze te helpen.
Maar hij mocht geen voet aan wal zetten. Echt geen vriendelijke buren.'

'Wat voor moeilijkheden verwachtte uw vriend?'

'Het weer, snapt u. De windstormen zijn erg. Er wordt beweerd dat de golven dan dwars over Cladach Duillich slaan. Daar heeft het zijn naam vandaan.'

Ik fronste. 'Dat snap ik niet.'

'Ah, u spreekt geen Keltisch. Nou, lang geleden was er een visser uit Coigach en diens schip zonk in een storm aan de andere kant van de eilanden daar. Daarom ging hij zwemmen en hij zwom maar en eindelijk kwam hij aan land en dacht dat hij veilig was. Maar hij verdronk toch, de arme kerel, want dat was Cladach Duillich. Het water sloeg er dwars overheen. Cladach Duillich betekent in het Engels de Droevige Kust.'

Als mijn idee juist was, was het een goed gekozen naam. 'Komen de mensen van Cladach Duillich hier ooit aan wal?'

'Nooit. Ik heb er nog niet eentje gezien. Ze vliegen met de helikopter naar het zuiden en niemand weet waar hij naar toe gaat of vandaan komt. Ze geven geen cent uit in Ullapool. Erg geheimzinnige mensen zijn het. Er is maar één landingsplaats op Cladach Duillich en er staat een groot bord bij over binnendringers en wat er met ze zal gebeuren.'

Ik zag dat zijn glas leeg was en vroeg me af wanneer hij de whisky naar binnen had geslagen. Dat moest zijn gebeurd toen ik even met

mijn ogen knipperde. Ik zei: 'Neem er nog eentje, meneer...
eh...'

'U neemt er eentje van mij.' Hij wenkte de barman, zei toen: 'Mijn
naam is Archie Ferguson en mijn broer brengt u morgenochtend
naar Cladach Duillich.' Hij glimlachte sardonisch om mijn duidelijke onbehagen en voegde eraan toe: 'Maar ik betwijfel of u er een
voet aan de grond krijgt.'

'Mijn naam is Malcolm Jaggard,' zei ik. 'En ik denk dat het me wel
lukt.'

'Malcolm is een goed Schotse naam,' zei Ferguson. 'Ik drink op uw
succes, hoe het ook afloopt.'

'Er is in elk geval iets aan de hand met dat eiland,' zei ik. 'Denkt u
dat het een tweede Gruinard is?'

Fergusons gezicht vertrok en één ogenblik leek hij een toornige
god. 'Beter van niet,' zei hij bars. 'Als we dat idee zouden krijgen
zouden we het in brand steken.'

Daar dacht ik over na terwijl ik zat te eten, toen belde ik op – naar
Cladach Duillich. Een stem vroeg: 'Waarmee kan ik u van dienst
zijn?'

'Ik wil dr. Ashton graag spreken. Mijn naam is Malcolm Jaggard.'

'Ogenblikje. Ik zal zien of ze aanwezig is.'

Er volgden vier minuten stilte, toen zei een andere stem: 'Het spijt
me, meneer Jaggard, maar ik hoor dat dr. Ashton naar het
vasteland is gegaan en nog niet terug is.'

'Waar op het vasteland?'

Er volgde een stilte. 'Waar belt u vandaan, meneer Jaggard?'

'Uit Londen. Hoezo?'

Hij gaf geen antwoord op de vraag. 'Ze is naar Ullapool – dat is de
metropool in onze omgeving. Ze zei dat ze haar benen eens wilde
strekken; waar wij zitten valt niet veel te wandelen. Mag ik u
vragen hoe u aan ons nummer bent gekomen?'

'Dr. Ashton heeft het me gegeven. Wanneer verwacht u haar
terug?'

'O, dat weet ik niet. Het weer is slechter geworden, dus ik denk niet
dat ze vóór morgenochtend terug is. Dan kunt u haar spreken.'

'Waar zou ze logeren in Ullapool? Ik ken het daar niet.'

'Ik zou het u echt niet kunnen zeggen, meneer Jaggard. Maar
morgenochtend komt ze terug met de boot.'

'Juist. Mag ik u vragen met wie ik het genoegen heb?'
'Ik ben dr. Carter.'
'Dank u, dr. Carter. Ik bel morgen terug.'
Terwijl ik de hoorn neerlegde, overwoog ik dat iemand aan het liegen was – en ik dacht niet dat het Archie Ferguson was. Maar om er zeker van te zijn ging ik naar de bar en zag hem zitten praten met Robbie, zijn broer. Ik ging naast hen zitten.'Neem me niet kwalijk dat ik stoor.'
'Niks aan de hand,' zei Ferguson. 'Ik had het net met Robbie over uw kans om morgenochtend naar Cladach Duillich te gaan.'
Ik keek Robbie aan. 'Kan er dan iets tussenkomen?'
'Ik denk dat de wind gaat opsteken,' zei hij. 'De barometer zakt zoals het weerbericht al zei. Hebt u een sterke maag, meneer?'
'Sterk genoeg.'
Archie Ferguson lachte. 'Als-ie maar van gietijzer is.'
Ik zei: 'De mensen op Cladach Duillich zeiden ook al dat het weer aan het betrekken was.'
Archie trok zijn wenkbrauwen op. 'Hebt u met ze gesproken? Hoe?'
'Door de telefoon – hoe anders?'
'Ja,' zei Robbie. 'Ze hebben een kabel laten leggen.' Hij schudde zijn hoofd. 'Verschrikkelijk kostbaar.'
'Iemand daar vertelde me dat er vandaag een vrouw van Cladach Duillich hier aan wal is gegaan – hier in Ullapool. Ze is ongeveer één meter tweeënzeventig, donker haar, leeftijd . . .'
Robbie onderbrak me. 'Hoe is ze dan gekomen?'
'Per boot.'
'Dan is ze niet gekomen,' zei hij op stellige toon. 'Al het vervoer gaat met die verdomde helikopter. Er is geen boot.'
'Weet u dat zeker?'
'Natuurlijk weet ik het zeker. De meeste dagen vaar ik er twee keer per dag voorbij. Geloof me – er is daar geen boot.'
Ik moest er zeker van zijn. 'Maar stel dat ze toch gekomen is. Waar zou ze dan logeren in Ullapool?'
'Zo groot is Ullapool niet,' zei Archie. 'Als ze hier is krijgen we haar te pakken – bij wijze van spreken, dan. Hoe heet dat meissie?'
'Ashton – Penelope Ashton.'
'Kalm maar, meneer Jaggard. U weet het binnen het uur.' Hij lachte tegen zijn broer. 'Ruik jij ook niet iets romantisch, Robbie?'

256

35

De wind floot rond mijn oren toen ik de volgende ochtend om acht uur op de kade stond. De lucht was loodgrijs, evenals het meer dat bespikkeld was met door de wind opgeklopte schuimkoppen. Onder me danste de boot van Robbie Ferguson wild en de rubberbanden piepten terwijl ze tegen de stenen muur werden gedrukt. De boot leek veel te broos om op een dag als deze uit te varen, maar Robbie scheen zich geen zorgen te maken. Hij had de kap van de motor gehaald en draaide aan een slinger.

Naast me vroeg Archie Ferguson: 'U denkt dus dat de jongedame nog op Cladach Duillich is?'

'Ja.'

Hij trok zijn jas strakker om zich heen. 'Misschien vergissen we ons wat de regering aangaat,' zei hij. 'Kan het niet een van die rare godsdienstige sekten zijn die we tegenwoordig uit Amerika importeren? De Moonies of zo? Ik heb heel gekke dingen gehoord.'

'Nee, dat is het niet.' Ik keek op mijn horloge. 'Meneer Ferguson, zou u me een plezier willen doen?'

'Als ik kan.'

Ik schatte de tijden. 'Als ik over acht uur niet terug ben – dat is vier uur vanmiddag – wilt u de politie er dan bij halen en me gaan zoeken?'

Hij dacht er even over na. 'Kan geen kwaad. En als Robbie wel terugkomt en u niet?'

'Hetzelfde. Het is mogelijk dat ze Robbie een verhaaltje vertellen, dat ze tegen hem zeggen dat ik besloten heb te blijven. Dan liegen ze, maar hij moet doen of hij het gelooft, hier terugkomen en alarm slaan.'

Benedendeks sloeg de dieselmotor sputterend aan en ging over tot een langzaam en gestaag bonken. Archie zei: 'Zeg, meneer Jaggard, ik geloof helemaal niet dat u journalist bent.'

Ik haalde een kaartje uit mijn portefeuille en gaf het hem. 'Bel dit nummer als ik niet terugkom. Vraag naar een zekere Ogilvie en vertel hem de hele zaak.'

Hij bekeek het kaartje. 'McCulloch and Ross – en Ogilvie. Het lijkt wel of wij Schotten Londen hebben veroverd.' Hij keek op. 'Maar u ziet er nog minder uit als een financier dan als een journalist. Wat is er eigenlijk aan de hand, daar op Cladach Duillich?'

'We hebben het er gisteravond over gehad,' zei ik. 'En u zei iets van de brand erin steken.'

Hij keek somber. 'Zou de regering weer zo iets doen?'

'Regeringen bestaan uit mensen. Sommige mensen zouden ertoe in staat zijn.'

'Ja, en andere mensen kunnen ervoor opdraaien.' Hij keek me strak aan. 'Malcolm Jaggard, als je terugkomt moeten wij eens babbelen. En je kunt die knapen op Cladach Duillich zeggen dat als je niet terugkomt, wij er de brand in steken. Een grote, louterende brand.'

'Hou je er buiten,' zei ik. 'Dit is een karwei voor de politie.'

'Doe niet zo gek, man. Dacht je dat de politie iets tegen de regering zou ondernemen? Laat het maar aan mij over.' Hij keek omlaag in de boot.

'Ga nu, Robbie wacht. En ik ga es met een paar vrienden van me kletsen.'

Ik maakte geen tegenwerpingen. Ik daalde de ijzeren ladder af die glibberig was door water en zeewier en probeerde mijn sprong in de boot te laten samenvallen met de onregelmatige deining. Ik miste, maar werd opgevangen door Robbies sterke arm.

Hij bekeek me van top tot teen, schudde toen zijn hoofd. 'U bevriest nog, meneer Jaggard.' Hij draaide zich om en zocht in een kastje en kwam te voorschijn met een schipperstrui. 'Daar blijft u warm in en hierin –' hij gaf me een broek en een anorak – 'blijft u droog.'

Toen ik ze had aangetrokken zei hij: 'Gaat u nou zitten en maak het u gemakkelijk.' Hij liep naar voren en bewoog zich op die slingerende boot even gemakkelijk als iemand anders op een trottoir. Hij gooide de voorste lijn los, kwam toen naar achteren zonder zich ogenschijnlijk zorgen te maken over de wijde zwenking die de boeg beschreef. Toen hij bij de motor kwam haalde hij met zijn laars een hendel over, gooide toen behendig de achterste lijn los. De bonkende toon van de motor werd dieper en we schoven weg van de kademuur. Robbie stond met de helmstok tussen zijn knieën, keek naar voren en stuurde door zwenkende bewegingen van zijn lichaam terwijl hij de achterlijn in een keurige rol opwond. Toen we het meer opvoeren werd de wind sterker en de golven waren hoger. De wind kwam uit het noordwesten en we voeren er pal tegenin. Als de boeg omlaagzakte, werden flarden schuim naar achteren geblazen en ik was blij met de waterdichte kleding. Niettemin wist ik dat ik doorweekt zou zijn tegen de tijd dat we Cladach Duillich bereikten.

Na een poosje ging Robbie zitten en stuurde de helmstok met zijn gelaarsde voet. Hij wees en zei: 'De kust van Coigach.'

Ik dook weg voor een bal schuim. 'Wat voor soort man is je broer?'

'Archie?' Robbie dacht even na en haalde toen zijn schouders op. 'Hij is mijn broer.'

'Zou je zeggen dat hij een heethoofd is?'

'Archie een heethoofd?' Robbie lachte. 'Nou, die man is zo koud als een ijsberg. Ik ben de jongen in de familie die riskante dingen doet. Archie weegt alles af voor hij iets doet. Waarom vraagt u dat?'

'Hij had het erover wat hij zou doen als ik niet terugkwam van Cladach Duillich.'

'Eén ding is zeker met mijn broer – hij doet wat hij zegt. Hij is net zo betrouwbaar als de dood en de belastingen.'

Dat was geruststellend om te weten. Ik wist niet wat me op Cladach Duillich te wachten stond, maar ik wist wel dat het niet gemakkelijk zou worden. De wetenschap dat ik een betrouwbare rugdekking had gaf me een warm gevoel.

Ik zei: 'Als ik zoekraak op die rots laat je je maar wat vertellen. Je slikt wat ze zeggen, dan ga je terug naar je broer.'

Hij keek me nieuwsgierig aan. 'Denkt u dat u zal verdwijnen?'

'Het zou me niet verbazen.'

Hij veegde schuim van zijn gezicht. 'Ik weet niet waar het om gaat, maar Archie schijnt u geschikt te vinden en dat is genoeg voor mij. Hij is de denker.'

Het was een lange tocht over Annat Bay naar de Summer Isles. De golven waren kort en steil en het deinen ging gepaard met rollen, zodat er een kurketrekkerbeweging ontstond die me misselijk maakte. Robbie keek naar me en grinnikte. 'We kunnen beter wat praten, dat leidt uw gedachten van uw maag af. Kijk, dat is Carn nan Sgeir, met Eilean Dubh erachter. Dat betekent Zwart Eiland in het Engels.'

'Waar ligt Cladach Duillich?'

'Aan de andere kant van Eilean Dubh. Het is nog een rukkie.'

'Waarom hebben ze daar geen boot? Als ik op een eiland woonde zou dat het eerste zijn waar ik aan dacht.'

Robbie gniffelde. 'Dat ziet u wel als we er zijn – maar ik zal het u toch maar vertellen, om wat te praten te hebben. Er is maar één plek waar je kunt landen en dat is een riskante plek. Er is geen beschutting voor boot of mens. Je kunt niet zo maar vastleggen zoals aan de kade van Ullapool. Je zou geen boot terugvinden als er even wat wind opstak. Hij zou te pletter slaan tegen de rotsen. Daarom wacht ik daar niet op u, snapt u.'

'O? Waar ga je dan naar toe?'

'Ik blijf ergens in de buurt liggen. Er vergaan meer boten aan land dan op zee. Het land maakt de boten kapot. Ik ga een beetje vissen.'

Ik keek naar de tuimelende zee. 'In dat water!'

'Ach ik ben eraan gewend. Noemt u maar een tijd, dan zorg ik dat ik er ben.'

'Dat zal ik je zeggen. Ik wil precies twee uur aan wal blijven.'

'Twee uur, afgesproken,' zei hij. 'Wat die boot aangaat die ze niet hebben op Cladach Duillich. Toen die mensen daar voor het eerst kwamen hadden ze wel een boot, maar die sloeg kapot en toen kochten ze nog een boot en die sloeg ook kapot. Nadat ze de derde waren kwijtgeraakt begon het ze te dagen. Toen dachten ze dat als ze de boot aan wal konden krijgen ze goed zaten, maar het is een verschrikkelijk karwei om een boot op Cladach Duillich aan land te trekken omdat er geen strand is. Dus zetten ze davits neer, net als op een schip, en ze konden de boot op een klip buiten bereik van het water hijsen. Toen kwam er op een avond een golf die de boot en de davits meesleurde en ze zijn nooit teruggezien. Daarna hebben ze het opgegeven.'

'Het lijkt me een bar eiland.'

'Dat is het ook – bij slecht weer. Vandaag zal het niet zo erg zijn.'

Ik keek naar de dansende zee en was benieuwd wat Robbie slecht weer noemde. Hij wees. 'Daar is het – Cladach Duillich.'

Het was zoals Archie Ferguson het had beschreven – een kleine rots. Rondom bevonden zich klippen, niet hoog maar steil en eronder kolkte een witte zee. Uit de kust van het eiland staken rotspunten als zwarte slagtanden op en ik bedacht me dat de mensen op Cladach Duillich gelijk hadden gehad toen ze tot de conclusie kwamen dat dit geen omgeving voor een boot was.

Toen we naderbij kwamen vroeg Robbie: 'Ziet u dat ravijn? De landingsplaats is aan de onderkant.'

Er was een smalle kloof in de rots waaronder de zee kalmer leek te zijn – in betrekkelijke zin. Robbie zwenkte de helmstok scherp om een rots te ontwijken die een meter aan bakboord voorbijgleed, toen haalde hij hard over naar de andere kant om een tweede rots te vermijden. Hij grinnikte. 'Op zo'n moment hoop je dat de motor er niet mee ophoudt. U kunt beter naar de voorplecht gaan – u moet springen, en ik kan hem niet lang zo houden.'

Ik krabbelde naar voren en ging rechtop op de boeg staan terwijl hij de boot voortstuwde. Nu zag ik dat de spleet in de rots breder was dan op het eerste gezicht leek, en aan de voet was een betonnen platform aangelegd. De klank van de motor veranderde toen Robbie gas terugnam voor het laatste stukje. Het was een verbluffend staaltje, maar in die tierende zee met zijn dwarsstromingen bracht hij de boot zó binnen dat de boeg het beton kuste met een vederlichte aanraking. Toen hij riep, sprong ik en ik viel toen mijn voeten uitgleden op het met zeewier begroeide platform. Toen ik overeind kwam was de boot al dertig meter uit de kust en voer snel weg. Robbie zwaaide en ik zwaaide terug en toen concentreerde hij zich op de rotsen die hij moest ontwijken.

Ik keek om me heen. Het eerste dat ik zag was het waarschuwingsbord waarover Archie Ferguson het had gehad. Het was verweerd en de verf was afgebladderd en verbleekt maar nog leesbaar.

REGERINGSINSTITUUT
Aan Land Gaan Is Streng Verboden
Op Bevel

Er stond niet bij wie het bevel had uitgevaardigd.

Een pad voerde van het platform het ravijn in en ik volgde het. Het pad steeg steil omhoog en bracht me naar een spaarzaam met gras begroeid plateau met in het midden een groepje gebouwen. Het waren lage, betonnen constructies die op militaire bunkers leken, waarschijnlijk omdat ze geen ramen hadden. Gezien wat er over Cladach Duillich was gezegd, was dit het enige soort gebouw dat daar overeind kon blijven.

Ik had geen tijd meer om de omgeving te bestuderen, want er kwam een man in draf aan. Toen hij naderbij kwam vertraagde hij zijn pas en vroeg kortaf: 'Kunt u niet lezen?'

'Ik kan lezen.'

'Verdwijn dan.'

'De tijd van wonderen is voorbij, makker. Over water lopen is uit de mode. De boot is weg.'

'Nou, hier kunt u niet blijven. Wat wilt u?'

'Ik wil dr. Carter spreken.'

Hij leek enigszins verbluft en ik bekeek hem terwijl hij erover nadacht. Hij was een forse man met harde ogen en een koppige kin. Hij vroeg: 'Waar wilt u met dr. Carter over praten?'

'Als dr. Carter daar behoefte aan heeft zal hij het u wel vertellen,' zei ik vriendelijk.

Dat beviel hem niet, maar hij kon er niet veel aan doen. 'Wie bent u?'

'Hetzelfde antwoord. Je zit mooi mis, makker. Laten we maar naar Carter gaan.'

'Nee,' zei hij kortaf. 'U blijft hier.'

Ik keek hem kil aan. 'Vergeet het maar. Ik ben doornat en ik wil me drogen.' Ik knikte naar de gebouwen. 'Die dingen zien er net zo ongastvrij uit als jij je gedraagt, maar ik wed dat het daarbinnen warm en droog is. Breng me naar Carter.'

Zijn probleem was dat hij mij of mijn gezag niet kende, maar ik gedroeg me alsof ik het recht had hier te zijn en eisen te stellen. Hij deed wat ik had gedacht en schoof de verantwoordelijkheid van zich af. 'Goed dan, volg me. U gaat naar Carter en verder nergens.'

36

Terwijl we naar de gebouwen liepen bekeek ik Cladach Duillich. Het was niet bijster groot – ongeveer vijfhonderd meter lang en driehonderdvijftig meter breed. Er was weinig leven op deze rots. Het gras dat er geworteld was, was zoutbestendig en groeide in spleten waar wat armzalige aarde zich had verzameld, en zelfs de paardebloemen waren dorre en armetierige bloemen. Maar de zeevogels leken zich er thuis te voelen; de rotsen waren wit van hun uitwerpselen en ze scheerden door de lucht en krijsten naar de bewegingen onder hen.

Er waren drie identieke gebouwen en ik zag dat ze door ommuurde gangen met elkaar in verbinding stonden. Terzijde, op een vlak stuk grond, was een nu verlaten helikopter-landingsplaats aangelegd. Ik werd meegenomen om de hoek van een van de gebouwen, door een deuropening gevoerd en gevraagd te wachten, waarna ik door een tweede deuropening werd gebracht. Ik keek om en besefte dat ik een luchtsluis was gepasseerd.

We sloegen linksaf en gingen een kamer in waar een man in een witte jas achter een bureau op een blocnote zat te schrijven. Hij was enigszins kaal, had een smal gezicht en droeg een bril met dubbele glazen. Hij keek op, fronste toen hij mij zag, vroeg toen aan mijn begeleider: 'Wat heeft dit te betekenen, Max?'

'Hij liep rond te slenteren. Hij zei dat hij u wilde spreken.'

Carter richtte zijn blik op mij. 'Wie bent u?'

Ik keek van opzij naar Max en zei vlak: 'Wie ik ben is alleen voor uw oren bestemd, dr. Carter.'

Carter snoof. 'Nog meer geheimzinnigdoenerij. Goed, Max. Ik handel dit wel af.'

Max knikte en vertrok en ik trok de anorak uit. 'Ik hoop dat u het niet erg vindt dat ik deze spullen uittrek,' zei ik terwijl ik de waterdichte broek afstroopte. 'Te warm voor binnenshuis.'

Carter tikte met zijn pen op het bureau. 'Goed. Wie bent u en wat wilt u?'

Ik gooide de broek op de grond en ging zitten. 'Ik ben Malcolm

Jaggard en ik kom voor dr. Ashton.'

'Hebt u me gisteravond niet gebeld? Ik heb u gezegd dat ze niet hier was – ze is op het vasteland.'

'Dat hebt u me verteld, ja,' zei ik gelijkmatig. 'U zei dat ze vanochtend terug zou komen, daarom ben ik haar komen opzoeken.'

Hij gebaarde. 'U hebt gezien wat voor weer het is. Daar komt ze niet doorheen.'

'Waarom niet? Dat heb ik ook gedaan.'

'Nou, zij niet. Ze is nog in Ullapool.'

Ik schudde mijn hoofd. 'Ze is niet in Ullapool en daar was ze gisteravond evenmin.'

Hij fronste. 'Hoort u eens, toen ik het u gisteravond vroeg zei u dat u uit Londen opbelde.'

'O ja? Macht der gewoonte, denk ik,' zei ik minzaam. 'Maakt het enig verschil waar ik vandaan heb gebeld?'

'Eh ... nee.' Carter richtte zich op en trok zijn schouders naar achteren. 'U mag hier niet komen. Dit instituut is, laten we zeggen, nogal geheim. Als het bekend zou worden dat u hier bent geweest zou het u in moeilijkheden kunnen brengen. Eerlijk gezegd mijzelf ook, dus ik moet u verzoeken te vertrekken.'

'Niet zonder Penny Ashton te hebben gesproken. Ze moet hier zijn. Is dat niet gek? Ik ben waar zij moet zijn en zij is niet waar zij moet zijn. Hoe verklaart u dat?'

'Ik hoef u niets te verklaren.'

'U hebt een heleboel te verklaren, dr. Carter, als Penny Ashton niet verdomde gauw komt opdagen. Hoe is ze naar Ullapool gegaan?'

'Met de boot natuurlijk.'

'Maar dit instituut heeft geen boot. Alle reisjes worden per helikopter gemaakt.'

Hij bevochtigde zijn lippen. 'U schijnt een ongezonde belangstelling voor dit instituut te hebben, meneer Jaggard. Ik waarschuw u dat dat gevaarlijk kan zijn.'

'Is dat een dreigement, dr. Carter?'

'Voor enig doel dat schadelijk is voor de veiligheid van de Staat het benaderen, inspecteren of betreden van verboden panden, of om–'

'U hoeft mij de Wet op de Geheimhouding niet voor te lezen,' snauwde ik. 'Die ken ik waarschijnlijk beter dan u.'

'Ik kan u laten arresteren,' zei hij. 'Geen bevelschrift voor nodig.'

'Voor een eenvoudig wetenschapper schijnt u die wet erg goed te kennen,' merkte ik op. 'Dus moet u weten dat als u me arresteert automatisch de procureur-generaal wordt ingeschakeld.' Ik leunde achterover. 'Ik betwijfel of uw bazen dat plezierig zouden vinden nu Penny Ashton hier is zoekgeraakt. Ik zei al, u hebt een hoop te verklaren, dr. Carter.'

'Maar niet tegenover u,' zei hij en legde zijn hand op de telefoon. 'Ik hoop dat het uw bedoeling is om opdracht te geven dr. Ashton hier te brengen.'

Een koele en geamuseerde stem achter me zei: 'Maar dr. Carter kan haar niet hier laten brengen.' Ik draaide mijn hoofd om en zag Cregar bij de deur staan met Max. Cregar zei: 'Dokter, ik zou graag een ogenblikje gebruik willen maken van uw kamer. Max, zorg voor meneer Jaggard.'

Carter was zichtbaar opgelucht en haastte zich naar buiten. Max kwam naar me toe en fouilleerde me met snelle, geoefende bewegingen. 'Geen vuurwapen.'

'Nee?' zei Cregar. 'Nu, dat kan zo nodig hersteld worden. Wat gebeurt er met een gewapende persoon die in een regeringsinstallatie inbreekt, Max?'

'Die zou kunnen worden doodgeschoten,' zei Max onaangedaan. 'Jawel, maar dat zou een officieel onderzoek met zich brengen dat ongewenst kan zijn. Heb je nog andere suggesties?'

'Er zijn hier een hoop rotsen,' zei Max. 'En de zee is groot.'

Het was een dialoog die ik kon missen als kiespijn. 'Waar is Penny Ashton?'

'O, ze is hier – daar had u helemaal gelijk in. Straks krijgt u haar te zien.' Cregar wuifde met zijn handen alsof hij een gering probleem van zich afzette. 'Je bent een doorzetter. Ik zou je haast gaan bewonderen. In mijn organisatie zou ik een paar mensen van jouw kaliber kunnen gebruiken. Maar zoals het er nu voorstaat, vraag ik me af wat ik met je aan moet.'

'Maak je misdrijven niet nog erger,' zei ik. 'Wat je ook met mij doet, het is tóch al gebeurd met je. We hebben het verband tussen jou en Benson gelegd. Het zou me niet verbazen als de minister er al over ingelicht is.'

Hij trok zijn mondhoeken omlaag. 'Hoe zou ik in verband met Benson gebracht kunnen worden? Wat voor bewijsmateriaal zou er kunnen bestaan?'

'Een brief die gedateerd is op 4 januari 1947, die Benson op zak had en die door jou is ondertekend.'

'Een brief,' zei Cregar leeg en keek door me heen naar het verleden. Er kwam begrip in zijn blik. 'Wou je zeggen dat Benson die brief na dertig jaar nog bij zich had?'

'Hij had hem waarschijnlijk vergeten – net als jij,' zei ik. 'Hij zat verstopt in de voering van zijn portefeuille.'

'Een bruine kalfsleren portefeuille met roodzijden voering?' Ik knikte en Cregar kreunde. 'Ik heb Benson die portefeuille dertig jaar geleden gegeven. Het ziet er naar uit dat ik over mijn eigen voeten ben gestruikeld.'

Hij boog zijn hoofd en bekeek ogenschijnlijk de levervlekken op de ruggen van zijn handen. 'Waar is de brief?' vroeg hij op kleurloze toon.

'Het origineel? Of de twintig fotokopieën die Ogilvie al wel zal hebben laten maken?'

'Juist, ja,' zei hij zacht en hief zijn hoofd op. 'Wat waren je eerste gedachten toen je de brief las?'

'Ik wist dat je met Ashton te maken had omdat je hem uit Rusland had laten halen. En nu was er ook een verband met Benson. Ik dacht aan alle vreemde dingen die waren gebeurd, zoals de vraag waarom een huisknecht een vuurwapen bij zich zou hebben en waarom jij probeerde het feit te verdoezelen dat hij Ashton had neergeschoten toen we die vergadering hadden na mijn terugkeer uit Zweden. Het viel me moeilijk te geloven dat hij na dertig jaar nog steeds je handlanger was, maar ik werd wel gedwongen het te geloven.'

Cregar leunde achterover in zijn stoel en sloeg zijn benen over elkaar. 'Benson was vroeger een uitstekende kerel, vóór de Duitsers hem te pakken kregen.' Hij zweeg even. 'Uiteraard heette hij toen niet Benson, hij heette Jimmy Carlisle en was mijn collega bij de Engelse inlichtingendienst tijdens de oorlog. Maar hij leefde en stierf als Benson, dus laat het zo maar blijven. Hij was in '44 bij een razzia van de Gestapo gearresteerd en naar Sachsenhausen gestuurd waar hij tot het eind van de oorlog heeft gezeten. Daar heeft hij zijn gebroken neus en andere misvormde gelaatstrekken aan overgehouden. Ze sloegen hem met knuppels. Ik zou haast denken dat ze zijn hersens er ook hebben uitgeslagen, want daarna is hij nooit meer dezelfde geweest.'

Hij boog zich naar voren, met de ellebogen op het bureau. 'Na de oorlog zat hij in de nesten. Hij had geen familie – zijn vader, moeder en zuster waren tijdens een bombardement omgekomen – en hij had geen geld, afgezien van een invaliditeitspensioentje. Zijn hersens waren aangetast en zijn werkmogelijkheden beperkt. Voor ons soort werk zou hij nooit meer deugen, maar hij had het een en ander van ons te goed en in 1947 heb ik aan de touwtjes getrokken om hem te helpen. In die tijd had ik te maken met de nukken van Tsjeljoeskin, dus bood ik hem de baan aan om Tsjeljoeskin – Ashton zoals hij ging heten – onder zijn hoede te nemen. Het was uiteraard een gemakkelijk baantje, maar hij was me pathetisch dankbaar. Zie je, hij dacht dat het betekende dat het in zijn eigen werk nog niet met hem was afgelopen.'

Cregar haalde een pakje sigaretten te voorschijn. 'Vind je deze oude geschiedenis boeiend?' Hij hield me het pakje voor.

Ik nam een sigaret. 'Heel boeiend,' verzekerde ik hem.

'Mooi zo. We hebben de figuur Benson van hem gemaakt op het moment dat we van Tsjeljoeskin de figuur Ashton maakten en een poosje bleef hij wat rondhangen. Toen Ashton eenmaal op gang was, kreeg Benson een baan op kantoor bij Ashton en later werd hij Ashtons factotum.'

'En Ashton wist wie en wat hij was?'

'Ja zeker. Benson was de prijs die Ashton moest betalen voor zijn vrijheid. Ik wist dat een man met hersens van zo'n formaat er niet lang tevreden mee zou zijn om in de industrie rond te dwalen en ik wilde een oogje in het zeil houden bij wat hij deed.' Hij glimlachte. 'Benson stond er goed voor. Wij betaalden hem een honorarium en Ashton betaalde hem ook.'

Hij boog zich naar voren en klikte onder mijn neus een gouden aansteker aan. 'Toen de reorganisatie kwam en ik Ashton kwijtraakte aan Ogilvie heb ik gezwegen over Benson. Eerlijk gezegd heb ik daarna zijn honorarium uit mijn eigen zak betaald. Hij kostte niet veel; het honorarium werd niet verhoogd en door de uitholling van de geldwaarde werd Benson spotgoedkoop. Het was een investering voor de toekomst die vruchten zou hebben afgeworpen als jij er niet was geweest.'

Ik vroeg: 'Wist je dat Ashton zich met genetica bezighield?'

'Natuurlijk. Benson had dat door zodra het begon. Het was zijn taak om te *weten* wat Ashton wanneer dan ook aan het doen was en omdat hij permanent in het huis aanwezig was, kon hij het moeilijk over het hoofd zien. Het was een ongelooflijke boffer – dat Ashton zich voor genetica ging interesseren, bedoel ik – want na de reorganisatie had ik mezelf op biologisch terrein begeven.' Hij gebaarde met zijn hand. 'Zoals je ontdekt hebt.'

'Ogilvie heeft het me verteld.'

'Ogilvie schijnt je te veel verteld te hebben. Uit wat je hebt laten vallen begrijp ik dat hij je toegang tot de Code Zwart heeft verstrekt. Erg ondeugend van hem en het is iets dat hij nog zal betreuren. Ik had het geluk in staat te zijn de computer te blokkeren om Benson te dekken, maar blijkbaar was dat niet genoeg.' Hij zweeg opeens en staarde me aan. 'Zelfs ik schijn jou te veel te vertellen. Je hebt het vermogen mensen voor je te winnen.'

'Ik kan goed luisteren.'

'En ik word spraakzamer naarmate ik ouder word, een ernstige tekortkoming bij iemand in ons vak.' Hij bekeek zijn half opgerookte sigaret met afkeer, drukte hem uit en legde zijn handen plat op het bureau. 'Ik weet nog niet hoe ik me van je zal ontdoen, Jaggard. Je onthulling dat Ogilvie die brief heeft, maakt mijn situatie uiterst moeilijk.'

'Ja, hij is in een positie om je kapot te maken,' stemde ik in. 'Het lijkt me niet dat de minister blij zal zijn. Ik heb zo'n idee dat je jezelf met vervroegd pensioen hebt gestuurd.'

'Erg bondig geformuleerd. Maar ik vind wel een uitweg uit de moeilijkheden. Ik heb wel vaker moeilijkheden overwonnen en ik zie niet in waarom het me deze keer niet zou lukken. Het enige dat ervoor nodig is, is toegepaste kennis van de studie van de menselijke zwakheden.' Hij sloeg zijn handen ineen. 'En dat moet ik nu meteen gaan doen. Berg hem op een veilige plek op, Max.' Ik negeerde de hand op mijn schouder. 'Hoe is het met Penny Ashton?'

'Als het mij schikt, krijg je haar te zien,' zei Cregar koel. 'En alleen als het mij raadzaam dunkt.'

In mijn woede wilde ik naar hem uithalen, maar die straffer knijpende hand kon ik niet langer negéren. Max boog zich over me heen. 'Geen geintjes,' raadde hij me aan. 'Ik heb een pistool. Je krijgt het niet te zien, maar het is er.'

Daarom stond ik op uit de stoel en ging met hem mee. Hij liep met me van de kamer naar een gang. Omdat er geen ramen waren, was het bijna alsof we in een onderzeeër waren; het was heel stil, alleen trilde de lucht door het geraas van een generator in de verte. Aan het eind van de gang zag ik bewegingen aan de andere kant van een glaswand waar een man op ons afkwam. Hij was gekleed in een alles bedekkende overal en had een kap op het hoofd.

Ik had geen tijd om meer te zien, want Max bleef staan en opende een dikke deur. 'Naar binnen,' zei hij kortaf, daarom ging ik naar binnen en hij smeet de deur achter me dicht zodat ik me in het volslagen duister bevond omdat hij het niet nodig had gevonden het licht aan te doen. Het eerste dat ik deed was mijn gevangenis verkennen en ik kwam tot de conclusie dat het een leegstaande koelcel was. De muren waren dik en stevig, evenals de deur, en ik begreep al spoedig dat de enige manier om eruit te komen was als ik er uitgelaten werd. Ik ging in een hoek op de grond zitten en overwoog de mogelijkheden.

Het leek me verstandig dat ik Cregar over de brief had verteld. Tot dan toe had hij zich voornamelijk beziggehouden met de manier waarop hij me veilig uit de weg kon laten ruimen, maar mijn onthulling dat Ogilvie de brief had, betekende het einde van die gedachtengang. Maar wat een meedogenloze schoft bleek hij te zijn.

Ik weet niet wat mensen als Cregar bezielt, maar er schijnen genoeg van dat soort zwervers te bestaan, evenals er een groot aantal Carters bestaat die hen helpen. En het is niet gemakkelijk te beslissen wie men de schuld moet geven. Zijn het de Lumsdens van de wereld die weten wat er aan de hand is maar een oogje toe doen, of is het de rest van de mensheid die het niet weet en niet de moeite neemt erachter te komen? Soms heb ik het idee dat de wereld een grote mierenhoop is, vol insekten die druk bezig zijn insekticiden te fabriceren.

Ik bleef lange tijd in die donkere ruimte. Het enige licht kwam van de wijzerplaat van mijn horloge die aangaf hoeveel uren er verstreken. Ik werd teneergeslagen door het donker en voelde me claustrofobisch en leed aan vreemde angsten. Ik kwam overeind en begon door de kamer te lopen met mijn hand aan de muren; het was ten slotte een manier om in beweging te blijven. De stilte was totaal, afgezien van het geluid van mijn bewegingen en een nieuwe angst besloop me. Stel dat Cladach Duillich verlaten was – geëvacueerd? Ik zou in die cel blijven tot het vlees van mijn botten rotte.

269

Ik hield op met lopen en ging weer in de hoek zitten. Misschien heb ik een poosje geslapen, dat herinner ik me niet. De uren die ik daar doorbracht zijn in mijn geheugen vrijwel uitgewist. Maar ik was wakker toen de deur openging en het licht schel naar binnen viel alsof het van booglampen kwam. Ik bracht mijn handen voor mijn ogen en zag Cregar in de deuropening staan. Hij maakte een tut-tut-geluidje en zei: 'Je hebt hem geen licht gegeven, Max.'
'Zal ik wel hebben vergeten,' zei Max onverschillig.
Het was normaal licht van de tl-buizen in het plafond van de gang. Ik ging staan en liep naar de deur. 'Krijg de pest!' zei ik tegen Max. Hij deed een pas achteruit en hief het pistool in zijn hand op. Cregar zei: 'Kalm aan. Het was geen opzet.' Hij zag me naar het pistool kijken. 'Dat is om je te waarschuwen geen domme dingen te doen, waar ik je voor aanzie. Je wilde het meisje toch zien? Nou, dat kan nu. Kom mee.'
We liepen naast elkaar door de gang, met Max in de achterhoede. Cregar zei op babbeltoon: 'Je krijgt niemand van de staf te zien omdat ik ze uit dit blok heb weggehaald. Het zijn wetenschapsjongens en een beetje bangig. Ze worden nerveus bij het zien van vuurwapens.'
Ik zei niets.
We liepen verder. 'Ik geloof dat ik een manier heb gevonden om Ogilvie in de war te brengen – dat is geen moeite – maar dan zit ik nog met jou. Nadat we dr. Ashton hebben gezien moeten we er eens over praten.'
Hij bleef voor een deur staan. 'Hier binnen,' zei hij en liet me voorgaan.
Het was een vreemde kamer, want één muur bestond vrijwel geheel uit glas maar het raam keek niet uit op de buitenlucht maar op een andere kamer. Aanvankelijk wist ik niet wat ik zag, maar Cregar zei: 'Daar is dr. Ashton.' Hij wees op een bed in de aangrenzende kamer.
Penny lag in het bed, schijnbaar in slaap. Haar gezicht was bleek en geteisterd, ze had twee keer zo oud kunnen zijn. Rond het bed stond ziekenhuisapparatuur. Ik herkende twee infusen, waarvan er één bloed scheen te bevatten. Ik vroeg: 'Wat is er in godsnaam gebeurd?'
Cregar zei, bijna verontschuldigend: 'We hebben hier vorige week een ... eh ... ongelukje gehad waar dr. Ashton bij betrokken was.

Ik ben bang dat ze flink ziek is. Ze ligt de afgelopen twee dagen in coma.' Hij pakte een microfoon en draaide een knop om. 'Dr. Ashton, hoort u me?'

Zijn stem klonk versterkt en vervormd uit een luidspreker in de andere kamer. Penny bewoog zich niet.

Gespannen vroeg ik: 'Wat heeft ze?'

'Dat is moeilijk te zeggen. Het is iets dat nog nooit iemand heeft gehad. Iets nieuws. Carter heeft geprobeerd het te onderdrukken, maar met weinig succes.'

Ik was tegelijk bang en woedend. Bang vanwege Penny en woedend op Cregar.

'Het is zeker iets dat jullie hier hebben gekweekt, hè? Iets dat ontsnapt is omdat jullie te krenterig waren om een P4-laboratorium in te richten zoals zij wilde.'

'Ik merk dat dr. Ashton over mijn zaken heeft gekletst.' Cregar maakte een gebaar. 'Het is uiteraard geen echte ziekenzaal; het is een van onze laboratoria. Ze moest op een veilige plek worden gelegd.'

'Niet veilig voor haar,' zei ik bitter. 'Veilig voor jou.'

'Natuurlijk,' zei Cregar. 'Wat het ook is, het mag niet verspreid worden. Carter denkt dat het hoogst besmettelijk is.'

'Is Carter arts?'

'Hij is gepromoveerd op biologie en niet op geneeskunde, maar hij is erg bekwaam. Ze krijgt de best mogelijke verzorging. Zoals je ziet krijgt ze transfusies met bloed en glucose.'

Ik draaide me naar hem toe. Ze had in een ziekenhuis moeten liggen. 'Deze amateuristische improvisatie deugt niet en dat weet je. Als ze sterft ben je een moordenaar, net als Carter en alle anderen hier.'

'Waarschijnlijk heb je gelijk,' zei hij onverschillig. 'Wat het ziekenhuis betreft, bedoel ik. Maar ik zie moeilijk in hoe we haar naar een ziekenhuis kunnen brengen en toch het geheim bewaren.' Zijn stem klonk afstandelijk en objectief. 'Ik ben trots op mijn vermogen om problemen op te lossen, maar dit probleem heb ik nog niet kunnen oplossen.'

'Sodemieter op met je geheim!'

'Bij een man in jouw beroep klinkt dat als ketterij.' Cregar stapte achteruit toen hij mijn gezichtsuitdrukking zag en gebaarde naar Max, die waarschuwend zijn pistool ophief. 'Ze krijgt de beste verzorging die we haar kunnen geven. Dr. Carter is erg ijverig in zijn werk.'

'Carter gebruikt haar als proefkonijn en dat weet je verdomde goed. Ze moet naar een ziekenhuis worden gebracht – of liever nog naar Porton. Daar weten ze veel van gevaarlijke pathogenen.'

'Je bent niet in een positie om eisen te stellen,' zei hij. 'Kom mee.' Hij draaide me zijn rug toe en liep naar buiten.

Ik wierp een laatste blik op Penny, volgde hem toen met Max vlak achter me. Hij liep de gang in en opende een deur aan de andere kant. We gingen een kleine vestibule in en Cregar wachtte tot Max de buitendeur had gesloten eer hij verder ging. 'Ondanks alles wat je hebt gehoord nemen we wel degelijk voorzorgsmaatregelen,' zei hij. 'Dit is een luchtsluis. Het laboratorium hierachter staat onder lage druk. Weet je waarom?'

'Als er een lek komt gaat de lucht naar binnen en niet naar buiten.' Hij knikte tevreden alsof ik voor een examen was geslaagd en opende de binnendeur. Mijn oren klikten toen de druk veranderde. 'Dit is Carters laboratorium. Ik wil het je graag laten zien.'

'Waarom?'

'Dat zul je wel zien.' Hij begon een rondleiding, als een gids in een modelfabriek waar ze je laten zien waar ze trots op zijn en de mislukkingen verbergen. 'Dit is een centrifuge. Je ziet dat hij in een luchtdichte kast staat; dat is om te voorkomen dat er iets kan ontsnappen als hij draait. Geen aërosols – microben die in de lucht zweven.'

We liepen door en hij wees op een rij kasten met glazen deuren tegen een muur. 'De incubatiekasten met elk hun eigen petri-schotel die geïsoleerd zijn. Hier kan niets uit ontsnappen.'

'Ergens is toch iets ontsnapt.'

Hij negeerde het. 'Elke kast kan in zijn geheel worden verplaatst en de inhoud kan naar elders worden overgebracht zonder ook maar met de lucht in het laboratorium in contact te komen.'

Ik keek in een kast naar de cirkelvormige kweek op een schotel. 'Wat is dat voor een organisme?'

'*Escherichia coli,* geloof ik. De favoriet van Carter.'

'De genetisch verzwakte kweek.'

Cregar trok zijn wenkbrauwen op. 'Voor een leek lijk je me goed ingelicht. Ik weet het niet, dat zijn Carters zaken. Ik ben geen deskundige.'

272

Ik draaide me om en keek hem aan. 'Wat heeft dit allemaal te betekenen?'

'Ik probeer je te laten zien dat we alle mogelijke voorzorgen nemen. Wat er met dr. Ashton is gebeurd, was zuiver een ongeluk – een kans van één op het miljoen. Het is voor mij erg belangrijk dat je dat gelooft.'

'Als je naar haar had geluisterd zou het niet zijn gebeurd, maar ik geloof je,' zei ik. 'Ik denk niet dat je het met opzet hebt gedaan. Wat is er zo belangrijk aan?'

'Ik kan met Ogilvie tot overeenstemming komen,' zei hij. 'Ik zou er iets op achteruit gaan maar niet veel. Blijf jij over.'

'Heb je met Ogilvie gesproken?'

'Ja.'

Ik voelde me misselijk. Als Cregar kans zag Ogilvie te corrumperen, wilde ik niet meer voor hem werken. Strak vroeg ik: 'Hoezo ik?'

'Het gaat hier om. Ik kan inderdaad met Ogilvie iets regelen, maar ik denk niet dat het zou doorgaan als jou iets overkwam. Hij was altijd al kieskeurig. Dat betekent dat jij nog een poosje in de buurt moet blijven en mee moet kunnen praten, wat zoals je zult begrijpen een probleem voor me betekent.'

'Hoe je me mijn mond kunt laten houden zonder me uit de weg te ruimen.'

'Precies. Je bent iemand zoals ik – we raken meteen de kern van een probleem. Toen je in de zaak Ashton opdook heb ik je heel grondig laten nagaan. Tot mijn verrassing had je geen handvat waar ik greep op had, geen zwakheden die konden worden uitgebuit. Je scheen een zeldzaamheid te zijn, een eerlijk man.'

'Van jou heb ik godverdomme geen complimenten nodig.'

'Ik verzeker je dat het geen compliment is. Het is alleen dat je een verdomde lastpak bent. Ik wilde iets hebben om je op te kunnen pakken, iets om je mee te chanteren. Er was niets. Daarom moet ik iets anders vinden om je de mond te snoeren. Ik denk dat ik het heb gevonden.'

'En?'

'Het betekent dat ik nog meer van het voordeel moet prijsgeven dat ik in de loop der jaren heb opgebouwd, maar het meeste houd ik toch wel in handen. Ik ruil de jongedame in het lab hiernaast in voor jouw zwijgen.'

273

Ik keek hem met afkeer aan. Hij had gezegd dat de oplossing van zijn probleem was gebaseerd op een studie van de menselijke zwakheden en hij had de mijne gevonden. Hij zei: 'Zodra je erin toestemt kan het meisje naar het ziekenhuis worden gebracht, onder zorgvuldig gecontroleerde omstandigheden uiteraard. Misschien is jouw voorstel om haar naar Porton te brengen nog het beste. Dat zou ik kunnen regelen.'

Ik vroeg: 'Wat voor garantie heb je dat ik niet toch mijn mond opendoe als ze genezen is? Ik kan zo gauw niets bedenken, maar jij ongetwijfeld wel.'

'Inderdaad – ik heb al iets bedacht. In Carters kamer ligt een document dat je moet ondertekenen. Ik moet zeggen dat het een zorgvuldig opgesteld document is waar al mijn vernuft voor nodig was. Een literair juweeltje.'

'Waarover gaat het?'

'Dat zie je wel. Stem je in?'

'Ik moet het eerst lezen.'

Cregar glimlachte. 'Natuurlijk mag je het lezen, maar ik denk dat je toch wel tekent. Het is niet veel gevraagd – je handtekening voor het leven van je aanstaande vrouw.'

'Je maakt me misselijk,' zei ik.

Er rinkelde een telefoon, verrassend hard. Cregar fronste en zei tegen Max: 'Neem op.' Hij stak zijn hand uit. 'Geef mij het pistool. Ik vertrouw hem nog niet.'

Max gaf hem het wapen en liep naar de andere kant van het laboratorium. Cregar keek me aan en zei: 'Het kan me niet schelen wat je van me denkt, zolang ik mijn zin maar krijg.'

'Laat me lezen wat ik moet ondertekenen.'

'We wachten op Max.'

Max sprak met zachte stem woorden van één lettergreep, hing toen op en kwam terug. 'Carter is mesjogge geworden. Hij zegt dat er een hoop mannen aan land komen. Hij denkt dat er daarbuiten wel twintig boten zijn.'

Cregar fronste. 'Wie zijn dat, verdomme?'

'Hij denkt dat het de vissers uit de buurt zijn.'

'Die verdomde Schotse varkens! Stuur ze weg, Max. Maak ze bang met de Wet op Geheimhouding. Stuur ze weg. Bedreig ze met de politie als het moet.'

'Alleen maar dreigen of moet ik ze laten komen?'

'Je kunt ze laten komen als je denkt dat de situatie dat vereist.'
Max knikte in mijn richting. 'Hij is niet te vertrouwen.'
'Maak je geen zorgen over Jaggard,' zei Cregar. 'We zijn tot
overeenstemming gekomen.' Toen Max wegliep wendde hij zich
tot mij. 'Heb jij daarvoor gezorgd?'
'Hoe kan ik nou een volksoproer beginnen?' vroeg ik. 'Waarschijn-
lijk heben ze reuk gekregen van wat jullie hier aan het doen zijn en
zijn ze, met de herinnering aan Gruinard, vastbesloten het niet nog
eens te laten gebeuren.'
'Stomme zakken,' mompelde hij. 'Max zet ze wel op hun nummer.'
Ik zei: 'Penny moet snel naar het ziekenhuis. Hoe krijgen we haar
hier weg?'
'Met een telefoontje hebben we de helikopter hier in twee uur.'
'Bel dan.'
Hij keek naar de grond, wreef over zijn kaak en dacht na. Op dat
moment gaf ik hem een stoot in zijn maag, zodat de lucht fluitend
uit zijn longen ontsnapte. Het pistool ging af, een kogel ketste van
de muur en er klonk glasgerinkel. Ik greep zijn pols toen hij
probeerde het pistool omhoog te brengen en sloeg hem met de
zijkant van mijn hand in zijn nek. Hij gleed op de grond.
Toen hij moeizaam overeind kwam, had ik het pistool. Hij keek
ernaar, hief toen zijn blik naar mijn gezicht op. 'Wat denk je
daarmee te bereiken?'
'In elk geval dat jij in de gevangenis terechtkomt.'
'Je bent een stomme, romantische idioot,' zei hij.
'Wat is het nummer om de helikopter te bellen?'
Hij schudde zijn hoofd. 'Je weet niet hoe de regering werkt. Ik kom
nooit van zijn leven in de gevangenis, maar jij komt zó in de nesten
te zitten dat je zou willen nooit van Ashton of mij te hebben
gehoord.'
Ik zei: 'Ik hou er niet van om oude mensen te slaan, maar ik ram je
in elkaar als je me dat nummer niet geeft.'
Hij draaide zijn hoofd om, verstijfde toen en een vreemde,
borrelende kreet ontsnapte hem. 'O, Christus! Kijk eens wat je
hebt gedaan!' Zijn hand beefde toen hij naar de muur wees.
Ik keek en zorgde ervoor achter hem te gaan staan. Aanvankelijk
zag ik het niet. 'Geen geintjes. Wat zou ik moeten zien?'
'De kasten. Twee kasten zijn kapot.' Hij draaide zich naar me om.
'Ik ga hier weg.'

Blindelings probeerde hij langs me te komen zonder op het pistool te letten. Hij was doodsbang en zijn gezicht was krampachtig vertrokken. Ik draaide zijn arm op zijn rug, maar zijn paniek gaf hem extra kracht en hij worstelde zich langs me en rende naar de deur. Ik ging hem achterna, draaide het pistool om in mijn hand en sloeg hem op zijn hoofd. Hij stortte neer als een gevelde boom. Ik sleepte hem weg van de deur en liep terug om de schade op te nemen. Twee van de ruiten in de incubatiekasten waren verbrijzeld en scherven van de petri-schotels lagen verspreid over de grond, te zamen met slijmerige deeltjes van de kweken die ze hadden bevat. Ik tolde om toen de deur van het laboratorium openvloog. Daar stond Archie Ferguson. 'U had gelijk, meneer Jaggard,' zei hij. 'Het is een tweede Gruinard.'

'Naar buiten!' riep ik. 'Snel naar buiten!' Hij keek me met verbijsterde ogen aan en ik wees naar de glazen wand aan de andere kant van de zaal. 'Ga naar hiernaast – daar kunnen we praten. Schiet op, man!'

De deur sloeg dicht.

37

Toen ik de microfoon pakte, trilde mijn hand bijna onbedwing-
baar. Ik drukte de zendknop in en hoorde een klik. 'Versta je me,
Archie?' Ferguson, die aan de andere kant van het glas stond,
knikte en ik sprak maar hoorde niets. 'Er ligt een microfoon vóór je.'
Hij keek om zich heen, pakte hem toen. 'Wat is er gebeurd,
Malcolm?'
'Het is hier verdomd gevaarlijk. Zeg je mensen dat je de laboratoria
niet binnen moet gaan – vooral niet hier en aan de overkant. Doe
dat eerst.'
'Ik zal wachtposten voor de deuren zetten.' Hij legde de microfoon
neer en draafde weg.
Ik liep naar Cregar die zwoegend ademde. Zijn hoofd was in een
vreemde knik gedraaid zodat ik hem recht legde en hij haalde wat
gemakkelijker adem maar maakte geen aanstalten bij te komen.
'Meneer Jaggard – bent u daar?'
Ik liep terug naar het raam en zag Archie en Robbie Ferguson met
een derde man, een van de langste mannen die ik ooit had gezien,
die werd voorgesteld als Wattie Stevenson. Archie zei: 'Het ziet
ernaar uit dat je moeilijkheden hebt. Is dat meisje aan de overkant
van de gang het meisje naar wie je zocht?'
'Ja. Je bent er toch niet binnengegaan, wel?'
'Nee. Ik heb haar door zo'n zelfde glazen wand gezien.'
'Goed zo. Blijf buiten. Hoe groot is het leger dat je hebt meegeno-
men? Ik hoorde iets over twintig boten.'
'Wie heeft dat gezegd? Het zijn er maar zes.'
'Nog moeilijkheden gehad?'
'Niet veel. Eén man heeft een gebroken kaak.'
Ik vroeg: 'Hoeveel mensen zitten er hier?'
'Niet zoveel als ik gedacht had. Misschien een dozijn.'
Ogilvie had gelijk gehad. Er waren niet veel mensen nodig om een
microbiologisch laboratorium te bemannen; misschien een half
dozijn technische stafleden en hetzelfde aantal voor de huishoude-
lijke dienst. 'Zet ze allemaal onder arrest. Op mijn gezag.'

Archie keek me peinzend aan. 'En wat voor gezag is dat dan wel?'
Ik haalde de kaart van het departement uit mijn zak en drukte hem tegen het glas. Hij zei: 'Mij zegt het niet veel, maar het ziet er officieel uit.'
'Het vrijwaart je van vervolging wegens het binnendringen van regeringsinstallaties. Je hebt het op mijn instructie gedaan en daarom ben je gedekt. O, als je een zekere Max vindt, kan het mij niet schelen hoe stevig hij wordt aangepakt.'
Robbie Ferguson lachte. 'Dat is de vent met de gebroken kaak. Wattie hier heeft hem te pakken genomen.'
'Ach, het was maar een tikkie,' zei Wattie. 'De man heeft een glazen kaak.'
'Wattie heeft op de laatste Hooglandspelen het hamerwerpen gewonnen,' zei Archie met een grimmig lachje. 'Trouwens, het was die Max die Wattie met een smoes wegstuurde toen hij hulp aanbood. Wat doen we nu?'
'Heb je Ogilvie gebeld zoals ik je had gevraagd?'
'Ja. Hij zei dat hij er al van wist.'
Ik knikte. Hij moest met Cregar hebben gesproken. 'Bel hem nog eens op en zet het gesprek dan over op dit toestel. Ergens is er wel een centrale.'
'Kun je er niet uitkomen?'
'Nee. Je hebt mijn toestemming om mee te luisteren als ik met hem praat.'
Er klonk gekreun achter me en ik draaide me om en zag Cregar bewegen.
Ik zei: 'Zeg tegen je mensen die de laboratoria bewaken dat het even belangrijk is dat er niemand uitkomt. Eigenlijk is dat nog belangrijker. Gezien de aard van de toestand hier zullen er wel ergens vuurwapens zijn. Gebruik die in geval van nood.'
Archie keek ernstig. 'Is het zo verschrikkelijk?'
'Ik weet het niet,' zei ik vermoeid. 'Ik neem alleen maar voorzorgsmaatregelen. Schiet een beetje op, wil je?'
Ik ging terug naar Cregar, hielp hem overeind en drukte hem neer op een stoel waar hij slap in elkaar zakte. Hij was verdoofd en had een schok; te oud om het ruwe werk aan te kunnen. Ik vroeg: 'Cregar, hoor je me?'
Hij mompelde iets onverstaanbaars en ik gaf hem een klap op zijn wang.

278

'Hoor je me?'

'Ja,' fluisterde hij.

'Probeer niet weg te gaan. Er staat buiten een man met opdracht om te schieten. Begrepen?'

Hij keek me met glazige ogen aan en knikte. 'Geeft niet,' mompelde hij. 'Ik ben toch al dood. En jij ook.'

'Over honderd jaar zijn we allemaal dood,' zei ik en ging nogmaals kijken naar de kweken in de gebroken schotels. Het spul zag er onschadelijk genoeg uit, maar ik zorgde ervoor het niet aan te raken. Penny had de uitgebreide voorzorgsmaatregelen beschreven die werden genomen om te voorkomen dat gevaarlijke organismen uit de laboratoria zouden ontsnappen en volgens haar was het lab waarin ik me nu bevond nog wel andere koek dan waar Carter mee was bezig geweest.

De kweken konden gewone *E. coli* zijn en als zodanig volstrekt onschadelijk. Maar als het kweken van *E. coli* waren waar Carter mee had gestoeid, konden ze op volstrekt onvoorspelbare wijze gevaarlijk zijn. Cregar was geen wetenschapper maar hij wist waar Carter mee bezig was, en de gebroken schotels waren voldoende geweest om hem de doodsstuipen te bezorgen. Vanaf nu mochten er geen risico's meer worden genomen en ik hoopte dat er niet al een ontsnapping had plaatsgevonden toen Archie de deur opende. Het leek me niet – er heerste lage druk in het laboratorium en ik had hem snel naar buiten gewerkt.

Twintig minuten later had ik Ogilvie aan de telefoon. Ik verknoeide geen tijd met beleefdheden en gaf geen antwoord op de vragen die hij op me afvuurde. Ik zei: 'Dit is een dringende zaak, dus luister goed. Heb je iets om mee te schrijven?'

'Ik neem het op.' Ik hoorde een klik.

'Cregars laboratorium op Cladach Duillich is uit de hand gelopen. Er is één ernstig besmettingsgeval en twee verdachte gevallen. Het organisme dat het veroorzaakt is nieuw in de geneeskunde en waarschijnlijk kunstmatig gemaakt; bovendien is het hoogst besmettelijk. Ik weet niet of het dodelijk is, maar hoogstwaarschijnlijk wel. Je moet alarm slaan en waarschijnlijk is Lumsden, de baas van Penny, de beste man om te benaderen. Zeg hem dat ziekenhuisopname voor drie personen nodig is onder P4 – herhaal P4 – omstandigheden. Hij weet wat dat betekent. Zeg hem dat ik

Porton Down voorstel, maar misschien heeft hij een beter idee.'
'Ik ga meteen aan de slag,' zei Ogilvie. 'Wie zijn die drie mensen?'
'Het ernstige geval is Penny Ashton.'
Hij stootte sissend zijn adem uit. 'O, Christus! Wat erg, Malcolm.'
Ik ging verder: 'De verdachte gevallen zijn Cregar en ikzelf.'
'Lieve God!' zei Ogilvie. 'Wat is daar gebeurd?'
Ik negeerde de vraag. 'Er is een landingsplaats voor helikopters op Cladach Duillich, dus laat Lumsden een helikopter nemen. Zeg hem dat de man die hij hier moet hebben dr. Carter is. Dat is de knaap die hier het potje op het vuur heeft gezet.'
'Ik heb het.'
'Schiet dan op. Ik denk dat Penny op sterven ligt,' zei ik somber.

38

Cregar en ik bevonden ons in een merkwaardige positie. We haatten elkaar peilloos diep, maar waren voor onbepaalde tijd tot elkaars gezelschap veroordeeld. De volgende vier uur zouden buitengewoon onbehaaglijk worden, maar ik probeerde ze zo behaaglijk mogelijk te maken.

Archie Ferguson kwam terug zodra ik met Ogilvie had gesproken en de uitdrukking op zijn gezicht was angstaanjagend. Hij zag eruit zoals een profeet uit het Oude Testament er waarschijnlijk had uitgezien na het opstellen van een van de meer ijselijke hoofdstukken van de bijbel.

'Mogen hun zielen eeuwig rotten in de hel!' barstte hij uit.

'Kalm maar,' zei ik. 'Er zijn praktische dingen te doen.' Ik dacht aan het telefoongesprek dat Ogilvie op de band had gezet en kreeg een idee.

'Kijk eens of je een bandrecorder kunt vinden. Die heb ik nodig.'

Archie kalmeerde. 'Ja, ik zal zien wat ik kan vinden.'

'En we hebben hier eten nodig, maar dat hoef je maar één keer te brengen. Doe het op de volgende manier. Je opent de buitendeur van het laboratorium en zet het eten vlak achter de deur op de grond. Zeg me wanneer je de deur weer hebt dichtgedaan, dan haal ik het op. Je kunt het maar één keer doen omdat ik geen besmetting via de luchtsluis durf te riskeren, dus geef ons in elk geval genoeg voor drie maaltijden. Kijk of je ook thermosflessen voor koffie kunt vinden.'

Ferguson keek langs me. 'Is dat die Cregar over wie je het had?'

'Ja.'

'Dan krijgt hij niks van me.'

'Doe wat ik zeg,' zei ik op scherpe toon. 'We eten allebei of geen van beiden.'

Hij haalde diep adem, knikte kortaf, legde toen de microfoon neer en ging weg. Een half uur later kwam hij terug. 'Het eten staat er. Ik heb iets beters dan thermosflessen gevonden; er was een koffiepercolator om je eigen koffie te maken.'

'Bedankt.' Ik kreeg nog een idee. 'Archie, in dit laboratorium heerst een lagere luchtdruk dan buiten. Dat betekent pompen en pompen betekenen elektriciteit. Laat iemand de generator bewaken; ik zou niet graag zien dat hij stopt door pech of gebrek aan brandstof. Zorg je ervoor?'

'Ja. Hij blijft draaien.'

Ik ging de luchtsluis in en haalde het eten – een stapel broodjes – en trof ook een kleine op batterijen lopende cassetterecorder aan. Ik zette alles op de tafel naast de telefoon. Cregar was apathisch en keek zonder belangstelling naar de broodjes. Ik vulde de percolator uit een kraan boven een van de laboratoriumtafels en zette koffie. Cregar pakte de koffie aan maar wilde niet eten.

Onopvallend zette ik de recorder aan; ik wilde dat Cregar zich met eigen mond veroordeelde. Ik zei: 'Er is veel te bespreken.'

'O ja?' zei hij ongeïnteresseerd. 'Niets doet er nog toe.'

'Je bent nog niet dood en als Ogilvie zijn werk doet, komt het ook niet zover. Wanneer is Benson erachter gekomen dat Ashton belangstelling voor genetica had?'

Hij zweeg een ogenblik, zei toen: 'Dat moet in 1971 zijn geweest. Hij merkte dat Ashton de studie van het meisje bijhield en daarna op zichzelf een hoop werk deed, meestal in de weekeinden – een hoop berekeningen. Hij probeerde het onder ogen te krijgen, maar Ashton hield het achter slot en grendel.' Cregar dacht na. 'Ashton had een hekel aan me. Ik heb me vaak afgevraagd of hij wist wat ik aan het doen was.' Hij gebaarde naar het laboratorium. 'Dit, bedoel ik. Het wordt verondersteld geheim te zijn, maar iemand met geld kan meestal wel te weten komen wat hij weten wil.'

Hij haalde zijn schouders op. 'Hoe dan ook, hij zorgde er wel voor dat Benson zijn werk niet onder ogen kreeg.'

'Die lege kluis moet een schok zijn geweest.'

Hij knikte. 'Benson wist van de kluis maar heeft er nooit in kunnen kijken. En toen Ogilvie me vertelde dat hij leeg was, geloofde ik hem niet. Pas toen hij aanbood om een van mijn deskundigen de kluis te laten onderzoeken geloofde ik het.' Hij keek op. 'Je bent een slimme kerel. Ik zou nooit aan de spoorbaan hebben gedacht. Had ik wel moeten doen. Ashton was er de man niet naar om met speelgoedtreintjes te rommelen.'

Nu Cregar was begonnen te praten werd hij bepaald spraakzaam. Ik veronderstel dat hij meende dat er geen reden was om te blijven zwijgen. Het was een soort biecht op het sterfbed.

Ik zei: 'Wat ik niet begrijp is hoe je die aanval met zoutzuur van Mayberry in elkaar hebt gezet – en waarom. Het lijkt me zo zinloos.'

'Het was ook zinloos,' zei Cregar. 'Ik had er niets mee te maken. Ik wist niet eens van het bestaan van Mayberry tot de politie hem opspoorde. Weet je nog dat toen jij voor de interdepartementale commissie verscheen, Ogilvie iets zei over "Ashton uit Stockholm exploderen"? Nou, ik heb hem uit Engeland geëxplodeerd.'

'Hoe?'

Hij haalde zijn schouders op. 'Opportunisme gecombineerd met planning. Ik had Ashton al lang te pakken willen nemen. Ik wilde hem weg hebben uit dat huis, zodat ik die kluis kon bekijken. Ik dacht dat de spullen die hij had rijp moesten zijn. Ik had al voorbereidingen getroffen – die flat gehuurd en de bankrekening in Stockholm geopend, voor het Israëlische paspoort gezorgd, enzovoort. Het enige dat ik nodig had, was de laatste duw. Toen verscheen die maniak, Mayberry – dat kwam erg goed uit. Ik zorgde ervoor dat Benson Ashton in paniek bracht met praatjes over bedreigingen jegens het andere meisje, enzovoort. Benson had hem verteld dat mijn afdeling zich dat soort dingen niet kon voorkomen tenzij Ashton verdween, dat we bereid waren hem te helpen en dat we een veilige schuilplaats voor hem hadden, wat natuurlijk ook zo was. En na al die moeite was die verdomde kluis leeg.'

'Maar waarom heeft Benson Ashton vermoord?'

'Orders van dertig jaar geleden,' zei Cregar eenvoudig. 'Ashton mocht niet de gelegenheid krijgen terug te gaan naar de Russen. Als de kans bestond dat hij in Russische handen zou vallen moest Benson hem doodschieten. Benson had alle reden om te denken dat jullie Russen waren.'

'Jezus!' zei ik. 'Wat voor man was Benson dat hij Ashton kon doodschieten na dertig jaar bij hem te zijn geweest?'

Cregar wierp me een scheef lachje toe. 'Hij kende dankbaarheid, lijkt me; en persoonlijke loyaliteit – jegens mij.'

Ik herinnerde me mijn overpeinzingen in de donkere kamer en uit nieuwsgierigheid vroeg ik: 'Cregar, waarom heb je dit gedaan?'

Hij keek me verbaasd aan. 'Je moet je stempel op de wereld drukken.'

Ik voelde me verkillen.

Daarna hoefde ik niet veel meer te weten, maar nu de stroom eenmaal op gang was ratelde Cregar eindeloos door en ik was blij toen de telefoon rinkelde. Het was Ogilvie. 'Er komt een helikopter van de RAF met een medische ploeg. Lumsden vindt dat je gelijk hebt wat Porton betreft en hij heeft het geregeld.' Hij zweeg even. 'Hij wil ook dat ik je zijn verontschuldigingen overbreng – ik weet niet waarom.'

'Ik wel. Bedank hem namens mij. Wanneer is de helikopter hier?'

'Ze zijn het team nu aan het samenstellen. Ik zou zeggen over zes uur. Hoe is het met juffrouw Ashton?'

'Ik weet het niet,' zei ik bitter. 'Ik kan niet naar haar toe gaan. Ze ligt in coma. Dat kun je ook tegen Lumsden zeggen.'

Ogilvie wilde verder praten, maar ik onderbrak hem. Ik was er niet voor in de stemming. Een half uur later ging de telefoon weer en Archie Ferguson was aan de lijn. 'Er is hier een zekere Starkie die met die Carter wil praten. Kan dat?'

'Geef mij Starkie maar.' De telefoon kraakte en een diepe stem zei: 'Met Richard Starkie – bent u dat, dr. Carter?'

'Met Malcolm Jaggard. Wie bent u?'

'Ik ben arts en spreek vanuit Porton Down. Bent u een van de besmette mensen?'

'Ja.'

'Zijn de symptomen al begonnen?'

'Nog niet.'

'Als Carter dit virus heeft gebrouwen weet hij er meer van dan wie dan ook. Ik moet die informatie hebben.'

'Goed,' zei ik. 'Als hij niet bevredigend reageert laat het mij dan weten. Ben je nog aan de lijn, Archie?'

'Jawel.'

'Laat ze met elkaar praten. Als Carter moet worden overreed ben ik er zeker van dat je weet wat je te doen staat.'

Ze haalden ons zeven uur later op, gekleed als ruimtevaarders in plastic pakken met ademhalingsapparatuur. Ze wikkelden ons volkomen in plastic hoezen, zorgden voor luchttoevoer en verzegelden ons. We bleven in de luchtsluis staan en de hoezen en zijzelf werden doordrenkt met een vloeistof, toen werden we naar de helikopter gedragen, waar ik zag dat Penny al in haar eigen hoes was geïnstalleerd. Ze was nog steeds buiten bewustzijn.

39

Een maand later voelde ik me opgelucht omdat Starkie had
verklaard dat me niets mankeerde. 'Drie weken lang hebben we
alle *E. coli*-virussen die uit je lichaam zijn gekomen bestudeerd en
ze zijn allemaal normaal. Ik snap niet dat je hier nog blijft liggen.
Dacht je soms dat dit een hotel was?'

Hij was niet steeds zo opgewekt geweest. Aanvankelijk werd ik
ondergebracht in een steriele kamer en de volgende twee weken
door geen mensenhand aangeraakt. Alles wat er met me werd
gedaan geschiedde met afstandsbediening. Later werd me verteld
dat een team van dertig artsen en verpleegsters alleen al met mij in
de weer was geweest.

Penny deed er nog een schepje bovenop. Blijkbaar werden voor
haar alle medische figuren uit het Verenigd Koninkrijk, plus
aanzienlijke groepen uit de Verenigde Staten en Europa en een
plukje uit Australië ingezet. Het virus waarmee zij was besmet was
een ander dan het mijne en het was bepaald angstaanjagend. De
medische wereld stond er van op zijn kop en hoewel ze er in
slaagden haar te genezen, wilden ze er zeker van zijn dat het virus,
wat het ook mocht zijn, volslagen werd uitgeroeid. Daarom verliet
ik Porton Down een maand eerder dan Penny.

Starkie zei een keer ernstig: 'Als ze nog een dag langer de minimale
verzorging had gekregen die ze haar gaven, geloof ik niet dat we
het gered hadden.' Daardoor moest ik denken aan Carter en ik
vroeg me af wat er met hem zou gebeuren. Ik ben er nooit achter
gekomen.

Toen ik op mocht staan maar nog niet ontslagen was, bezocht ik
haar. Ik mocht haar niet kussen en zelfs niet aanraken, maar we
konden, gescheiden door een glazen wand, met elkaar praten en ze
leek vrij opgewekt. Ik vertelde haar het een en ander over wat er was
gebeurd, maar niet alles. Daar was tijd genoeg voor als ze genezen
was. Toen zei ik: 'Je moet hier wel flink snel uitkomen. Ik wil met je
trouwen.'

Ze glimlachte stralend. 'O, graag, Malcolm.'

'Ik kan geen datum vaststellen door die vervloekte Starkie,' klaagde ik. 'Waarschijnlijk houdt hij je hier voorgoed vast om de inhoud van je verrukkelijke darmen te bestuderen.'

Ze vroeg: 'Wat zou je denken van een dubbel huwelijk? Ik heb een brief uit New York ontvangen van Gillian. Peter Michaelis is naar haar toe gevlogen en heeft een aanzoek gedaan. Ze lag in bed met haar linkerarm tegen haar rechterwang gebonden en ze was helemaal in verband verpakt toen hij haar vroeg. Ze vond het erg grappig.'

'Asjemenou!'

'Het duurt nog wel even. We moeten eerst allemaal uit het ziekenhuis komen. Is vier maanden te lang om te wachten?'

'Ja,' zei ik prompt. 'Maar ik zal wachten.'

Ik vroeg niet hoe het met Cregar ging omdat het me niet kon schelen. Op de dag dat ik uit de steriele kamer kwam, bezocht Ogilvie me met het verplichte pond druiven. Ik ontving hem met enige reserve. Hij vroeg naar mijn gezondheid en ik verwees hem naar Starkie en toen zei hij: 'We hebben de bandrecorder ontvangen nadat hij ontsmet was. Hier kan Cregar zich niet meer uit redden.'

Ik vroeg: 'Nog succes gehad met de computerprogramma's van Ashton?'

'O, mijn God, ze zijn fantastisch. Iedereen heeft altijd beweerd dat de man een genie was en dat heeft hij nu bewezen.'

'Hoe?'

Ogilvie krabde op zijn hoofd. 'Ik weet niet of ik het kan uitleggen – ik ben geen wetenschapper – maar het schijnt dat Ashton voor de genetica heeft gedaan wat Einstein voor de natuurkunde heeft gedaan. Hij heeft de DNA-molecule op theoretische wijze geanalyseerd en kwam te voorschijn met een reeks nogal ingewikkelde vergelijkingen. Door die toe te passen kun je precies voorspellen welke genen waar naar toe gaan en waarom, en welke genetische samenstellingen mogelijk en niet mogelijk zijn. Het is een verbluffende doorbraak; het betekent een stevige en wiskundige fundering voor de genetica.'

'Daar zal Lumsden blij mee zijn,' zei ik.

Ogilvie at een druif. 'Hij weet het niet. Het is nog vertrouwelijk. Het is nog niet openbaar gemaakt.'

'Waarom niet?'

'De minister schijnt het gevoel te hebben . . . nou ja, er zijn redenen waarom het nog niet kan worden vrijgegeven. Dat zegt hij.'

Dat bedroefde me. Die verdomde politici met hun verdomde redenen maakten me doodziek. De minister was ook een soort Cregar. Hij had een machtshefboom ontdekt en wilde zich eraan vastklemmen.

Ogilvie nam nog een druif. 'Ik heb Starkie gevraagd wanneer je hier uit zou komen, maar hij wil het niet zeggen. Maar als het zover is heb ik een nieuwe baan voor je. Zoals je weet gaat Kerr over twee jaar met pensioen. Ik wil je voor zijn baan inwerken.' Kerr was Ogilvies plaatsvervanger. Hij glimlachte. 'Als ik over zeven jaar vertrek, kun jij de leiding over de afdeling krijgen.'

Botweg zei ik: 'Lazer op.'

Hij was niet iemand om gemakkelijk verbijstering te tonen, maar ditmaal wel. *'Wat zei je?'*

'Je hebt me verstaan. Lazer op. Je doet maar met die baantjes van jou en Kerr waar je trek in hebt. Misschien kun je ze de minister in zijn reet stoppen.'

'Wat mankeert jou?' vroeg hij.

'Dat zal ik je zeggen,' zei ik. 'Je stond op het punt een handeltje met Cregar te maken.'

'Wie zegt dat?'

'Cregar.'

'En geloofde je hem? De man liegt net zo makkelijk als hij ademhaalt.'

'Ja, ik geloofde hem omdat hij op dat moment geen reden had om te liegen. Hij heeft je een voorstel gedaan, is het niet?'

'Nou, ach, we hebben gepraat – ja.'

Ik knikte. 'Daarom krijg je mij niet terug op de afdeling. Ik heb genoeg van leugens en ontwijkingen; ik heb genoeg van zelfbelang dat gecamoufleerd is als patriottisme. Dat is me overkomen toen Cregar me een eerlijk man noemde, niet als compliment maar als iemand die gecorrumpeerd kon worden. Ik besefte toen dat hij zich vergiste. Hoe kan iemand die eerlijk is doen wat ik Ashton heb aangedaan?'

'Je doet al te emotioneel,' zei Ogilvie stijf.

'Ik doe emotioneel omdat ik een mens met gevoelens ben en geen verdomde robot,' antwoordde ik. 'En pak je verdomde druiven nou maar en smeer 'm.'

287

40

En ze leefden nog lang en gelukkig. De held trouwde met de hoofdrolspeelster, de tweede held met de bijrolspeelster en ze trokken van het arme daglonershuisje naar de oostelijke vleugel van het koninklijk paleis.

Maar dit is geen sprookje.

Op de dag dat Penny uit het ziekenhuis kwam gingen zij, Peter Michaelis en ik de bloemetjes buiten zetten in het West End en gedrieën raakten we redelijk dronken en uitgesproken vrolijk. Op de dag dat Gillian terugkwam uit New York zetten we nog eens met ons vieren de bloemetjes buiten met overeenkomstig effect. Die Amerikaanse plastische chirurg moet een genie zijn geweest, want Gillians nieuwe gezicht was mooier dan haar gezicht was vóór het zoutzuur werd geworpen. Ik was bijzonder blij voor Peter.

Het luiden van de huwelijksklokken viel voor de naaste toekomst te verwachten. Penny en Gillian stoven her en der door Londen om de betere winkels te beroven van jurken en kwikjes en strikjes voor hun uitzet, terwijl ik op zoek ging naar een huis, er Penny heenbracht en de koop vervolgens bezegelde met een aanbetaling totdat de advocaten klaar waren met hun kostbare gekrakeel over de koopakte. Het was allemaal erg opwindend.

Tien dagen vóór het huwelijk voelde ik me genoopt een bezoek aan Starkie te brengen. Hij luisterde naar wat ik te zeggen had en fronste, nam me toen mee naar een laboratorium waar ik werd onderworpen aan een lange reeks proeven. Hij zei me naar huis te gaan en over een week terug te komen.

Op de dag dat ik terugging las ik in *The Times* dat Cregar was overleden. Ik werd misselijk van de necrologie. Hij werd omschreven als een trouw dienaar van het publiek die zijn land gedurende lange jaren met zelfopoffering had gediend en hij werd geprezen als voorbeeld voor komende generaties. Ik gooide de krant uit het treinraam en had er onmiddellijk spijt van: dat soort dingen konden het landschap ernstig vervuilen.

Starkie was ook ernstig toen ik hem zag en ik zei: 'Slecht nieuws.'

'Ja,' zei hij ronduit. 'Het is kanker.'

Het was een slag, maar ik had het half en half verwacht. 'Hoe lang heb ik nog te leven?'

Hij haalde zijn schouders op. 'Een half jaar tot een jaar, zou ik zeggen. Het kan langer zijn, maar niet veel langer.'

Ik liep naar het raam van zijn kamer en keek naar buiten. Ik kan me niet herinneren wat ik zag. 'Cregar is dood,' zei ik. 'Zelfde oorzaak?'

'Ja.'

'Hoe?'

Starkie zuchtte. 'Die verdomde idioot van een Carter voerde geforceerde experimenten uit. Dat wil zeggen dat hij DNA-moleculen in kleine stukjes hakte, ze in *E. coli* stopte en dan ging staan afwachten wat er zou gebeuren. Het is geen slechte techniek als je weet wat je doet en de benodigde voorzorgsmaatregelen neemt.'

'Hij had voorzorgsmaatregelen genomen,' zei ik. 'Dat spul is ontsnapt door mijn eigen stommiteit.'

'Nee, dat heeft hij niet gedaan,' snauwde Starkie. 'Cregar had hem onder druk gezet – hij wilde snelle resultaten. Hij kon niet wachten op een hoeveelheid genetisch verzwakte *E. coli* uit de Verenigde Staten en daarom heeft hij het normale virus gebruikt. Het viel biologisch volstrekt niet in de hand te houden. Het spul ging regelrecht je darmen in en begon zich daar lustig te vermenigvuldigen.'

'En veroorzaakte kanker.' Het leek onwaarschijnlijk.

'Ik zal proberen het zo eenvoudig mogelijk uit te leggen,' zei Starkie. 'We geloven dat er in het genetische materiaal van alle normale cellen genen zitten die tumor-vormende chemicaliën kunnen produceren, maar normaliter worden die onderdrukt door andere genen. Maar als je een geforceerd experiment uitvoert en een stukje DNA in *E. coli* inbrengt, loop je het gevaar een tumor-gene in te brengen zonder de gene die dat onderdrukt. Dat is met jou gebeurd. De *E. coli* in je darmen produceerden tumor-vormende chemicaliën.'

'Maar je zei dat de *E. coli* die uit mij kwamen normaal waren,' wierp ik tegen.

'Ik weet dat ik dat heb gezegd en het was ook zo. Een van de moeilijkste dingen bij deze experimenten is het verkrijgen van een nieuwe kweek om goed te kunnen vermenigvuldigen. Ze zijn erg labiel. Wat er gebeurd is, is dat deze kweek zich vrijwel onmiddellijk begon terug te vermenigvuldigen naar normale *E. coli*. Maar het spul heeft lang genoeg in je darmen gezeten om de schade aan te richten.'

'Juist, ja.' Ik voelde me verkillen. 'Hoe zit dat met Penny?'

'Met haar is alles in orde. Dat was een volslagen ander virus. Daar zijn we zeker van.'

Ik zei: 'Bedankt, Starkie. Je bent erg openhartig geweest en dat stel ik op prijs. Wat is de volgende stap?'

Hij wreef over zijn kin. 'Als jij niet naar mij was toe gekomen had ik je laten komen – op basis van wat er met lord Cregar is gebeurd. Dit is een soort kanker dat we nog niet kenden; hij staat tenminste niet in deze speciale vorm vermeld in de literatuur. Met Cregar is het erg snel gegaan, maar dat kan door zijn leeftijd gekomen zijn. Oudere celstructuren zijn vatbaarder voor kanker. Ik denk dat jij een betere kans hebt.' Maar niet veel beter, dacht ik. Starkie sprak op de vlakke, gelijkmatige toon die artsen toepassen als ze je het slechte nieuws langzaam willen vertellen. Hij krabbelde op een vel papier. 'Ga naar deze man. Hij is erg goed en is op de hoogte van je geval. Waarschijnlijk zal hij je een medicijn geven dat de tumor reduceert en mogelijk bestralingstherapie.' Hij zweeg even. 'En maak je zaken in orde zoals ieder verstandig mens zou doen.'

Ik bedankte hem nogmaals, nam het adres van hem aan en ging terug naar Londen waar ik nog meer slecht nieuws te horen kreeg. Toen vertelde ik het Penny. Ik hoefde haar Starkies uitleg niet te vertellen want ze had het onmiddellijk door. Ten slotte was het haar werk. Ik zei: 'Het huwelijk gaat uiteraard niet door.'

'O, nee, Malcolm!'

En dus kregen we opnieuw ruzie – en ik won. Ik zei: 'Ik heb er geen bezwaar tegen om in zonde te leven. Ga met me mee en wees mijn liefje. Ik ken een plaatsje in het zuiden van Ierland waar de bergen groen zijn en de zee blauw is als de zon schijnt, wat vrij vaak voorkomt, en groen als het bewolkt is en de golven uit de Atlantische Oceaan komen aanstormen. Daar heb ik wel zes maanden zin in als jij bij me bent.'

Onmiddellijk nadat Peter en Gillian waren getrouwd gingen we naar Ierland. Dat huwelijk was niet het opgewekte feest dat we hadden gewenst; de mannen waren somber en de vrouwen huilden, maar we moesten ons erdoorheen slaan.

Een keer overwoog ik zelfmoord. Maar toen bedacht ik me dat ik een karwei had te voltooien en dat was het schrijven van een verslag over de zaak Ashton waarin ik niets wegliet en dat ik zo waarheidsgetrouw als maar mogelijk was zou maken, en ik was zeker niet van plan om mijn eigen tekortkomingen te verdoezelen. God weet dat ik niet trots ben op mijn aandeel in de zaak. Penny heeft het manuscript gelezen; sommige gedeelten vond ze amusant, andere gedeelten verpletterend. Ze heeft het persoonlijk overgetikt. We wonen hier heel eenvoudig, als je de inwonende staf van een arts en drie verpleegsters niet meerekent waar Penny op had gestaan. De arts is een vriendelijke, jonge Amerikaan die slecht schaak speelt en de verpleegsters zijn aantrekkelijk, wat Penny niet erg vindt. Het helpt om een rijke vrouw als minnares te hebben. De eerste twee maanden placht ik eens per veertien dagen naar Dublin te gaan waar ze me onderzochten en met atomen injecteerden. Maar daar ben ik mee opgehouden omdat het niet hielp.

De tijd begint nu te dringen. Dit verslag en ikzelf naderen het einde. Ik heb het ter publikatie geschreven, deels omdat ik vind dat de mensen moeten weten wat er in hun naam gebeurt en deels omdat het werk van Ashton met genetica nog niet is vrijgegeven. Het zou jammer zijn als zijn werk, waarmee in de juiste handen zoveel goeds zou kunnen worden verricht, achtergehouden en misschien op kwaadaardige wijze toegepast zou worden door een nieuwe Cregar. Er bevinden zich vele Cregars op hoge posten.

Ik weet niet of publikatie wel mogelijk zal zijn. De toorn van het establishment kan vreselijk zijn en zijn instrumenten ter onderdrukking zijn krachtig en subtiel. Niettemin hebben Penny en ik onze campagne voorbereid om er zeker van te zijn dat deze woorden niet verloren zullen gaan.

Een wijze Amerikaan met één been zei eens in een parafrase op de woorden van een zeeheld: 'We hebben de vijand leren kennen, en hij is onszelf.'

God helpe u allen als hij gelijk heeft.

Desmond Bagley

Desmond Bagley werd in 1923 in Kendal (Noord-Engeland) geboren. Tijdens de oorlog werkte hij in een vliegtuigfabriek. Daarna maakte hij een reis naar Zuid-Afrika, onderweg in mijnen werkend om aan de kost te komen. Zo was hij o.a. free-lance journalist in Johannesburg. Na enkele jaren heeft hij zich weer in Engeland gevestigd, waar hij met veel succes avonturenromans schreef. Hij overleed in 1983.

DE MAN ZONDER VERLEDEN

Een man overleeft een auto-ongeluk, maar herinnert zich niets meer van zijn verleden. Na tien jaar krijgt hij een vermoeden van zijn ware identiteit en ontdekt dat er een kwaadaardig spel met hem is gespeeld.

DE VIJAND

Malcolm Jaggard, agent van de economische contraspionage, komt op het spoor van een angstaanjagend genetisch experiment, waarbij zijn verloofde en het hoofd van de inlichtingendienst betrokken zijn.

VLUCHT IN HET VERLEDEN

Paul Billson verdwijnt. Zijn spoor voert naar de Sahara, waar in 1936 het vliegtuig van zijn vader is neergestort. Maar iemand wil niet dat Paul na al die tijd wordt ontdekt waarom...

BAHAMA CRISIS

De vrouw van een rijke hoteleigenaar op de Bahama's wordt gekidnapt. Haar echtgenoot probeert haar op te sporen en stuit op een smerig Cubaans komplot.

DUEL ONDER WATER

Een oud koperen familiestuk blijkt van goud te zijn. Het vormt de sleutel tot een belangrijke archeologische vondst – maar ook misdadigers hebben daar belangstelling voor.

FORT IN DE BERGEN

Revolutionairen belegeren een vliegtuig dat in de Andes tot landen
is gedwongen, terwijl drie passagiers een levensgevaarlijke tocht
maken om hulp te halen voor de achtergeblevenen.

DE GOUDEN KIEL

Drie oorlogskameraden proberen op ingenieuze wijze het goud
van Mussolini uit Italië te smokkelen. Al spoedig merkten zij dat
anderen op de hoogte zijn van hun plan en azen op de buit.

DE MAN MET DE TWEE GEZICHTEN

Op een ochtend ziet Giles Denison het gezicht van een vreemde in
de spiegel. Pas na een gevaarlijke tocht door de ijzige wereld van
Noorwegen en de Sovjet-Unie, weet hij het raadsel op te lossen.

OPERATIE TORPEDO

Een gewetenloze bende heroïnesmokkelaars wil in één klap duizend kilo 'exporteren'. Nicholas Warren moet hen tegenhouden.
De inzet is hoog, het spel dodelijk.

DE SNEEUWTIJGER

Een enorme lawine vaagt een heel Nieuwzeelands dorp weg. Ian
Ballard, beheerder van een goudmijn, wordt van nalatigheid be-
schuldigd. Het wordt hem al snel duidelijk dat hij de zondebok
moet worden voor de misdaden van anderen.

DE UITBREKERS

Voor grof geld bevrijdt een bende gevangenen uit hun cel. Stannard moet hen onschadelijk maken. Zijn tweede opdracht is een Russische spion het zwijgen op te leggen.

OP DOOD SPOOR

IJsland is het woeste, dramatische decor van een verbitterd gevecht tussen twee geheime diensten. Stewart, aangenomen voor een klein klusje, merkt al gauw dat hij er middenin zit.

ORKAAN MABEL GRIJPT IN

Op een Caraïbisch eiland woedt een hevige burgeroorlog. De orkaan Mabel geeft de strijd een wel zeer onverwachte wending.